A Garota que Bebeu a Lua

Obras da autora publicadas pela Galera Record:

O filho da feiticeira
A garota que bebeu a lua

Kelly Barnhill

A Garota que Bebeu a Lua

Tradução de
Natalie Gerhardt

5ª edição

Galera
RIO DE JANEIRO
2021

CIP-BRASIL. CATALOGAÇÃO NA PUBLICAÇÃO
SINDICATO NACIONAL DOS EDITORES DE LIVROS, RJ

Barnhill, Kelly, 1973-
B242g A garota que bebeu a lua / Kelly Barnhill ; tradução Natalie
5. ed. Gerhardt. – 5. ed. – Rio de Janeiro : Galera Record, 2021.

Tradução de: The girl who drank the moon
ISBN 978-85-01-11007-7

1. Ficção juvenil americana. I. Gerhardt, Natalie. II. Título.

17-43079 CDD: 028.5
CDU: 087.5

Título original:
The girl who drank the moon

Publicado mediante acordo com a editora original, Algonquin Young Readers, um selo da Algonquin Books of Chapel Hill

Texto revisado segundo o novo Acordo Ortográfico da Língua Portuguesa.

Editoração eletrônica: Abreu's System
Adaptação de layout de capa: Renata Vidal

Direitos exclusivos de publicação em língua portuguesa somente para o Brasil
adquiridos pela
EDITORA RECORD LTDA.
Rua Argentina, 171 – Rio de Janeiro, RJ – 20921-380 – Tel.: (21) 2585-2000,
que se reserva a propriedade literária desta tradução.

Impresso no Brasil

ISBN 978-85-01-11007-7

Seja um leitor preferencial Record.
Cadastre-se e receba informações sobre nossos
lançamentos e nossas promoções.

Atendimento e venda direta ao leitor:
sac@record.com.br

1.

E uma história é contada

Sim.

Existe uma bruxa na floresta. Sempre houve uma bruxa.

Será que você pode parar por um minuto? Pelos céus! Nunca vi uma criança tão irrequieta.

Não, meu bem, eu nunca a vi. Ninguém viu. Não por séculos. Tomamos medidas para que jamais precisássemos vê-la.

Medidas terríveis.

Não me faça contar. Você já as conhece, de qualquer forma.

Ah, eu não sei, meu bem. Ninguém sabe por que ela quer crianças. Não sabemos por que ela insiste que seja sempre a mais nova entre nós. Não é como se pudéssemos simplesmente lhe perguntar. Ela nunca é vista. Nós nos certificamos de que ela não seja vista.

É claro que ela existe. Ora essa! Mas que pergunta! Olhe para a floresta! Tão perigosa! Gases venenosos e buracos de escoamento e gêiseres e terríveis perigos por todos os lados. Você acha que é assim por acaso? Bobagem! Foi a Bruxa, e, se não fizermos o que ela mandar, o que será de nós?

Você precisa mesmo que eu explique?

Prefiro que não.

Ah, acalme-se, não chore. Não é como se o Conselho dos Anciãos vá pegar você, não é mesmo? Você já passou da idade.

De nossa família?

Sim, meu bem. Muito tempo atrás. Antes de você nascer. Era um garoto bonito.

Agora termine seu jantar e vá concluir seus afazeres. Vamos acordar bem cedo amanhã. O Dia do Sacrifício não espera por ninguém, e todos precisam estar presentes para agradecer à criança que vai nos salvar por mais um ano.

Seu irmão? Como eu poderia lutar por ele? Se eu tivesse lutado, a Bruxa teria matado todos nós e, então, onde estaríamos? Sacrificar um ou sacrificar todos. É assim que o mundo funciona. Não poderíamos mudar isso, mesmo se tentássemos.

Chega de perguntas. Vamos logo. Criança tola.

2.

E uma infeliz enlouquece

O Grão-Ancião Gherland se preparou com calma naquela manhã. Afinal, o Dia do Sacrifício só acontecia uma vez por ano, e ele gostava de exibir a melhor aparência durante a procissão solene até a casa amaldiçoada e durante o retiro oficial. Encorajava os outros Anciãos a fazer o mesmo. Era importante se apresentar bem para a população.

Aplicou cuidadosamente um pouco de ruge nas bochechas flácidas e delineou os olhos com traços grossos de lápis preto. Verificou os dentes no espelho, assegurando-se de que não havia gosma nem restos de comida. Amava aquele espelho. Era o único que existia no Protetorado. Nada dava a Gherland mais prazer que possuir algo único e exclusivamente seu. Gostava de ser *especial*.

O Grão-Ancião possuía muitas coisas que eram únicas no Protetorado. Era uma das vantagens do trabalho.

O Protetorado — chamado Reino das Tifas por uns e Cidade das Tristezas por outros — ficava espremido entre a floresta traiçoeira e um enorme charco. A maioria das pessoas no Protetorado tirava o sustento do Charco. Havia um futuro na perambulação por aquele lugar, diziam as mães para os filhos. Não um grande futuro, vejam bem, mas era melhor que nada. O Charco ficava cheio de brotos de Zirin na primavera e flores de Zirin no verão e bulbos de Zirin no outono, além de uma grande variedade de plantas mágicas que podiam ser colhidas, preparadas, tratadas e vendidas para os comerciantes do outro lado da floresta; em troca, estes transportavam os frutos do Charco para as distantes Cidades Livres. A floresta em si era terrivelmente perigosa, e só era possível viajar pela Estrada.

E os Anciãos eram donos da Estrada.

O que é o mesmo que dizer que o Grão-Ancião era o dono da Estrada, e os outros Anciãos recebiam sua parte. Os Anciãos também eram donos do Charco. E dos pomares. E das casas. E das praças de mercado. Até mesmo dos jardins.

Era por isso que as famílias do Protetorado faziam sapatos de junco. Era por isso que, em épocas de escassez, alimentavam as crianças com canja grossa e rica do Charco, na esperança de que o Charco as tornasse fortes.

Era por isso que os Anciãos e suas famílias eram grandes e fortes, e tinham no rosto o tom rosado de quem come carne e manteiga e toma cerveja.

Uma batida à porta.

— Entre — murmurou o Grão-Ancião Gherland enquanto ajeitava as dobras da túnica.

Era Antain. Seu sobrinho. Um Ancião em Treinamento, mas apenas porque Gherland, em um momento de fraqueza, fizera uma promessa à ridícula mãe do garoto um pouco menos ridículo. Mas isso era indelicado. Antain era um jovenzinho bom o suficiente de quase 13 anos. Trabalhava duro e aprendia rápido. Era bom com os números e com as mãos, e podia construir um banco confortável para um Ancião cansado tão rápido quanto um estalar de dedos. E, mesmo sem querer, Gherland desenvolveu um afeto inexplicável e crescente pelo garoto.

No entanto.

Antain tinha grandes ideias. Grandes noções. E *perguntas*. Gherland franziu o cenho. Antain era — como poderia explicar? — *excessi-*

vamente perspicaz. Se continuasse assim, teriam de lidar com ele, parente ou não. O pensamento pesava como pedra no coração de Gherland.

— TIO GHERLAND! — Antain quase derrubou o tio com o detestável entusiasmo.

— Acalme-se, menino! — vociferou o Ancião. — Esta é uma ocasião solene.

O garoto se aquietou de forma visível; o rosto ansioso, parecido com o de um cãozinho, voltou-se para o chão. Gherland resistiu à vontade de fazer um carinho na cabeça do sobrinho.

— Fui enviado — começou Antain com sua voz mais suave — para informar que os outros Anciãos já estão prontos. E toda a população já está aguardando na rota. Todos estão presentes.

— Todos? Não há nenhum fujão?

— Depois do que aconteceu no ano passado, duvido que isso se repita — declarou Antain, estremecendo.

— Que pena. — Gherland olhou-se no espelho de novo e retocou o ruge. Gostava bastante de ensinar uma lição ocasional aos cidadãos do Protetorado. Para esclarecer as coisas. Bateu nas pregas sob o queixo e franziu o cenho. — Bem, meu sobrinho — disse, fazendo a túnica farfalhar artisticamente, de uma forma que levou mais de uma década para aperfeiçoar. — Vamos logo. Afinal, aquele bebê não vai se sacrificar sozinho. — E caminhou até as ruas, como se flutuasse, com Antain tropeçando em seus calcanhares.

* * *

Normalmente, o Dia do Sacrifício chegava e passava com toda pompa e seriedade necessária. As crianças eram entregues sem protesto. As famílias, entorpecidas, permaneciam em luto silencioso, com panelas de ensopado e alimentos nutritivos nas cozinhas, enquanto os braços confortadores dos vizinhos os envolviam para aliviar a dor da perda.

Normalmente, ninguém quebrava as regras.

Não daquela vez.

O Grão-Ancião Gherland apertou os lábios e franziu o cenho. Conseguia ouvir os gritos da mãe mesmo antes de a procissão virar a última rua. Onde estavam, os cidadãos começaram a ficar inquietos, desconfortáveis.

Quando chegaram à casa da família, o Conselho de Anciãos se deparou com uma visão surpreendente: quem atendeu a porta foi um homem com o rosto todo arranhado e o lábio superior inchado, além de marcas de sangue no couro cabeludo em áreas onde chumaços de cabelo foram arrancados. Ele tentou sorrir, mas a língua instintivamente se acomodou no buraco onde até pouco antes havia um dente. Contraiu os lábios e tentou fazer uma reverência.

— Sinto muito, senhores — desculpou-se o homem. Supunha-se que fosse o pai. — Não sei o que deu nela. É como se tivesse enlouquecido.

Das vigas acima, uma mulher berrava e uivava enquanto os Anciãos entravam na casa. O cabelo preto e brilhante voava em volta de sua cabeça, como um ninho de cobras compridas e rastejantes. Ela sibilou e cuspiu tal qual um animal encurralado. Prendia-se às vigas do teto com um braço e uma perna, enquanto com o outro braço segurava firme um bebê contra o peito.

— SAIAM DAQUI! — berrou ela. — Vocês *não podem* ficar com ela. Senão vou cuspir em seus rostos e amaldiçoar seus nomes. Saiam já de minha casa ou vou arrancar os olhos de cada um de vocês e os atirarei aos corvos!

Os Anciãos ficaram olhando para ela, boquiabertos. Não conseguiam *acreditar* no que viam. Ninguém lutava por uma criança condenada. Isso simplesmente *não acontecia*.

(Antain começou a chorar. Esforçou-se para esconder as lágrimas dos adultos na sala.)

Gherland, com rapidez de raciocínio, assumiu uma expressão bondosa no rosto enrugado. Estendeu as mãos à mãe para mostrar que não queria lhe fazer nenhum mal. Rangeu os dentes por trás do sorriso. Toda aquela bondade quase o matava.

— Não *estamos* aqui para pegá-la, minha pobre e confusa menina — disse Gherland em um tom paciente. — É a *Bruxa* que vai pegá-la. Nós simplesmente cumprimos ordens.

A mãe fez um som gutural, que veio do fundo do peito, como uma ursa raivosa.

Gherland pousou a mão no ombro do marido perplexo e deu um apertão gentil.

— Ao que tudo indica, meu bom amigo, você está certo. Sua mulher *realmente* enlouqueceu. — Ele se esforçou ao máximo para ocultar a raiva sob uma fachada de preocupação. — Um caso raro, por certo, mas não sem precedente. Devemos reagir com compaixão. Ela não tem culpa. Precisa de cuidados.

— MENTIROSO — cuspiu a mulher. A criança começou a chorar, e a mulher subiu ainda mais alto, apoiando os pés em vigas paralelas e encostando-se na inclinação do telhado, tentando se posicionar de forma que permanecesse fora de alcance enquanto amamentava a filha. A criança se acalmou na hora. A mulher então avisou com um rugido: — Se você a pegar, vou encontrá-la. Eu vou encontrá-la e vou trazê-la de volta. Você vai ver se não vou.

— Vai enfrentar a Bruxa? — Gherland riu. — Sozinha? Ah, que alma patética e perdida a sua. — As palavras eram doces, mas o rosto pegava fogo. — A tristeza a fez perder a razão. O choque estilhaçou sua pobre mente. Não importa. Nós vamos curá-la, querida, da melhor maneira que pudermos. Guardas!

O Grão-Ancião estalou os dedos, e guardas armadas precipitaram-se para dentro da sala. Faziam parte de uma unidade especial, fornecida pela Irmandade da Estrela. Usavam arcos e flechas presos às costas, espadas afiadas embainhadas nos cintos. Os longos cabelos trançados davam uma volta na cintura, onde se apertavam com força: eram um testemunho dos anos de contemplação e treinamento de combate no topo da Torre. Seus rostos eram implacáveis como pedra, e os Anciãos, apesar de seu poder e estatura, mantinham-se longe delas. A Irmandade era uma força temível, com a qual não se devia brincar.

— Removam a criança das garras daquela lunática e acompanhem a pobre coitada até a Torre — ordenou Gherland. Ele lançou um olhar zangado para a mãe que, de repente, empalideceu nas vigas. — A Irmandade da Estrela sabe o que fazer com mentes estilhaçadas, querida. Tenho certeza de que não deve doer nadinha mesmo.

As Irmãs da Guarda eram eficientes, calmas e absolutamente implacáveis. A mãe não tinha a menor chance. Em questão de instantes, foi amarrada e arrastada para longe. Seus gritos ecoaram pela cidade silenciosa, terminando de repente quando as portas de madeira da Torre se fecharam, trancando-a ali dentro.

A bebezinha, por sua vez, assim que foi colocada nos braços do Grão-Ancião, choramingou um pouco e depois voltou a atenção para o rosto caído em frente a ela, cheio de rugas e marcas e dobras. Tinha um olhar solene: calmo, cético e intenso, dificultando que Gherland desviasse o olhar. Os cachos eram pretos, os olhos também. Pele luminosa, como âmbar lapidado. No centro da testa, trazia uma marca de nascença no formato de lua crescente. A mãe tinha uma marca similar. A crença popular dizia que esse tipo de gente era especial. Normalmente, Gherland não gostava da crença popular e sem dúvida detestava quando os cidadãos do Protetorado enfiavam na cabeça que eram melhores que os outros. Ele franziu ainda mais o cenho e aproximou o rosto, enrugando a testa. A bebezinha colocou a língua para fora.

Criança horrível, pensou Gherland.

— Senhores — disse ele, com toda pompa e circunstância que conseguiu reunir. — Chegou a hora.

A bebê escolheu esse exato momento para deixar uma mancha grande, quente e úmida na túnica de Gherland, que fingiu não notar, mas ferveu por dentro.

Ela fizera aquilo de propósito. Tinha certeza disso. Que bebê revoltante!

A procissão seguiu, como sempre, de forma sombria, lenta e insuportavelmente penosa. Gherland sentiu que enlouqueceria de impaciência. No entanto, assim que os portões do Protetorado se fecharam atrás deles e os cidadãos voltaram para a melancolia de sua prole de filhos e seus casebres encardidos, os Anciãos aceleraram o ritmo.

— Mas por que estamos correndo, tio? — perguntou Antain.

— Quieto, garoto! — sibilou Gherland. — E acompanhe-nos!

Ninguém gostava de estar na floresta, longe da Estrada. Nem mesmo os Anciãos. Nem mesmo Gherland. A região bem próxima aos muros do Protetorado era segura o suficiente. Em tese. Mas todo mundo conhecia alguém que, sem querer, tinha se afastado demais. E caído em um buraco. Ou pisado em lama fervente, queimando a maior parte da pele. Ou entrado em uma cavidade onde o ar era venenoso, sem nunca voltar. A floresta era perigosa.

Seguiram pela trilha retorcida até a pequena clareira cercada por cinco árvores antigas, conhecidas como Criadas da Bruxa. Ou seis. *Mas não eram cinco antes?* Gherland lançou um olhar irritado para as árvores, recontou-as e balançou a cabeça. Havia seis. Não importava. A floresta o estava afetando. Afinal, aquelas árvores eram quase tão antigas quanto o mundo.

O espaço dentro do anel de árvores era musgoso e macio, e os Anciãos colocaram a criança ali, esforçando-se ao máximo para não a olhar. Deram as costas para a menina e se apressaram a voltar quando o integrante mais jovem do grupo pigarreou.

— Então. Nós simplesmente a deixamos aqui? — perguntou Antain. — É assim que se faz?

— Sim, meu sobrinho — respondeu Gherland. — É assim que se faz. — Sentiu uma onda repentina de fadiga nos ombros, como o peso de um jugo de bois. Sentiu as costas começarem a ceder.

Antain beliscou o pescoço, um hábito nervoso que não conseguia controlar.

— Não deveríamos esperar a Bruxa chegar?

Os outros Anciãos caíram em um silêncio desconfortável.

— Você pode repetir? — perguntou o Ancião Raspin, o mais decrépito de todos.

— Bem, com certeza... — A voz de Antain falhou. — Com certeza, deveríamos esperar a Bruxa — raciocinou ele em voz baixa. — O que aconteceria se um animal selvagem chegasse primeiro e a levasse embora?

Os olhos dos outros Anciãos se voltaram para o Grão-Ancião, enquanto eles apertavam os lábios.

— Felizmente, meu sobrinho, isso nunca foi um problema — respondeu Gherland depressa, afastando o garoto.

— Mas... — insistiu Antain, beliscando o próprio pescoço de novo, com tanta força que deixou uma marca.

— Já chega — interrompeu o tio, a mão firmemente apoiada nas costas do garoto conforme caminhava rapidamente pela trilha gasta.

E, um por um, os Anciãos seguiram, deixando a bebezinha para trás.

Todos, exceto Antain, partiram sabendo que não era uma questão de *se* a criança seria comida por animais, mas sim de que *com certeza* seria.

Deixaram a menina ali sabendo que certamente *não* existia bruxa alguma. Nunca *existira* uma bruxa. Havia apenas a floresta perigosa e uma única estrada e um controle tênue de uma vida da qual os Anciãos gozaram por gerações. A Bruxa — ou melhor, a crença de que ela existia — tornou o povo aterrorizado e subjugado, um povo submisso, que vivia a vida em um nevoeiro de tristeza, e as nuvens de sua tristeza adormeciam seus sentidos e encharcavam suas mentes. Era terrivelmente conveniente para um governo livre e desimpedido dos Anciãos. Era desagradável também, mas isso não poderia ser evitado.

Ouviram a criança chorar enquanto caminhavam por entre as árvores, mas o choro logo desapareceu entre os suspiros do pântano e o canto dos pássaros e o estalar das árvores pela floresta. E cada um dos Anciãos sentiu uma certeza plena de que aquela criança não sobreviveria até o dia seguinte, e de que eles nunca mais ouviriam falar dela, nem a veriam, nem pensariam nela.

Acreditaram que ela desapareceria para todo o sempre.

Mas estavam errados, é claro.

3

E uma bebezinha é embruxada sem querer

No centro da floresta havia um pequeno pântano — borbulhante, sulfúrico e nocivo, alimentado e aquecido por um vulcão subterrâneo adormecido e agitado e coberto com um lodo escorregadio cuja cor variava de um verde venenoso até um azul relampejante ou vermelho sangue, dependendo da época do ano. Naquele dia em particular — muito próximo do Dia do Sacrifício no Protetorado ou do Dia da Criança Estelar em todos os outros lugares —, o verde começava a ceder um pouco em favor do azul.

No limite do pântano, de pé sob uma franja de juncos que desabrochavam na lama, havia uma mulher muito velha apoiada em um cajado retorcido. Era baixa e atarracada e um pouco arredondada na barriga. Seu cabelo frisado e grisalho estava preso para trás em um grosso nó trançado, com folhas e flores crescendo pelos pequenos espaços entre as mechas retorcidas. Seu rosto, apesar da nuvem de irritação, mantinha um brilho nos olhos velhos e um ar de sorriso na boca ampla e achatada. De certos ângulos, parecia ligeiramente com um sapão bem-humorado.

Seu nome era Xan. E ela era a Bruxa.

— Você acha mesmo que pode se esconder de mim, seu monstro ridículo? — gritou ela para o pântano. — Não é como se eu não soubesse onde você está. Venha à tona *neste instante* e peça desculpas. — Ela assumiu uma expressão próxima da raiva. — *Ou vou obrigá-lo.*

Embora não tivesse nenhum poder de verdade sobre o próprio monstro — ele era velho demais —, ela certamente tinha o poder de fazer com que o pântano o cuspisse para fora, como se não fosse mais que um pigarro preso no fundo da garganta. Ela poderia fazer isso com uma pancada da mão esquerda e uma sacudida do joelho direito.

Tentou ostentar uma carranca de novo.

— ESTOU FALANDO SÉRIO — gritou ela.

A água densa borbulhou e girou, e a cabeça gigante do monstro do pântano apareceu por entre o verde-azulado. Ele piscou um grande olho e depois o outro, antes de revirar ambos para o céu.

— Não revire os olhos para mim, mocinho — advertiu a velha.

— Bruxa — murmurou o monstro, a boca ainda meio submersa nas águas densas do pântano. — Sou muitos séculos mais velho que você. — Seus grandes lábios sopraram uma bolha no lodo de algas. *Milênios, na verdade,* pensou ele. *Mas quem está contando?*

— Acho que não estou gostando de seu tom. — Xan contraiu os lábios, formando um bico apertado bem no meio do rosto.

O monstro pigarreou.

— Como disse o famoso Poeta, cara senhora: "*Eu não estou nem...*"

— GLERK! — gritou a feiticeira, horrorizada. — Olhe o respeito!

— Perdão — desculpou-se Glerk suavemente, embora não estivesse sendo sincero. Ele apoiou dois pares de braços no lodo da margem, pressionando cada uma das mãos com sete dedos no brilho da lama. Com um grunhido, arrastou-se até a grama. *Isso costumava ser bem mais fácil,* pensou ele. Embora, por mais que se esforçasse, não conseguisse se lembrar de quando foi mais fácil.

— Fyrian está lá, perto da passagem, chorando até dizer chega, coitado — enraiveceu-se Xan. Glerk soltou um suspiro profundo. Xan enfiou o cajado no chão, enviando uma chuva de faíscas pela ponta, surpreendendo a ambos. Ela olhou com raiva para o monstro do pântano. — E você só está *sendo cruel.* — Ela meneou a cabeça. — Afinal de contas, ele é só um bebê.

— Minha querida Xan — disse Glerk, sentindo um estrondo no fundo do peito, o qual esperava que soasse imponente e dramático, em vez de como alguém no início de uma gripe —, ele *também* é mais velho que você. E já chegou a hora...

— Ah, você sabe muito bem o que quero dizer. E, de qualquer forma, prometi para a mãe dele.

— Há quinhentos anos, talvez uma década a mais ou a menos, aquele dragãozinho insiste nessas ilusões, que você alimenta e perpetua, minha querida. Como isso o está ajudando? Ele não é um Dragão Simplesmente Enorme. A esta altura, não há qualquer indicação de que ele o será. Não é vergonha nenhuma em ser um Dragão Perfeitamente Minúsculo. Tamanho não é documento, você sabe muito bem. Ele pertence a uma linhagem honrada e antiga, da qual saíram alguns dos grandes pensadores das Sete Eras. Ele tem muita coisa de que se orgulhar.

— A mãe dele foi muito clara... — começou Xan, mas o monstro a interrompeu.

— De qualquer forma, já está mais que na hora de ele conhecer a própria linhagem e seu lugar no mundo. Eu já tomei parte dessa farsa por muito mais tempo do que deveria. Mas agora... — Glerk pressionou os quatro braços no chão e relaxou o traseiro imenso sob a curva da espinha, deixando a pesada cauda enrolar-se em torno dele, como uma enorme concha brilhante de um caracol. Deixou a pança descansar sobre as pernas dobradas. — Não sei, minha querida. Algo mudou. — Uma nuvem passou pelo rosto úmido, mas Xan negou com a cabeça.

— Lá vamos nós de novo — zombou ela.

— Como o diz o Poeta, *"Oh Terra em constante mutação..."*

— Esqueça o Poeta. Vá se desculpar. Agora mesmo. Você é o modelo dele. — Xan olhou para o céu. — Tenho que voar, meu querido. Já estou atrasada. *Por favor.* Estou contando com você.

Glerk moveu-se em direção à Bruxa, que pousou a mão em seu grande rosto. Embora ele pudesse andar ereto, costumava preferir se locomover usando as seis patas — ou sete, se contar o uso ocasional da cauda, ou cinco, se ele estiver usando uma das mãos para pegar uma flor particularmente cheirosa e levá-la ao nariz, ou catar pedras ou tocar uma música na flauta esculpida à mão. Ele pressionou a testa enorme contra a testa pequena de Xan.

— Por favor, tenha cuidado — disse ele, com voz grossa. — Tenho sido acossado com sonhos perturbadores. Eu me preocupo quando você está longe. — Xan ergueu as sobrancelhas, e Glerk inclinou a cabeça com um lamento baixo. — Tudo bem — concordou ele. — Vou perpetuar a farsa de nosso amigo Fyrian. *"O caminho para a Verdade está no coração sonhador"*, nos diz o Poeta.

— Esse é o espírito! — exclamou Xan. Ela estalou a língua e jogou um beijo para o monstro, então deu um impulso para a frente e partiu a toda velocidade pelo verde.

Apesar das crenças estranhas do povo do Protetorado, a floresta não era nem um pouco amaldiçoada, nem tinha qualquer tipo de magia. Mas era perigosa. O vulcão sob a floresta — baixo e extremamente amplo — era uma coisa traiçoeira. Roncava enquanto dormia, mas aquecia os gêiseres até estourarem em fissuras inquietas e preocupantes que vão se aprofundando cada vez mais, e tanto, que ninguém consegue encontrar o fundo. Ele fervia riachos e cozinhava a lama, e fazia cachoeiras desaparecerem em poços profundos, apenas para reaparecerem a quilômetros de distância. Havia fissuras que emanavam odores pútridos e frestas que lançavam cinzas, e aberturas que pareciam não emanar nada — até que os lábios e unhas da pessoa ficavam azulados por causa do ar venenoso e o mundo todo começava a girar.

Para uma pessoa comum, a única passagem realmente segura pela floresta era pela Estrada, situada sobre uma rocha naturalmente elevada que foi alisada com o tempo. A Estrada não se alterava nem mudava; nunca rosnava. Infelizmente, pertencia e era administrada por uma gangue de ladrões e valentões do Protetorado. Xan jamais usava a Estrada. Não suportava ladrões. Nem valentões. De qualquer forma, eles cobravam muito caro. Pelo menos era assim da última vez que verificou. Já fazia anos desde a última vez que chegou perto dela — quase dois séculos. Ela fez o próprio caminho em vez disso, usando uma combinação de magia e conhecimento e bom senso.

Suas trilhas pela floresta não eram nem um pouco fáceis. Mas eram necessárias. Uma criança estava à sua espera, bem do lado de fora do Protetorado. Uma criança cuja vida dependia de sua chegada — e ela precisava chegar lá a tempo.

Desde que Xan conseguia se lembrar, todo ano, por volta da mesma época, uma mãe do Protetorado deixava o filho na floresta, presumivelmente para morrer. Xan não sabia o motivo. Nem julgava. Mas não ia deixar o pobrezinho morrer. Então, todos os anos, ela viajava até aquele círculo de plátanos e pegava o bebezinho abandonado nos braços, levando-o para o outro lado da floresta, para uma das Cidades Livres do outro lado da Estrada. Aqueles eram lugares felizes. E eles amavam crianças.

Na curva da trilha, os muros do Protetorado apareceram em seu campo de visão. Os passos rápidos de Xan reduziram a velocidade até se tornarem um andar lento. O Protetorado em si era um lugar sombrio — ar ruim, água ruim, tristeza pairando como nuvens sobre os telhados das casas. Sentiu um pouco da tristeza se infiltrar nos próprios ossos.

— Apenas pegue o bebê e vá embora — disse Xan para si mesma como fazia todos os anos.

Com o passar do tempo, Xan começou a tomar certas providências: um cobertor de lã macia de ovelhas para enrolar o bebê e mantê-lo aquecido, uma pilha de tecidos para trocar a fralda molhada, uma mamadeira ou duas de leite de cabra para encher a barriguinha vazia. Quando o leite de cabra acabava (como sempre acontecia — a trilha era longa e o leite, pesado), Xan fazia o que qualquer bruxa de bom senso faria: quando já estava escuro o suficiente para ver as estrelas, esticava uma das mãos e juntava luz estelar nos dedos, como fios de seda de teias de aranha, e alimentava a criança com isso. Luz estelar, como toda bruxa bem sabe, é um alimento maravilhoso para um bebê em crescimento. Colher luz estelar requer certa destreza e talento (magia, para começar), mas as crianças a consomem com gosto. Ficam gordinhas, saciadas e *brilhantes*.

Não levou muito tempo para as Cidades Livres tratarem a chegada anual da Bruxa como um feriado. As crianças que Xan trazia consigo, com pele e olhos brilhantes de luz estelar, eram consideradas bênçãos. Ela demorava um tempo escolhendo uma família adequada para cada uma delas, certificando-se de que o caráter e as inclinações e o senso de humor combinassem bem com a vida da qual cuidara durante o longo percurso da demorada viagem. E as Crianças Estelares, como eram chamadas, se transformavam de bebês felizes em adolescentes bondosos e em adultos graciosos. Ao morrer de velhice, morriam ricos.

Quando Xan chegou ao bosque, não havia bebê à vista, mas ainda era cedo. E ela estava cansada. Foi até uma das árvores ásperas e encostou-se nela, absorvendo o odor argiloso do tronco pela ponta macia do nariz.

— Uma soneca vai me fazer bem — declarou ela em voz alta. E era verdade. A jornada tinha sido longa e penosa, e a que estava prestes a começar seria ainda mais longa. E mais penosa. Melhor descansar um pouco. Então, como costumava fazer quando queria paz e tranquilidade longe de casa, a Bruxa Xan se transformou em uma árvore — uma coisa escarpada e com folhas e musgo e um tronco com sulcos profundos, com formato e textura similares aos dos plátanos antigos que ficavam de guarda em volta da pequena clareira. E como uma árvore ela dormiu.

Não ouviu a procissão.

Não ouviu os protestos de Antain nem o silêncio constrangido do Conselho nem os argumentos rudes do Grão-Ancião Gherland.

Não ouviu o arrulhar do bebê. Nem seu choramingo. Nem seu choro.

Mas, quando a menina soltou o berreiro com força total, Xan acordou assustada.

— Oh, estrelas preciosas! — exclamou com sua voz áspera, rouca e folhosa, pois ainda não tinha se destransformado. — Eu não a havia visto deitada aí!

A bebê não se impressionou. Continuou chutando e berrando e uivando e chorando. O rostinho estava vermelho e raivoso, e os pequenos punhos, cerrados. A marca de nascença na testa escureceu perigosamente.

— Só nos dê um segundo, queridinha. Tia Xan está indo o mais rápido que consegue.

E estava mesmo. A transformação era um negócio traiçoeiro, até mesmo para uma pessoa habilidosa como Xan. Seus galhos começaram a retroceder e formar sua espinha, uma por uma, enquanto as dobras do tronco foram sendo devoradas, pouco a pouco, pelas dobras das suas rugas.

Xan apoiou-se no cajado e jogou o ombro para trás algumas vezes para soltar um pouco a tensão do pescoço — um lado e depois o outro. Olhou para a criança, que tinha se aquietado um pouco e olhava agora para a Bruxa do mesmo modo que olhara para o Grão-Ancião: com olhar calmo e inquietante. O tipo de olhar que chegava às cordas apertadas da alma e as puxava, como se fossem cordas de uma harpa. Aquele olhar quase deixou a Bruxa sem ar.

— Mamadeira — disse Xan, tentando ignorar as vibrações harmônicas de seus ossos. — Você precisa de uma mamadeira. — E ela procurou em seus muitos bolsos uma mamadeira de leite de cabra, preparada e só esperando uma barriguinha esfomeada.

Com um movimento do tornozelo, Xan fez com que um cogumelo crescesse o suficiente para formar um bom banco para ela se sentar. Deixou o peso cálido da bebê descansar em um montinho macio em seu colo e esperou. A lua crescente na testa da menina clareou até chegar a um tom amável de rosa, e seus cachos pretos emolduravam os olhos escuros. Seu rosto brilhava como uma joia. Estava calma e contente com o leite, mas o olhar ainda estava fixo em Xan — como raízes de árvore aprofundando-se no chão. Xan resmungou.

— Bem — disse ela. — Não precisa ficar olhando para mim desse jeito. Eu não posso levá-la de volta para o lugar de onde veio. Todos eles já se foram, então é bom você esquecer tudo isso. Oh, fique calma — pediu, pois a criança começou a choramingar. — Não chore. Você vai amar o lugar para onde vamos. Assim que eu decidir para qual cidade vou levá-la. Todos são muito bondosos. E você vai amar sua nova família também. Vou me certificar disso.

Mas dizer essas palavras bastavam para provocar uma dor no velho coração de Xan. E, de repente, ela foi tomada de extrema tristeza. A criança soltou a mamadeira e olhou para Xan com uma expressão curiosa. A Bruxa deu de ombros.

— Bem, não me pergunte — disse ela. — Eu não faço ideia do motivo de você ter sido abandonada no meio da floresta. Não sei por que as pessoas fazem metade das coisas que fazem, e discordo do que fazem na outra metade. Mas certamente não vou deixá-la aqui no chão para ser comida por alguma ratazana qualquer. O futuro lhe reserva coisas melhores, criança preciosa.

A palavra *preciosa* ficou estranhamente presa na garganta de Xan. Não conseguia entender. Pigarreou para limpar os velhos pulmões e sorriu para a garotinha. Inclinou-se e pressionou os lábios na testa dela. Sempre dava um beijo nos bebês. Pelo menos, tinha quase certeza de que sim. O cabelo da bebezinha tinha cheiro de massa de pão e coalhada de leite. Xan fechou os olhos, só por um instante, e meneou a cabeça.

— Vamos agora — disse ela, com voz grossa. — Vamos ver o mundo, que tal?

Prendendo a bebê firme em um *sling,* Xan começou a caminhar pela floresta, assoviando enquanto avançava.

E teria seguido direto para as Cidades Livres. Certamente era essa sua intenção.

Mas havia uma cachoeira da qual a menina iria gostar. E havia um afloramento rochoso com uma vista particularmente espetacular. E a Bruxa se viu desejando contar histórias para a bebê. E cantar músicas. E, enquanto contava e cantava, o passo de Xan foi ficando cada vez mais lento. Xan culpava a idade avançada e a dor nas costas e a agitação da criança, mas nada daquilo era verdade.

Xan se viu parando diversas vezes apenas para ter outra oportunidade de tirar a menina do *sling* e olhar aqueles profundos olhos pretos.

A cada dia, o caminho de Xan se afastava mais da trilha. Desviava-se, retrocedia, serpenteava. Sua travessia pela floresta, normalmente tão reta quanto à própria Estrada, foi uma confusão de voltas e reviravoltas. À noite, quando o leite de cabra acabou, Xan colheu os fios de luz estelar nos dedos, e a menina comeu, satisfeita. E cada bocada de luz estelar aprofundava a escuridão do olhar da menina. Universos inteiros queimavam naqueles olhos, galáxias e mais galáxias.

Depois da décima noite, a jornada que costumava levar apenas três dias e meio ainda não estava nem na metade. A lua brilhante se erguia mais cedo a cada noite, embora Xan não tenha dado muita atenção àquilo. Ela erguia a mão, colhia a luz estelar e não prestava atenção à lua.

Existe magia na luz estelar, é claro. Esse fato é bem conhecido. Mas, como a luz viaja uma distância tão longa, a magia é frágil e difusa, alongada nas linhas mais delicadas. Há magia suficiente na luz estelar para contentar um bebê e encher sua barriguinha, e, em quantidade grande o suficiente, a luz estelar pode despertar o melhor no coração, na alma e na mente do bebê. É o bastante para *abençoar*, mas não para *embruxar*.

A luz do luar, porém... Aí a história é outra.

A luz do luar *é* magia. Pode perguntar a qualquer um.

Xan não conseguia afastar os olhos dos olhos da bebezinha. Sóis e estrelas e meteoros. A poeira de uma nebulosa. Explosões estelares, buracos negros e espaço infinito. A lua se ergueu, grande e cheia e brilhante.

Xan estendeu a mão. Não olhou para o céu. Não notou a lua.

(Será que notou como a luz parecia pesada nos dedos? Notou como era pegajosa? Como era doce?)

Ondulou os dedos acima da cabeça. Baixou a mão quando não conseguiu mais mantê-la erguida.

(Será que notou o peso da magia oscilando em seu pulso? Disse para si mesma que não. Repetiu e repetiu e repetiu isso até soar como verdade.)

E a menina comeu. E comeu. E comeu. E, de repente, estremeceu e se curvou nos braços de Xan. E deu um grito. Um só. Muito alto. Então, com um suspiro satisfeito, caiu instantaneamente no sono, pressionando o corpinho na maciez da barriga da Bruxa.

Xan olhou para o céu, sentindo a luz da lua no rosto.

— Minha nossa! — sussurrou. A lua tinha ficado crescente sem que ela notasse. E com magia poderosa. Um golinho teria sido o suficiente, e a bebê tinha tomado... *hum...* bem mais que um golinho

Criança gulosa.

De qualquer forma, os fatos eram claros como a lua que brilhava sobre as árvores. A criança fora embruxada. Não havia dúvida quanto a isso. E agora as coisas tinham ficado mais complicadas.

Xan se sentou com as pernas cruzadas no chão e apoiou a menina adormecida no joelho. Não havia como acordá-la. Não por horas. Xan passou o dedo pelos cachos pretos. Mesmo agora, conseguia sentir a magia pulsando sob a pele da criança, cada filamento se insinuando por entre as células, pelos tecidos, enchendo seus ossos. No devido tempo, ela ficaria instável — não para sempre, é claro. Mas Xan lembrava-se o suficiente dos mágicos que a criaram tanto tempo atrás para saber que não é nada fácil criar um bebê mágico. Seus professores foram rápidos em lhe dizer o quão difícil é. E seu Guardião, Zosimos, mencionou isso infinitas vezes:

— Infundir magia em uma criança é o mesmo que colocar uma espada em sua mão. Tanto poder e tão pouco senso. Você não percebe como envelheci desde que a conheci, menina? — repetia ele várias e várias vezes.

E isso era verdade. Crianças mágicas eram perigosas. Sem dúvida não poderia deixar a criança com mais ninguém.

— Bem, meu amorzinho — disse ela. — Você está me dando bem mais trabalho, não é?

A bebê inspirou longamente pelo nariz. Um sorrisinho brincava nos lábios em forma de botão de rosa. Xan sentiu o coração dar um pulo no peito, e aninhou a bebê junto de si.

— Luna — disse ela. — Seu nome será Luna. E eu serei sua avó. E seremos uma família.

Ao declarar isso, Xan sabia que era verdade. As palavras zuniram no ar entre elas, mais fortes que qualquer magia.

Levantou-se, reacomodou a bebê no *sling* e começou a longa jornada de volta para casa, perguntando-se como explicaria aquilo para Glerk.

4

E foi só um sonho

Você faz perguntas demais.

Ninguém sabe o que a Bruxa faz com as crianças que pega. Ninguém pergunta isso. Não podemos perguntar, será que não percebe? Dói demais.

Tudo bem. A Bruxa come as crianças. Está contente agora?

Não. Acho que não é isso.

Minha mãe me disse que ela come suas almas e que seus corpos desalmados ficam vagando pela Terra a partir de então. Sem poder viver. Sem poder morrer. Com olhos inexpressivos e rostos inexpressivos, vagando sem rumo. Acho que não é verdade. Nós as teríamos visto, não acha? Teríamos visto pelo menos uma delas vagando. Depois de todos esses anos.

Minha avó me disse que ela as escraviza. Que elas moram em masmorras embaixo de seu grande castelo na floresta e que elas operam suas máquinas de couro de animal e mexem seus grandes caldeirões, e fazem tudo o que ela manda desde o raiar do dia até o cair da noite. Mas também não acho que isso seja verdade. Se fosse, decerto pelo menos uma teria escapado. Em todos esses anos, com certeza uma pessoa teria encontrado um jeito de voltar para casa. Então, não. Eu não acho que ela faz escravos.

Realmente, não penso em nada. Não há nada em que se pensar.

Às vezes, tenho um sonho. Sobre seu irmão. Ele teria 18 anos agora. Não. Dezenove. Nesse sonho, ele tem cabelo escuro e pele luminosa e estrelas nos olhos. Eu sonho que, quando ele sorri, seu sorriso brilha por quilômetros ao redor. Na noite passada, sonhei que ele estava esperando uma menina passar ao lado de uma árvore. E ele chamou o nome dela e segurou sua mão, e seu coração disparou quando a beijou.

O quê? Não. Eu não estou chorando. Por que choraria? Criança tola.

De qualquer forma, foi só um sonho.

5

E o monstro do pântano se apaixona sem querer

Glerk não aprovou e disse isso logo no primeiro dia que a bebê chegou.

E disse novamente no dia seguinte.

E no seguinte.

E no seguinte.

Xan se recusava a ouvir.

— Bebês, bebês, bebês — cantava Fyrian.

Ele estava absolutamente contente. O dragãozinho empoleirou-se no galho que se estendia acima da porta da casa da árvore de Xan, abrindo as asas multicoloridas o máximo que conseguia e arqueando o pescoço em direção ao céu. Sua voz era alta, gorjeadora e horrivelmente desafinada. Glerk cobriu as orelhas.

— Bebês, bebês, bebês, BEBÊS! — continuou Fyrian. — Ah, como adoro bebês! — Ele jamais vira um bebê antes, pelo menos não que se lembrasse, mas isso não impedia o dragãozinho de adorá-los todos.

Desde cedo de manhã até a noite chegar, Fyrian cantava e Xan se alvoroçava, e Glerk sentia que ninguém ouvia a voz da razão. Ao fim da segunda semana, a habitação dos três foi totalmente transformada: fraldas e roupinhas e chapeuzinhos de bebê lotavam a corda do varal para secar; mamadeiras novas de vidro secavam em prateleiras recém-construídas ao lado de uma nova área de lavar; apareceu uma nova cabra (Glerk não fazia ideia de como), e Xan organizava jarros separados de leite para beber e para fazer queijo e manteiga; e, de repente, o chão ficou coberto de brinquedos. Mais de uma vez, Glerk gritou de dor ao pisar com força em um chocalho de madeira. Ele se viu sendo ordenado a fazer silêncio e a sair do quarto para não acordar a bebê, nem assustar a bebê, nem entediar a bebê com poesia.

Ao fim da segunda semana, ele já estava farto de tudo aquilo.

— Xan — disse ele —, devo insistir para que você não se apaixone por aquela bebezinha.

A velha bufou, mas não respondeu.

Glerk se zangou.

— É sério. Eu a proíbo.

A Bruxa riu alto. A menina riu com ela. Formavam uma sociedade de admiração mútua composta por duas pessoas, e Glerk não conseguia suportar isso.

— Luna! — cantava Fyrian, voando pela porta aberta. Adejou pelo aposento como um passarinho desafinado. — Luna, Luna, Luna, LUNA!

— Já chega de cantoria — impacientou-se Glerk.

— Você não precisa obedecê-lo, Fyrian, querido — disse Xan. — Cantar é bom para bebês. Todo mundo sabe disso.

A bebezinha chutou e arrulhou. Fyrian pousou no ombro de Xan e ficou cantarolando sem ritmo. Uma melhora, com certeza, mas não muito.

Glerk resmungou, frustrado:

— Vocês sabem o que o Poeta diz sobre uma Bruxa criando filhos?

— Não consigo imaginar o que qualquer poeta poderia ter a dizer sobre bebês ou bruxas, mas não tenho a menor dúvida de que deve ser algo maravilhosamente perspicaz. — Ela olhou em volta. — Glerk, será que você poderia me dar aquela mamadeira?

Xan estava sentada de perna cruzada no chão de tábuas irregulares, e a bebê ocupava o vão de suas saias.

Glerk se aproximou, inclinou a cabeça em direção à menina e fez uma expressão cética. Ela estava com a mãozinha enfiada na boca e baba escorria por entre seus dedos. Ela balançou a outra mão para o monstro. Seus lábios rosados se abriram em um sorriso em volta do punho babado.

Ela está fazendo isso de propósito, pensou ele, enquanto tentava afastar o sorriso que se espalhava pelas suas mandíbulas grandes e molhadas. *Está sendo adorável como algum tipo de artifício horrendo, só para me provocar. Que bebê cruel!*

Luna deu um risinho agudo e um chute com o pezinho minúsculo. Seus olhos atraíram os do monstro, e eles brilhavam como estrelas.

Não se apaixone por essa bebezinha, Glerk ordenou-se. E tentou ser rigoroso.

Ele pigarreou.

— O *Poeta* — disse ele com ênfase e estreitando o olhar para a bebê — não diz *nada* sobre bruxas e bebês.

— Então — disse Xan, tocando o próprio nariz no narizinho da bebê, fazendo-a rir. Ela fez de novo. E de novo. — Então, acho que não temos com o que nos preocupar. *Ah, não, não temos não!* — A voz ficou aguda e ganhou um ritmo de canção, e Glerk revirou os olhos imensos.

— Minha querida Xan, você não está entendendo.

— E você está perdendo toda essa fase gostosa da bebê por ficar soprando e bufando. A menina está aqui para ficar, assunto encerrado. Os bebês humanos são pequeninhos por pouco tempo. Seu crescimento é constante como o bater de asas de um beija-flor. Aprecie isso, Glerk! Aprecie ou saia. — Ela não olhou para ele quando falou, mas Glerk sentiu uma frieza emanando do ombro da Bruxa, e isso quase lhe partiu o coração.

— Bem — disse Fyrian. Estava pousado no ombro de Xan, observando a bebê chutar as perninhas e arrulhar com interesse. — Eu gosto dela.

Ele não tinha permissão para se aproximar demais. Isso, explicara Xan, era para a segurança de ambos. A bebê, repleta de magia, era meio como um vulcão adormecido — a energia, o calor e o poder internos poderiam crescer com o tempo e explodir sem aviso.

Xan e Glerk eram praticamente imunes às volatilidades da magia (Xan por causa de sua arte, e Glerk por ser mais velho que a própria magia e por não se envolver com as tolices da mesma) e tinham menos com o que se preocupar, mas Fyrian era delicado. Além disso, o dragão era dado a soluços. E seus soluços geralmente eram de fogo.

— Não se aproxime muito, Fyrian, queridinho. Fique atrás da tia Xan.

Fyrian se escondeu atrás da cortina ondulada do cabelo da velha, olhando para a bebê com um misto de medo, ciúme e desejo.

— Eu quero *brincar* com ela — choramingou ele.

— Você vai — assegurou Xan, apaziguadora, enquanto posicionava a bebê para tomar a mamadeira. — Só quero me certificar de que vocês não se machuquem.

— Eu *jamais* faria isso — ofegou Fyrian. Então, ele fungou e declarou: — Acho que sou alérgico a bebês.

— Você não é alérgico a bebês — resmungou Glerk, enquanto Fyrian espirrava uma pluma brilhante de fogo atrás da cabeça de Xan. Ela nem se encolheu. Com um piscar do olho, o fogo se transformou em vapor, que deixou várias manchas em seus ombros, as quais ainda não tinha se preocupado em limpar.

— Saúde, queridinho — disse Xan. — Glerk, por que você não leva Fyrian para dar uma voltinha?

— Eu não gosto de dar voltinhas — respondeu Glerk, mas levou Fyrian assim mesmo.

Glerk caminhou, enquanto Fyrian voava atrás dele, de um lado para o outro, para a frente e para trás, como uma borboleta grande e irritante. Primeiro, Fyrian decidiu se ocupar colhendo flores para a bebê, um processo retardado pelos soluços e espirros ocasionais de fogo, cada qual soltando um bocado de chamas e transformando as flores em cinzas. Mas ele mal notou. Em vez disso, Fyrian era uma fonte de perguntas.

— A bebê vai crescer e se tornar uma gigante como você e Xan? — perguntou ele. — Então, deve haver mais gigantes. No mundo, é o que quero dizer. O mundo além *daqui*. Como eu gostaria de ver o mundo além *daqui*, Glerk. Quero ver todos os gigantes de todos os mundos e todas as criaturas maiores que eu!

As ilusões de Fyrian continuavam sem pausa, apesar dos protestos de Glerk. Embora tivesse o mesmo tamanho de um pombo, Fyrian continuava acreditando que era maior que uma casa típica de humanos, e que precisava ficar longe da humanidade porque poderia ser acidentalmente visto e provocar pânico no mundo inteiro.

— Quando chegar a hora, filho — dissera sua forte mãe momentos antes de se atirar em um vulcão em erupção, deixando este mundo para sempre —, você saberá seu propósito. Você é, e será, um gigante sobre esta Terra justa. Nunca se esqueça disso.

Fyrian sentia que o significado daquilo estava claro. Ele era um Dragão Simplesmente Enorme. Não tinha a menor dúvida. Fyrian se lembrava disso todos os dias.

E, por quinhentos anos, Glerk continuava com raiva daquilo.

— A criança vai crescer como as crianças crescem, espero — disse Glerk de forma evasiva. E, quando Fyrian insistiu, Glerk fingiu que estava tirando uma soneca em um charco com copos-de-leite e manteve os olhos fechados até cair de verdade no sono.

* * *

Criar um bebê, mágico ou não, não é uma tarefa sem desafios: os choros inconsoláveis, os narizes escorrendo quase que o tempo todo, a obsessão de colocar todo objeto pequeno na boca babada.

E o *barulho*.

— Será que você pode usar magia para ela ficar quieta? — implorava Fyrian logo que a novidade de um bebê na família passou. Xan se recusou, é claro.

— A magia nunca deve ser usada para influenciar a vontade de outra pessoa, Fyrian — repetia Xan de novo e de novo. — Como eu poderia fazer a coisa que devo ensiná-la a *jamais* fazer, assim que ela começar a compreender? Hipocrisia, é isso que é!

Até mesmo quando estava contente, Luna não ficava quieta. Ela fazia sons: arrulhava, balbuciava, gritava, gargalhava, bufava, berrava. Era uma fonte inesgotável de sons, soando, soando, soando. E nunca parava. Ela balbuciava até enquanto dormia.

Glerk fez um *sling* para Luna que ficava preso em seus quatro ombros enquanto ele andava nas seis patas. Começou a passear com a bebê pelo pântano, passava pela oficina, pela ruína do castelo e de volta, recitando poesias pelo caminho.

Não tivera intenção de amar a bebê.

E mesmo assim...

Ele recitava:

"De um grão de areia
Surgiu a luz
Surgiu o espaço
Surgiu o tempo infinito
E para o grão de areia
Todas as coisas hão de retornar."

Era um de seus poemas favoritos. A bebê olhava enquanto ele passeava, analisando os olhos protuberantes do monstro, suas orelhas cônicas, lábios grossos e boca enorme. Examinava cada verruga, cada pelo, cada caroço gosmento na cara grande e gorda com uma expressão de surpresa nos olhinhos. Ela levantou um dedinho e o enfiou curiosamente em uma das narinas de Glerk. Este espirrou, a menina riu.

— Glerk — disse ela, embora provavelmente fosse apenas um soluço ou um arroto. Glerk não se importou. Ela disse seu nome. *Disse* mesmo. O coração quase lhe explodiu no peito.

Xan, por sua vez, se esforçou muito para não dizer *Eu avisei*. Quase conseguiu.

* * *

Naquele primeiro ano, tanto Xan quanto Glerk observavam a menina em busca de qualquer sinal de erupção de magia. Embora ambos conseguissem enxergar os oceanos de magia passeando sob a pele da criança (e podiam sentir também sempre que a carregavam no colo), a magia permaneceu interiorizada — uma marola que nunca quebrava.

À noite, a luz do luar e a luz estelar se inclinavam em direção à bebê, inundando o berço. Xan cobria as janelas com cortinas pesadas, mas sempre as encontrava abertas, enquanto a bebê tomava luz do luar durante o sono.

— A lua — disse Xan para si. — Ela é cheia de truques.

Mas um sopro de preocupação permaneceu. A magia continuava ondulando silenciosa.

No segundo ano, a magia dentro de Luna aumentou, quase dobrando em densidade e força. Glerk conseguia sentir. Xan também. Ainda assim, ela não entrou em erupção.

Bebês mágicos são bebês perigosos, Glerk tentava se lembrar, dia após dia. Quando não estava com Luna no colo. Ou cantando para Luna. Ou sussurrando poesias em seu ouvido enquanto ela dormia. Depois de um tempo, até mesmo os filamentos de magia sob a pele da menina começaram a parecer comuns. Era uma criança cheia de energia. Curiosa. Levada. E isso já era o bastante com que lidar.

A luz do luar continuou a iluminar a bebê. Xan decidiu parar de se preocupar com aquilo.

No terceiro ano, a magia dobrou de novo. Xan e Glerk mal notaram. Em vez disso, estavam ocupados com uma criança que explorava e revirava e rabiscava os livros e jogava ovos nas cabras e uma vez tentara voar de uma cerca só para acabar com o joelho ralado e um dente quebrado. Ela subia em árvores e tentava pegar os pássaros e, às vezes, pregava peças em Fyrian que o levavam ao choro.

— A poesia vai ajudar — garantiu Glerk. — O estudo da linguagem enobrece as mais brutas feras.

— A ciência vai lhe organizar os pensamentos — argumentou Xan. — Como uma criança pode ser bagunceira quando está estudando as estrelas?

— Vou ensinar matemática a ela — declarou Fyrian. — Ela não vai mais poder pregar peças se estiver ocupada demais contando até um milhão.

Assim, teve início a educação de Luna.

Glerk sussurrou para a menina enquanto ela cochilava no inverno:

"Em cada brisa, a promessa da primavera
Em cada árvore dormente
Sonhos, verdejantes sonhos;
E a montanha estéril
Desperta em flor."

Ondas e mais ondas de magia subiam e desciam silenciosas sob sua pele. Elas não quebravam na praia. *Ainda* não.

6

E Antain se mete em confusão

Durante os cinco primeiros anos como Ancião em Treinamento, Antain se esforçou muito para se convencer de que seu trabalho um dia ficaria mais fácil. Estava redondamente enganado. Não ficou.

Os Anciãos lhe gritavam ordens durante as reuniões do Conselho e nos eventos da comunidade e nas discussões depois do expediente. Eles o repreendiam com severidade quando cruzavam com ele na rua. Ou quando ele se sentava à mesa para outro jantar suntuoso (mas desconfortável). Chamavam sua atenção quando seguia atrás deles durante as inspeções surpresas.

Antain ficava nas sombras, as sobrancelhas franzidas em um nó de perplexidade.

Parecia que, não importava o que fizesse, os Anciãos sempre tinham uma explosão de raiva que os deixava com os rostos roxos e os fazia cuspir um monte de coisas incoerentes.

— Antain! — gritavam os Anciãos. — Sente-se direito.

— Antain! O que você fez com as proclamações?!

— Antain! Tire essa expressão ridícula do rosto!

— Antain! Você se esqueceu dos lanches!

— Antain! Mas que diabos você derrubou na toga?!

Antain, ao que tudo indicava, não conseguia fazer nada direito.

Sua vida em casa não era muito melhor.

— Como pode você ainda ser um Ancião em Treinamento? — zangava-se sua mãe, todas as noites, depois do jantar. Às vezes, ela deixava a colher cair na mesa, fazendo os criados se sobressaltarem. — Meu irmão prometeu que você já seria um Ancião agora. Ele *prometeu.*

E ela continuava fervilhando e resmungando até o irmão mais novo de Antain, Wyn, começar a chorar. Antain era o mais velho de seis irmãos — uma família pequena pelos padrões do Protetorado —, e, desde a morte do pai, a mãe não queria nada além de se certificar que cada um dos filhos conseguisse o melhor que o Protetorado tinha a oferecer.

Por que, afinal de contas, ela não *merecia* o melhor quando o assunto eram os filhos?

— O tio me disse que essas coisas levam tempo, mãe — explicou Antain em voz baixa. Colocou o irmãozinho no colo e começou a niná-lo até ele se acalmar. Pegou no bolso um brinquedo de madeira que ele mesmo havia entalhado: um pequeno corvo com olhos espiralados e um chocalho na barriga. O menino ficou feliz e o enfiou na boca na hora.

— Que a cabeça de seu tio exploda — enfureceu-se ela. — Nós *merecemos* essa honra. Ou melhor, *você* merece essa honra, meu querido filho.

Antain não tinha tanta certeza disso.

Pediu licença para sair da mesa, resmungando alguma coisa sobre um trabalho a fazer para o Conselho, mas, na verdade, só queria se esgueirar até a cozinha para ajudar o pessoal que trabalhava ali. Então, ir para a horta, ajudar os agricultores nas últimas horas de sol do dia. Então, seguir para o barracão para entalhar madeira. Antain amava trabalhar com madeira — a estabilidade do material, a beleza delicada das sementes, o cheiro confortante de serragem e óleo. Havia poucas coisas que amasse mais na vida. Entalhava e trabalhava até tarde da noite, tentando ao máximo não pensar na própria vida. Afinal de contas, o próximo Dia do Sacrifício estava se aproximando. E Antain precisaria de outra desculpa para se manter afastado.

Na manhã seguinte, Antain vestiu a toga recém-lavada e seguiu para o Câmara do Conselho bem antes do amanhecer. Todos os dias, ao alvorecer, sua primeira tarefa do dia era ler as reclamações e os pedidos dos cidadãos que foram escritos com cacos de giz na grande parede de ardósia, e escolher quais mereciam atenção e quais deveriam ser simplesmente lavadas e apagadas.

("Mas e se *todas* forem importantes, tio?", perguntara Antain certa vez ao Grão-Ancião.

"Mas isso seria impossível. De qualquer maneira, ao negar acesso, damos ao povo um presente. As pessoas podem aprender a aceitar sua sina na vida. Podem aprender que nem toda ação tem importância. Seus dias continuam nublados, como devem ser. Não há maior presente que esse. Agora, onde está o meu chá?")

Em seguida, Antain tinha que arejar o aposento e, logo depois, afixar a agenda, amaciar as almofadas para os traseiros ossudos dos Anciãos e, depois, espirrar na entrada da sala um perfume feito nos laboratórios da Irmandade da Estrela — desenvolvido, aparentemente, para manter as pessoas com os joelhos trêmulos e a boca fechada e mantê-las tementes e gratas, tudo de uma só vez —, então tinha que ficar na sala enquanto os criados chegavam, lançando a cada um deles um olhar imperioso enquanto entravam no prédio, antes de pendurar a toga no armário e seguir para a escola.

("Mas e se eu não souber fazer uma expressão imperiosa, tio?", perguntava o menino de novo e de novo.

"Pratique, meu sobrinho. Continue praticando.")

Antain caminhava devagar para a escola, aproveitando os raios temporários de sol. O dia ficaria nublado dali a uma hora. Sempre estava nublado no Protetorado. A névoa subia pelos muros da cidade e cobria a rua, como se fosse um musgo persistente. Não havia muita gente na rua tão cedo pela manhã. *Pena*, pensava Antain. *Estão perdendo a luz do sol.* Ergueu o rosto e sentiu uma onda momentânea de esperança e promessa.

Deixou os olhos pousarem na Torre — a construção preta e complexa de pedra, imitando as espirais das galáxias e as trajetórias das estrelas; as janelas pequenas e arredondadas brilhando como olhos. Aquela mãe — a que enlouqueceu — ainda estava ali. Trancada. Por cinco anos. A louca. Agora ela convalescia no confinamento, mas ainda não estava curada. No olho da mente de Antain, ele ainda via aquele rosto selvagem, aqueles olhos pretos, aquela marca de nascença na testa — branca e vermelha. O jeito que ela chutava e subia e gritava e lutava. Não conseguia esquecer.

E não conseguia se perdoar.

Antain fechou os olhos com força e tentou afastar a imagem da mente.

Por que isso deve continuar? Seu coração seguia dolorido. *Deve haver outro modo.*

Como sempre, ele foi o primeiro a chegar à escola. Nem a professora estava lá. Ele se sentou na varanda e pegou seu diário. Já tinha terminado o dever de casa; não que aquilo importasse. A professora insistia em chamá-lo de "Ancião Antain" em uma voz ofegante e aduladora, mesmo que ele não fosse um ancião ainda, e só lhe dava notas altas, não importava que tipo de trabalho tivesse feito. Ele poderia muito bem entregar folhas em branco e, ainda assim, receber as melhores notas. Apesar disso, Antain se esforçava. Sabia que sua professora só esperava receber um tratamento especial no futuro. No diário, tinha vários desenhos de um projeto que estava criando: um armário inteligente para abrigar as ferramentas de jardinagem, feito sobre rodas para poder ser puxado por uma pequena cabra; um presente para o chefe dos jardineiros, sempre bondoso.

Uma sombra caiu sobre seu trabalho.

— Sobrinho — disse o Grão-Ancião.

Antain ergueu a cabeça depressa.

— Tio! — exclamou ele, ficando de pé e, acidentalmente, derrubando seus papéis, que se espalharam pelo chão. Apressou-se para catar todos enquanto o Grão-Ancião Gherland revirava os olhos.

— Venha, meu sobrinho — chamou o Grão-Ancião, com um farfalhar da toga e fazendo um gesto para que o menino o seguisse. — Você e eu precisamos ter uma conversa.

— Mas... e a escola?

— Para começar, não há necessidade de ir à escola. O objetivo dessa estrutura é abrigar e distrair aqueles que não têm futuro até alcançarem idade suficiente para trabalhar em benefício do Protetorado. Pessoas de sua estatura têm tutores. E o motivo de você ter recusado uma coisa tão básica assim está além da compreensão. Sua mãe reclama disso sem parar. De qualquer forma, ninguém aqui vai sentir sua falta.

Isso era verdade. Ninguém sentiria sua falta. Todo dia na aula, Antain se sentava no fundo da sala e trabalhava em silêncio. Raramente fazia perguntas. Raramente falava. Principalmente agora, já que a única pessoa com quem não teria se importado de conversar — e melhor ainda se ela falasse com ele também — tinha saído da escola. Ela entrou para a Irmandade da Estrela como noviça. Seu nome era Ethyne, e, embora Antain nunca tenha trocado mais que três palavras com ela, ainda sentia uma saudade desesperadora da garota, e só ia à escola dia após dia com a louca esperança de que ela mudasse de ideia e retornasse.

Já fazia um ano. Ninguém jamais deixara a Irmandade da Estrela. Isso simplesmente *não acontecia*. Mesmo assim, Antain continuava a esperar. E tinha esperanças.

Ele seguiu o tio.

Os outros Anciãos ainda não tinham chegado à Câmara do Conselho e, provavelmente, não chegariam até o meio-dia ou ainda mais tarde. Gherland pediu que Antain se sentasse.

O Grão-Ancião encarou Antain por um longo tempo. Antain não conseguia tirar a Torre da mente. Nem a louca. Nem a bebê abandonada na floresta, chorando de forma comovente enquanto eles se afastavam. *E, nossa, como a mãe gritou. E, nossa, como lutou. E, nossa, no que nós nos transformamos?*

Isso partia o coração de Antain todos os dias. Era uma grande agulha fincada em sua alma.

— Meu sobrinho — começou o Grão-Ancião, por fim. Juntou as mãos e as levou até a boca. Suspirou pesadamente. Antain percebeu que o rosto do tio estava pálido —, o Dia do Sacrifício se aproxima.

— Eu sei, tio — respondeu Antain, com voz fraca. — Daqui a cinco dias. Ele... — o menino suspirou — não espera por ninguém.

— Você não estava lá no ano passado. Você não estava com os Anciãos. Uma infecção no pé, se não me falha a memória?

Antain baixou o olhar.

— Isso, meu tio. Também tive febre.

— E você sarou logo no dia seguinte?

— Que o Charco seja louvado — disse ele, com voz fraca. — Foi um milagre.

— E no ano anterior — continuou Gherland. — Foi uma pneumonia, não foi?

Antain assentiu. Sabia aonde aquilo iria chegar.

— E antes disso. Um incêndio no barracão? Certo? Que bom que ninguém ficou ferido. E lá estava você. Sozinho. Lutando contra o fogo.

— Todos os outros já estavam no trajeto — disse Antain. — Ninguém queria faltar com suas obrigações. Então eu estava sozinho

— De fato. — O Grão-Ancião estreitou os olhos. — Meu jovem, a quem você acha que está enganando?

O silêncio caiu entre os dois.

Antain se lembrou dos cachinhos pretos emoldurando os grandes olhos pretos. Lembrou-se dos sons que a bebê fez quando a deixaram na floresta. Lembrou-se do som dos portões da Torre se fechando quando trancaram a louca lá dentro. Estremeceu.

— Tio — começou Antain, mas Gherland o interrompeu.

— Ouça bem, meu sobrinho. Fui contra meu próprio julgamento ao lhe ofertar essa posição. Não fiz isso por causa dos pedidos incessantes de minha irmã, mas por causa do grande amor que eu tinha, e tenho, por seu querido pai, que descanse em paz. Ele queria ter certeza de seu caminho antes de morrer, e eu não lhe podia negar isso. E ter você aqui... — as linhas duras do rosto de Gherland se suavizaram um pouco — ... tem sido um antídoto para minha própria tristeza. Sou grato por isso. Você é um bom garoto, Antain. Seu pai estaria orgulhoso.

Antain começou a relaxar. Mas só por um instante. Com um farfalhar longo das vestes, o Grão-Ancião se levantou.

— Porém — prosseguiu ele, com a voz reverberando estranhamente na sala vazia —, minha afeição tem limites.

Havia um toque de fragilidade em sua voz. Os olhos estavam arregalados. Cansados. Até mesmo um pouco úmidos. *Meu tio está preocupado comigo?*, perguntou-se Antain. *Certamente que não,* pensou ele.

— Meu jovem — continuou o tio. — Isso não pode continuar. Os outros Anciãos estão reclamando. Eles... — Gherland hesitou. A voz ficou presa na garganta. Seu rosto ficou corado. — Eles não estão satisfeitos. Minha proteção é ampla, meu caro, caro rapaz. Mas não é infinita.

Por que eu precisaria de proteção?, perguntou-se Antain enquanto olhava para o rosto cansado do tio.

O Grão-Ancião fechou os olhos e acalmou a respiração ofegante. Fez um gesto para o menino se levantar. Seu rosto assumiu a expressão imperiosa.

— Venha, meu sobrinho. Chegou a hora de você voltar à escola. Vamos esperar por você, como sempre, no meio da tarde. Espero que seja capaz de fazer pelo menos uma pessoa rastejar hoje. Isso acalmaria alguns receios entre os Anciãos. Prometa-me que vai tentar, Antain. Por favor.

Antain seguiu até a porta. O Grão-Ancião deslizando atrás. O homem mais velho ergueu a mão para pousá-la no ombro do garoto e a deixou pairando ali, por um momento, antes de pensar melhor e baixá-la novamente.

— Vou me esforçar mais, tio — declarou Antain, saindo pela porta. — Prometo que vou.

— Faça isso — respondeu o Grão-Ancião em um sussurro rouco.

* * *

Cinco dias depois, enquanto as togas farfalhavam pelas ruas da cidade em direção à casa amaldiçoada, Antain estava em casa, passando mal, vomitando o almoço. Ou foi o que disse. Os outros Anciãos resmungaram durante toda a procissão. Resmungaram enquanto pegavam a criança do colo dos pais complacentes. Resmungaram enquanto seguiam para o bosque de plátanos.

— Será necessário lidar com o garoto — resmungavam os Anciãos. E cada um deles sabia muito bem o que aquilo significava.

Ah, Antain, meu garoto, meu garoto. Ah, Antain, meu garoto! pensava Gherland, enquanto caminhavam, filamentos de preocupação envolvendo seu coração, apertando-o com força em um nó firme. *O que foi que você fez, seu tolo? O que foi que você fez?*

7

E uma criança mágica dá muito mais trabalho

Quando Luna estava com 5 anos, sua magia tinha quintuplicado, mas continuava dentro da menina, fundida em seus ossos e músculos e sangue. Na verdade, estava dentro de cada uma de suas células. Inerte, sem uso; só potencial e nenhuma força.

— Isso não pode continuar assim — preocupava-se Glerk. — Quanto mais magia ela junta, mas magia vai sair. — Mesmo assim, ele fazia caretas engraçadas para a menina, e Luna morria de rir. — Guarde minhas palavras — avisou ele, tentando ser sério em vão.

— Você não sabe disso — respondeu Xan. — Talvez nunca saia. Talvez as coisas jamais sejam difíceis.

Apesar do incansável trabalho de encontrar lares para os bebês abandonados, Xan tinha um profundo ódio por coisas difíceis. E coisas tristes. E desagradáveis. Preferia não pensar nelas se pudesse evitar. Ela se sentava com a menina, fazendo bolhas; coisas adoráveis, fantásticas e, principalmente, mágicas, com cores bonitas girando na superfície. A menina corria atrás e pegava cada uma com a ponta dos dedos e as colocava em volta de botões de margaridas ou de borboletas ou das folhas de árvores. Ela até mesmo entrou em uma bolha particularmente grande e flutuou um pouco acima da grama.

— Existe tanta beleza, Glerk — disse Xan. — Como você consegue pensar em qualquer outra coisa?

Glerk meneou a cabeça.

— Por quanto tempo isso ainda pode durar, Xan? — perguntou o monstro.

A Bruxa se recusou a responder.

Mais tarde, ele abraçou a menina e cantou para ela dormir. Conseguia sentir o peso da magia em seus braços. Conseguia sentir a pulsação e a ondulação daquelas grandes ondas de magia, crescendo dentro da criança, sem nunca achar o caminho para a praia.

A Bruxa disse que ele imaginava coisas.

Insistia que deviam concentrar suas energias em criar a menininha que, todos os dias, mostrava ser um emaranhado de travessuras e movimento e curiosidade. Todos os dias, a capacidade de Luna para quebrar as regras de formas novas e criativas surpreendia a todos que a conheciam. Ela tentava montar nas cabras, tentava rolar as pedras montanha abaixo até a lateral do celeiro (*para decoração,* explicara a menina), tentava ensinar as galinhas a voar e, uma vez, quase se afogou no pântano. (Ainda bem que Glerk a salvou.) Luna deu bebida alcoólica aos gansos para ver se aquilo os faria andar de forma engraçada (foi exatamente o que aconteceu) e colocou grãos de pimenta na comida das cabras para ver se elas pulariam (elas não pularam; só destruíram a cerca). Todos os dias, instigava Fyrian a fazer escolhas atrozes ou pregava peças no pobre dragãozinho, fazendo-o chorar. Ela escalava, escondia-se, quebrava, escrevia nas paredes e estragava vestidos que tinham acabado de ficar prontos. Seu cabelo parecia um ninho de rato, o nariz estava sempre coberto de fuligem, e as mãozinhas sempre deixavam marcas aonde quer que passassem.

— O que vai acontecer quando a magia chegar? — perguntava Glerk de novo e de novo. — Como ela será então?

Xan tentava não pensar na resposta.

* * *

Xan visitava as Cidades Livres duas vezes por ano, uma vez com Luna e outra sem ela. Não explicava para a menina o motivo de sua visita solitária — assim como não lhe contou sobre a cidade triste do outro lado da floresta nem sobre os bebês abandonados na pequena clareira, presumivelmente para morrer. Precisaria lhe contar um dia, é claro. Um dia, decidiu Xan. Não agora. Era triste demais. E Luna era pequena demais para entender.

Quando Luna tinha 5 anos, a Bruxa viajou outra vez para uma das Cidades Livres mais distantes — uma cidade chamada Obsidian. E se viu exasperada com uma criança que não parava quieta. Por nada no mundo.

— Mocinha, será que você pode sair dessa casa agora mesmo e encontrar um amigo para brincar?

— Vovó, olhe! É um chapéu. — E ela esticou a mão para uma tigela e tirou a massa do pão que estava descansando e a colocou na cabeça. — É um chapéu, vovó! Um lindo chapéu.

— Não é um chapéu — disse Xan. — É massa de pão.

Estava no meio de um feitiço complexo. A diretora da escola estava deitada na mesa, em um sono profundo, e Xan mantinha as mãos nas laterais do rosto da jovem, concentrando-se muito. A diretora vinha sofrendo de terríveis dores de cabeça, provocadas, como Xan descobriu, por um tumor no meio do cérebro. Xan poderia removê-lo com magia, pedacinho por pedacinho, mas era um trabalho traiçoeiro. E perigoso. O trabalho para uma bruxa inteligente, e nenhuma era mais inteligente que Xan.

Mesmo assim. O trabalho era difícil — mais difícil que achou que seria. E penoso. Tudo andava sendo penoso. Xan culpava a idade avançada. Sua magia acabava depressa demais ultimamente. E demorava muito para reabastecer. Ela estava tão cansada.

— Meu jovem — disse Xan para o filho da diretora da escola, um rapaz de uns 15 anos, provavelmente, cuja pele parecia brilhar. Uma das Crianças Estelares —, será que você poderia pegar essa criança bagunceira e ir brincar com ela lá fora para que eu possa me concentrar em curar sua mãe sem cometer nenhum erro que possa matá-la? — O rapaz empalideceu. — Só estou brincando, é claro. Sua mãe está segura comigo. — Xan esperava que isso fosse verdade.

Luna deu a mão para o jovem, seus olhos brilhando como joias.

— Vamos brincar — disse ela, e o rapaz retribuiu o sorriso. Ele amava Luna, como todo mundo amava. Eles riram, saíram correndo pela porta e desapareceram no bosque dos fundos.

Mais tarde, quando o tumor tinha sido retirado e o cérebro estava curado e a diretora da escola dormia confortavelmente, Xan sentiu que podia enfim relaxar. Seus olhos pousaram na tigela na bancada. Na tigela com massa de pão.

Mas não havia massa de pão ali. Em vez disso, havia um chapéu, com aba larga e cheio de detalhes complexos. Era o chapéu mais lindo que Xan já tinha visto.

— Minha nossa! — sussurrou Xan, pegando o chapéu e notando a magia bordada ali. Azul. Com um brilho de prata nas pontas. A magia de Luna. — Ai, minha nossa. Minha nossa!

Nos dois dias que se seguiram, Xan se esforçou ao máximo para concluir seu trabalho nas Cidades Livres o mais rápido possível. Luna não ajudava em nada. Corria em círculos em volta das outras crianças, apostando corrida e brincando e pulando cercas. Desafiava grupos de crianças a subir no alto das árvores com ela. Ou no sótão dos celeiros. Ou nas vigas dos telhados da vizinhança. Elas a seguiam para o alto e para o alto, mas não conseguiam segui-la até o fim. Luna parecia flutuar acima dos galhos. Fazia piruetas na ponta de uma folha de vidoeiro.

— Desça agora mesmo, mocinha! — gritou a Bruxa.

A menininha riu. E volitou até o chão, saltando de folha em folha, guiando as outras crianças, em segurança, atrás de si. Xan conseguia enxergar os filamentos de magia flutuando atrás da menina, como fitas. Azuis e prateadas, prateadas e azuis. Elevavam-

-se e expandiam-se e espiralavam-se pelo ar, deixando suas marcas no chão. Xan partiu atrás da menina que corria, limpando tudo enquanto a seguia.

Um burro virou um brinquedo.

Uma casa virou um pássaro.

Um celeiro, de repente, era feito de biscoito de gengibre e coberto de açúcar.

Ela não tem a menor ideia do que está fazendo, pensou Xan. A magia emanava da menina. Xan jamais vira tanta magia em toda sua vida. *Ela pode facilmente se ferir,* preocupou-se Xan. *Ou ferir alguém. Ou todo mundo na cidade.* Xan correu pela estrada, seus ossos idosos gemendo, desfazendo cada um dos feitiços antes de alcançar a menina desobediente.

— Hora do cochilo — determinou a feiticeira, brandindo ambas as mãos, e Luna caiu no chão.

Ela *nunca* interferira na vontade de outra pessoa. *Nunca.* Anos antes — havia quase quinhentos anos —, fizera uma promessa a seu guardião, Zosimos, de que jamais faria isso. Mas agora... *O que foi que eu fiz?,* perguntou-se Xan. Achava que iria vomitar.

As outras crianças ficaram olhando. Luna roncou. Deixou uma poça de baba no chão.

— Ela está bem? — perguntou um dos meninos.

Xan pegou Luna no colo, sentindo o peso do rosto da criança no ombro e pressionando o rosto enrugado contra o cabelo da menininha.

— Ela está bem, querido — assegurou ela. — Só está com soninho. Está com muito sono. E acredito que vocês tenham tarefas a fazer.

Xan carregou Luna até a casa de hóspedes do prefeito, onde estavam hospedadas.

Luna dormiu profundamente. Sua respiração era lenta e constante. A marca de nascença em forma de lua crescente na testa brilhava um pouco. Uma lua cor-de-rosa. Xan afastou o cabelo preto da menina de seu rosto, enrolando os dedos nos cachos brilhantes.

— Mas o que deixei de ver? — perguntou-se em voz alta.

Havia algo que não estava enxergando, algo importante. Evitava pensar sobre a própria infância. Era tão triste. E a tristeza era perigosa; embora não conseguisse se lembrar bem do porquê.

A memória era uma coisa escorregadiça — musgo deslizante em uma ladeira instável —, e era tão fácil escorregar e cair. Além disso, quinhentos anos era muito tempo para se lembrar. Mas, agora, as lembranças saltavam em sua direção: um velho bondoso, um castelo decrépito, um grupo de sábios com rostos enterrados em livros, uma mãe-dragão enlutada dizendo adeus. E mais outra coisa. Algo perigoso. Xan tentou pegar as lembranças enquanto saltitavam por ela, mas eram como fragmentos brilhantes em uma avalanche: passavam brilhando na luz por um instante e, então, iam embora.

Havia algo que tinha, *tinha* que lembrar. Estava certa disso. Se ao menos conseguisse lembrar o que era.

8

E uma história tem uma pista da verdade

Uma história? Tudo bem. Vou contar uma história. Mas você não vai gostar nadinha dela. E ela vai fazer você chorar.

Era uma vez um lugar onde havia bruxos e bruxas do bem, que moravam em um castelo no meio da floresta.

Bem, é claro que a floresta não era perigosa naquela época. Sabemos quem é responsável por amaldiçoar a floresta: é a mesma pessoa que rouba nossas crianças e envenena a água. Naquela época, o Protetorado era próspero e sábio. Ninguém precisava da Estrada para cruzar a floresta, pois a floresta era amiga de todos. E qualquer um podia ir até o Castelo dos Encantadores em busca de remédios, conselhos ou apenas para bater papo e fofocar.

Um dia, porém, uma Bruxa Má cruzou os céus montada em um dragão. Usava botas e chapéu pretos e um vestido vermelho-sangue. Gritava sua fúria pelos céus.

Sim, criança. Esta é uma história verdadeira. Que outro tipo de histórias há para contar?

Enquanto voava nas costas do dragão amaldiçoado, a terra tremeu e se partiu. Os rios ferveram, e a lama borbulhou, e lagos inteiros viraram va-

por. O Charco — nosso amado Charco — ficou tóxico e fedido, e as pessoas morriam porque não conseguiam respirar. A terra sob o castelo começou a inchar; inchou e inchou, e grandes nuvens de fumaça e de cinza subiram do meio do castelo.

"É o fim do mundo", gritavam as pessoas. E poderia muito bem ter sido se um bom homem não tivesse desafiado a Bruxa.

Um dos bruxos bons do castelo — ninguém lembra seu nome — viu a Bruxa montada em seu temível dragão, sobrevoando a terra partida. Ele sabia o que a Bruxa tentava fazer: queria tirar o fogo do centro do planeta e cobrir a terra com ele, como se fosse uma toalha estendida sobre a mesa. Ela queria cobrir todos com cinza, fogo e fumaça.

Bem, é claro que era isso que ela queria. Ninguém sabe o porquê. Como poderíamos saber? Ela é uma bruxa. Não precisa de rima nem de motivos.

Então, o corajoso e pequeno bruxo — ignorando o grande perigo que corria — disparou por entre a fumaça e as chamas. Saltou no ar e arrancou a Bruxa das costas de sua montaria. Atirou o dragão no buraco flamejante da Terra, tampando-o como uma rolha em uma garrafa.

Mas ele não matou a Bruxa. Em vez disso, foi a Bruxa que o matou.

É por isso que não vale a pena ser corajoso. A coragem não faz nada, não protege nada, não resulta em nada. Só faz com que você morra. E é por isso que não enfrentamos a Bruxa. Porque até mesmo um velho e poderoso bruxo não foi páreo para ela.

Eu já disse que esta história é verdadeira. Só conto histórias verdadeiras. Agora vá logo, e não me deixe pegar você enrolando em vez de fazer suas tarefas. Talvez mande você direto para a Bruxa, e você vai ter que se ver com ela.

9

E muitas coisas dão errado

A viagem de volta para casa foi um desastre.

— Vovó! — exclamou Luna. — Um pássaro! — E um tronco de árvore se tornava um pássaro muito grande, muito rosa e de aparência muito estranha, sentado no chão com as asas na cintura, como se estivesse chocado com a própria existência.

Xan supunha que o pobrezinho devia estar *mesmo* chocado. Ela o transformou de volta em um tronco assim que a menina desviou a atenção. Mesmo à grande distância, conseguiu sentir seu alívio.

— Vovó! — gritou Luna, correndo na frente. — Bolo! — E o riacho à frente de repente parou: a água desapareceu e se transformou em um rio comprido de bolo. — Que delícia! — exclamou Luna, pegando um bocado de bolo e espalhando a cobertura colorida no rosto.

Xan passou o braço pela cintura da menina, transformou o bolo em rio de novo com o cajado, e foi empurrando Luna para a frente ao longo do caminho sinuoso pela encosta da montanha, virando para trás a fim de desfazer cada um dos feitiços acidentais.

— Vovó! Borboletas!

— Vovó! Um pônei!

— Vovó! Frutinhas!

Feitiço após feitiço explodiam pelos dedos das mãos e dos pés, pelos ouvidos e pelos olhos de Luna. Sua magia deslizava e pulsava. E Xan se esforçava para acompanhar.

À noite, depois de adormecer exausta, Xan sonhou com Zosimos, o bruxo, falecido agora havia quinhentos anos. No seu sonho, ele estava explicando algo — algo importante —, mas sua voz foi obscurecida pela erupção de um vulcão. Ela só conseguia se concentrar no rosto dele, que ia se enrugando e murchando diante de seus olhos, e sua pele caía como pétalas de um lírio curvando-se no fim de um dia.

* * *

Quando chegaram em casa, aninhadas entre os picos e as crateras do vulcão adormecido e envolvidas pelo cheiro exuberante do pântano, Glerk as aguardava com a postura ereta.

— Xan — disse ele, enquanto Fyrian dançava e girava no ar, cantando, desafinado, uma nova música que compusera sobre o amor que sentia por todos os seus conhecidos. — Parece que nossa menina se tornou mais complicada.

Ele vira os fios de magia deslizando de um lado para o outro e se lançando longamente por sobre as copas das árvores. Sabia, mesmo a distância, que aquela não era a magia de Xan, pois a da Bruxa era verde e macia e tenaz, da cor e da textura do musgo que se prende no sota-vento dos carvalhos. Não, aquela era azul e prateada, prateada e azul. A magia de Luna.

Xan dispensou o comentário com um aceno de mão.

— Você não sabe nem da metade — respondeu ela, enquanto Luna corria até o pântano para colher írises e sentir seu cheiro. Quando entrou na água, os juncos se retorceram e formaram um barco, no qual ela subiu e seguiu flutuando pelas águas profundas e avermelhadas, cobertas de algas. Fyrian pousou na proa, parecendo não notar nada de estranho.

Xan pousou o braço nas costas de Glerk e se recostou nele. Sentia-se mais cansada do que jamais estivera na vida.

— Vamos precisar trabalhar muito — comentou ela.

Então, apoiando-se pesadamente no cajado, Xan seguiu até a oficina a fim de se preparar e ensinar Luna.

O que acabou provando ser uma tarefa impossível.

Xan tinha 10 anos quando foi embruxada. Até então, estivera sozinha e amedrontada. Os feiticeiros que a estudaram não eram exatamente bondosos. Um deles em particular parecia faminto por tristeza. Quando Zosimos a resgatou e a colocou sob sua tutela e cuidado, ela ficou tão grata que estava pronta para seguir qualquer regra do mundo.

O mesmo não acontecia com Luna. Ela só tinha 5 anos. E era muito teimosa.

— Fique quieta, queridinha — repetia Xan muitas, muitas e muitas vezes, enquanto tentava fazer a menina direcionar a magia para uma única vela. — Precisamos que você olhe dentro da chama para compreender... *Mocinha! Nada de voar pela sala de aula!*

— Sou um corvo, vovó! — exclamou Luna. O que não era completamente verdade. Ela só tinha criado asas pretas e as batia para voar pela sala. — Crau-crau-crau!

Xan pegou a menina no meio do voo e desfez a transformação. Um feitiço tão simples, mas que fez a Bruxa cair de joelhos. Suas mãos tremeram, e a visão escureceu.

O que está acontecendo comigo?, perguntou-se Xan. Ela não fazia ideia.

Luna não notou. Transformou um livro em uma pomba e deu vida aos lápis e às penas para que ficassem de pé e fizessem uma dança complexa em cima da mesa.

— Luna, *pare*! — ordenou Xan, colocando um simples feitiço bloqueador na menina. O que deveria ter sido fácil. E deveria ter durado pelo menos uma hora ou duas. Mas o feitiço saiu da barriga de Xan e a fez ofegar, e nem mesmo funcionou. Luna saiu do bloqueio sem pensar duas vezes. Xan desmoronou sobre uma cadeira.

— Vá brincar lá fora, queridinha — disse a velha, o corpo todo tremendo. — Mas não toque em nada e não machuque ninguém. E *nada de magia.*

— O que é magia, vovó? — perguntou Luna ao sair correndo pela porta. Havia árvores para subir e barcos para construir. E Xan tinha certeza de que vira a criança conversar com uma garça.

A cada dia que passava, a magia ficava mais indomável. Luna esbarrava sem querer com o cotovelo nas mesas e acidentalmente as transformava em água. Transformava a roupa de cama em cisnes enquanto dormia (eles fizeram uma bagunça horrível). Fazia pedras estourarem como bolhas. Sua pele ficou tão quente que Xan ficou com bolhas, e tão gelada que deixou uma marca de queimadura fria no peito de Glerk quando a menina o abraçou. E, certa vez, ela fez uma das asas de Fyrian desaparecer no meio de um voo, provocando a queda do dragãozinho. Luna então saía saltitando, sem saber o que havia feito.

Xan tentou colocar a menina dentro de uma bolha protetora, dizendo que era uma brincadeira divertida, apenas para conter todo aquele poder que crescia. Fazia bolhas em volta de Fyrian e das cabras, e bolhas ao redor de cada galinha e uma bolha muito grande em volta da casa, para que Luna não ateasse fogo ao lar sem querer. E as bolhas funcionaram — eram, afinal, magia forte — até que deixaram de funcionar.

— Faça mais, vovó! — pediu Luna, correndo em círculos sobre as pedras, cada uma de suas pegadas explodindo com plantas verdejantes e flores coloridas. — Mais bolhas!

Xan jamais se sentira tão exausta na vida.

— Leve Fyrian para a cratera sul — pediu Xan a Glerk depois de uma semana de trabalho árduo e pouco sono. Estava com olheiras profundas. E a pele parecia pálida como papel.

Glerk negou com a cabeça enorme.

— Não posso deixá-la assim, Xan — respondeu ele, enquanto Luna fazia um grilo crescer até ficar do tamanho de uma cabra. Ela ofereceu ao inseto um torrão de açúcar que apareceu em sua mão, e subiu nas costas do animal para dar uma volta. Glerk meneou a cabeça. — Como eu poderia fazer isso?

— Preciso manter vocês dois seguros — respondeu Xan.

O monstro do pântano deu de ombros.

— A magia não faz nada comigo — disse ele. — Já estou aqui há mais tempo que ela.

Xan franziu o cenho.

— Talvez. Mas eu não sei. Ela tem... *tanta magia*. E não tem a menor ideia do que está fazendo. — Ela sentia os ossos finos e frágeis, e o peito chiava. Esforçou-se para esconder isso de Glerk.

* * *

Xan seguia Luna de um lugar para o outro, desfazendo todos os feitiços que encontrava pelo caminho. Asas eram removidas das cabras. Revertia a transformação de ovos em bolinhos. A casa da árvore parou de flutuar. Luna estava maravilhada e feliz. Passava os dias rindo e suspirando, e apontando para tudo com admiração. Dançava e, no lugar onde tinha dançado, fontes surgiam do chão.

Nesse meio-tempo, Xan foi ficando cada vez mais fraca.

Por fim, Glerk não conseguiu mais suportar. Deixando Fyrian na beira da cratera, caminhou pesadamente até seu amado pântano. Depois de um mergulho rápido nas águas escuras, se aproximou de Luna, que estava sozinha no quintal.

— Glerk! — chamou a menina. — Estou tão feliz de ver você! Você é fofo como um coelhinho!

E, em um estalar de dedos, Glerk virou um coelho. Um coelho fofinho, branco, de olhos cor-de-rosa e um pompom no lugar do rabo. Tinha orelhas grandes e brancas, e, no meio do focinho, seu nariz se mexeu rápido.

Luna começou a chorar na hora.

Xan saiu correndo da casa e tentou entender o que a menina dizia aos prantos. Quando começou a procurar por Glerk, ele tinha desaparecido. Tinha ido embora sem saber o que era ou quem era. Fora encoelhado. Levou horas para encontrá-lo.

Xan sentou a menina. Luna ficou olhando para a Bruxa.

— Vovó, você está diferente.

Era verdade. Suas mãos tinham ficado nodosas e manchadas. A pele começou a dependurar no braço. Sentia o rosto se dobrando em cima dele mesmo enquanto ia envelhecendo a cada instante. E, naquele momento, sentada ao sol com Luna e com o coelho que um dia fora Glerk tremendo no meio das duas, Xan conseguia sentir — a magia dentro de si se inclinando em direção a Luna, assim como a luz do luar havia se inclinado em direção à menina quando ela ainda era um bebê. E, à medida que a magia fluía de Xan para Luna, a Bruxa ia envelhecendo mais e mais e mais.

— Luna — disse Xan, acariciando as orelhas do coelhinho. — Você sabe quem é este?

— É o Glerk — respondeu a menina, pegando o coelhinho no colo e o abraçando carinhosamente.

Xan assentiu.

— Como você sabe que é o Glerk?

Luna deu de ombros.

— Eu vi o Glerk. E, de repente, ele era um coelhinho.

— Ah — disse Xan. — Por que você acha que ele virou um coelhinho?

Luna sorriu.

— Porque coelhinhos são maravilhosos. E ele queria me deixar feliz. Glerk é muito esperto!

Xan fez uma pausa.

— Mas *como*, Luna? Como ele se transformou em um coelho? — Ela prendeu a respiração. O dia estava quente e o ar, úmido e doce. O único som era o gorgolejo do pântano. Os pássaros na floresta se aquietaram, como se quisessem ouvir.

Luna franziu a testa.

— Não sei. Ele simplesmente virou um coelho.

Xan cruzou as mãos nodosas e as colocou sobre a boca.

— Entendi — disse a Bruxa. Ela se concentrou no armazenamento de magia que tinha enterrada dentro do corpo e notou, tristemente, como tinha se esvaído. Ela poderia reabastecê-lo, é claro, tanto com luz do luar quanto com luz estelar, e qualquer outra fonte de magia que pudesse encontrar por aí, mas algo lhe dizia que aquilo seria apenas uma solução temporária.

Olhou para Luna, pressionou os lábios na testa da criança.

— Durma, minha querida. Sua vovó precisa aprender algumas coisas. Durma, durma, *durma, durma, durma.*

E a menina dormiu. Xan quase desmaiou por causa do esforço. Mas não havia tempo para aquilo. Voltou sua atenção para Glerk, analisando a estrutura do feitiço que o havia encoelhado, desfazendo-o bem aos pouquinhos.

— Por que estou com vontade de comer cenoura? — perguntou Glerk. A Bruxa explicou a situação. Glerk não achou a menor graça.

— Nem comece — impacientou-se Xan.

— Não há nada a dizer — rebateu Glerk. — Nós dois a amamos. Ela faz parte da família. Mas o que faremos agora?

Xan se levantou, as articulações estalando e arranhando como engrenagens enferrujadas.

— Odeio fazer isso, mas é pelo nosso bem. Ela é um perigo para si mesma. Um perigo para todos nós. Ela *não tem a menor ideia* do que está fazendo, e eu não sei como lhe ensinar. Não agora. Não quando é tão jovem e impulsiva e tão *Luna.*

Xan se empertigou, colocou os ombros para trás e se preparou. Fez um casulo e o colocou em volta da menina. Fios brilhantes se enrolaram e se enrolaram.

— Ela não vai conseguir respirar! — exclamou Glerk, de repente assustado.

— Ela não vai precisar — explicou Xan. — Está em estase. E o casulo mantém sua magia aí dentro. — A Bruxa fechou os olhos.

— Zosimos costumava fazer isso. Comigo. Quando eu era criança. Provavelmente pelo mesmo motivo.

O rosto de Glerk se anuviou. Sentou-se pesadamente no chão, enrolando a cauda a seu redor, como se fosse uma almofada.

— Lembrei. Veio tudo de uma vez. — Ele sacudiu a cabeça. — Por que foi que me esqueci?

Xan empurrou os lábios enrugados para um lado.

— A tristeza é perigosa. Ou pelo menos era. Não consigo me lembrar do motivo agora. Acho que nós dois nos acostumamos a não nos lembrarmos das coisas. Apenas deixamos as lembranças ficarem... embaçadas.

Glerk achava que era algo mais que isso, mas deixou o assunto morrer.

— Fyrian logo virá aqui para baixo, imagino — disse Xan. — Não consegue ficar sozinho por muito tempo. Acho que não importa, mas não deixe que ele toque em Luna, por precaução.

Glerk estendeu um dos braços e pousou uma mão enorme no ombro de Xan.

— Aonde *você* vai?

— Até o velho castelo — respondeu Xan.

— Mas... — Glerk ficou olhando para ela. — Não há nada lá. Só algumas pedras velhas.

— Eu sei — respondeu Xan. — Só preciso ficar parada lá. Naquele lugar. Onde vi Zosimos pela última vez, e a mãe de Fyrian e todos os outros. Eu preciso me lembrar das coisas. Mesmo que isso me deixe triste.

Apoiando-se pesadamente no cajado, Xan começou a mancar para longe.

— Eu preciso me lembrar de muitas coisas — murmurou para si. — E imediatamente.

10

E uma bruxa encontra uma porta e também uma lembrança

Xan deu as costas para o pântano e seguiu a trilha que subia a ladeira, em direção à cratera onde, tanto tempo atrás, o vulcão abrira o rosto para o céu. A trilha era feita de pedras grandes e lisas, colocadas lado a lado no chão muito próximas umas das outras, e a junção era tão estreita que nem uma folha de papel conseguiria passar.

Fazia anos desde a última vez que Xan caminhara por aquela trilha. Séculos, na verdade. Ela estremeceu. Tudo parecia tão diferente. Só que... *não.*

Era uma vez um círculo de pedras no pátio do castelo. Elas cercavam a Torre mais antiga e central, como sentinelas, e o castelo havia se enrolado em volta dele, como uma cobra comendo o próprio rabo. Mas a Torre desaparecera agora (embora Xan não fizesse ideia de para onde tinha ido), o castelo era um monte de entulho e as pedras sobre o vulcão ou tinham sido engolidas pelo terremoto, ou destruídas pelo fogo e pela água ou pelo tempo. Agora só havia uma, e era difícil de encontrar. Mato alto a cobria, como uma cortina pesada, e hera se prendia a sua superfície. Xan passou metade do dia só na busca, e quando a encontrou, passou uma hora inteira trabalhando duro para arrancar as heras entrelaçadas e persistentes.

Quando chegou à pedra em si, ficou decepcionada. Havia palavras entalhadas na sua face. Uma mensagem simples de cada lado. O próprio Zosimos as tinha entalhado havia muito tempo. Ele o fizera para Xan, quando ela ainda era uma criança.

"Não se esqueça", lia-se em um dos lados.

"Estou falando sério", lia-se no outro.

Não se esqueça de quê?

O que você quer dizer, Zosimos?

Ela não tinha certeza. Apesar da irregularidade de suas lembranças, de uma coisa ela se lembrava *muito bem*: a tendência do mestre em ser obscuro. E sua suposição de que, pelas insinuações e palavras vagas serem claras o suficiente para ele, elas seriam perfeitamente compreensíveis para todos.

Depois de todos esses anos, Xan se lembrou de como ela achava isso *irritante* na época.

— Amaldiçoado seja aquele homem — resmungou em voz alta.

Ela se aproximou da pedra e encostou a testa nas palavras entalhadas, como se a pedra pudesse ser o próprio Zosimos.

— Ah, Zosimos — disse, sentindo uma onda de emoções que não sentia havia quase quinhentos anos. — Sinto muito. Eu me esqueci. Não era minha intenção, mas...

A onda de magia a atingiu como uma pedra rolando, atirando-a para trás. Xan caiu com um baque no traseiro que rangia. Olhou, boquiaberta, para a pedra.

A pedra foi embruxada!, pensou com seus botões. *Mas é claro!*

Ela olhou para a pedra conforme uma fenda aparecia bem no meio e os dois lados se abriram para dentro, como grandes portas de pedra.

Não como *portas de pedra*, pensou Xan. São mesmo *portas de pedra*.

O formato da pedra ainda parecia uma porta contra o céu azul, mas a entrada em si abria para um corredor em cuja escuridão desapareciam as escadas de rocha.

Em um lampejo, Xan se lembrou daquele dia. Ela tinha 13 anos e estava terrivelmente impressionada com a própria inteligência de bruxa. E seu professor — ele fora tão forte e poderoso quando ela era mais jovem — estava enfraquecendo dia a dia.

— Cuidado com sua tristeza — dissera ele. Estava tão velho, então. De um modo impossível. Era só pontas e ossos, e uma pele fina como papel, como a pele de um grilo. — Sua tristeza é perigosa. Não se esqueça de que *ela* ainda está por aí.

Então Xan engolia sua tristeza. E suas lembranças também. Enterrou ambas tão fundo que jamais as encontraria. Ou foi o que pensou.

Mas agora ela se lembrava do castelo — *ela se lembrava!* De sua estranheza quebradiça. Dos corredores despropositados. E das pessoas que viviam lá; não dos bruxos e dos sábios, mas dos cozinheiros e dos escribas e dos assistentes. Lembrou-se de como eles se espalharam pela floresta quando o vulcão entrou em erupção. Lembrou-se de como ela lançou feitiços de proteção em cada um deles — ou melhor, em cada um deles exceto *um* — e rezou às estrelas para que cada feitiço se mantivesse enquanto todos fugiam. Lembrou-se de como Zosimos escondeu o castelo dentro de cada pedra no círculo. Cada pedra era uma porta.

— Mesmo castelo, portas diferentes. Não se esqueça. Estou falando sério.

— Não vou me esquecer — respondeu ela aos 13 anos de idade.

— Com certeza você vai esquecer, Xan. Será que ainda não se conhece? — Ele estava tão velho, então. Como ficara tão velho? Tinha praticamente murchado. — Mas não se preocupe. Coloquei isso no feitiço. Agora, se não se importa, minha querida. Gostei muito de a ter conhecido, e lamentei tê-la conhecido e me vi rindo, apesar de tudo, cada dia que estivemos juntos. Mas tudo isso está no passado agora, e nós dois precisamos nos separar. Tenho muitos milhares de pessoas para proteger do maldito vulcão, e espero que você se certifique de que todas elas sejam profundamente gratas, não é mesmo, querida? — Ele sacudiu a cabeça com tristeza. — Mas o que estou dizendo? É claro que você não vai.

Então, ele e o Dragão Simplesmente Enorme desapareceram na fumaça e se enterraram no coração da montanha, pondo fim à erupção, forçando o vulcão a um sono agitado.

E ambos se foram para sempre.

Xan nunca fez nada para proteger a memória dele nem para explicar o que ele fizera.

Realmente, depois de um ano, ela mal conseguia se lembrar de Zosimos. Nunca lhe ocorreu achar isso estranho — a parte dela que *teria achado* estranho estava do outro lado da cortina, perdida no nevoeiro.

Espiou na escuridão do castelo oculto. Seus velhos ossos doíam, e a mente corria.

Por que suas lembranças haviam se escondido dela mesma? E por que Zosimos havia escondido o castelo?

Não sabia, mas tinha certeza de qual era o lugar onde encontraria a resposta. Bateu com o cajado três vezes no solo, até que produzisse luz suficiente para iluminar a escuridão. E entrou na pedra.

11

E uma Bruxa toma uma decisão

Xan juntou livros e os levou do castelo arruinado até sua oficina. Livros e mapas e papéis e diários. Diagramas. Receitas. Ilustrações. Durante nove dias, não dormiu nem comeu. Luna continuou no casulo, pregada no lugar. Pregada no tempo também. Não respirava. Não pensava. Estava simplesmente em uma pausa. Cada vez que Glerk olhava para a menina, sentia um golpe forte no coração. Ficava imaginando se os golpes deixariam uma marca.

Não precisava ter imaginado. Com certeza deixaram.

— Você não pode entrar — avisou Xan do outro lado da porta trancada. — Eu preciso me concentrar.

E ele a ouviu murmurar do lado de dentro.

Noite após noite, Glerk espiava pelas janelas da oficina, observando enquanto Xan acendia suas velas e passava os olhos por centenas de livros abertos e documentos, fazendo anotações em um rolo de pergaminho que ficava cada vez mais comprido a cada hora que passava enquanto murmurava o tempo todo. Meneava a cabeça. Sussurrava feitiços em caixas de chumbo, fechando a tampa rapidamente no instante que o feitiço era dito, sentando-se em cima da caixa para mantê-la fechada. Depois, abria a tampa com cuidado e espiava ali dentro, respirando fundo pelo nariz.

— Canela — diria ela. — E sal. Vento demais no feitiço. — E fazia uma anotação.

Ou:

— Metano. Nada bom. Ela vai acidentalmente voar para longe. Além disso, ficará inflamável. Ainda mais que o normal.

Ou:

— Isto é enxofre! Minha nossa! O que você está tentando fazer, mulher? Matar a pobrezinha? — Ela riscou várias coisas de sua lista.

— Tia Xan enlouqueceu? — perguntou Fyrian.

— Não, meu amigo — respondeu Glerk. — Mas ela se viu em águas mais profundas do que esperava. Ela não está acostumada a não saber exatamente o que fazer. E isso a está assustando. Como diz o Poeta:

"O tolo, quando retirado
Da terra firme, salta...
Do topo da montanha
Para uma estrela em chamas,
Para o espaço negro, negro.

O sábio,
Quando despojado do pergaminho,
Da pena
Do tomo pesado,
Desaba.
E não pode ser encontrado."

— Isso é um poema de verdade? — perguntou Fyrian.

— Claro que é um poema de verdade — respondeu o monstro.

— Mas quem o escreveu, Glerk?

Glerk fechou os olhos.

— O Poeta. O Charco. O Mundo. E eu. É tudo a mesma coisa, sabe?

Mas ele não explicou o que queria dizer com isso.

* * *

Por fim, Xan abriu as portas da oficina com uma expressão sombria de satisfação no rosto.

— Está vendo — explicou ela para um Glerk muito cético enquanto desenhava um grande círculo com giz no chão, deixando um espaço aberto pelo qual passar. Desenhou 13 marcas com espaçamentos equivalentes ao longo da circunferência e as usou para mapear os pontos de uma estrela de 13 pontas —, no fim, tudo o que vamos fazer é programar um relógio. Cada dia tiquetaqueia como um zumbido perfeito de uma engrenagem bem ajustada, compreende?

Glerk negou com a cabeça. Não estava compreendendo.

Xan marcou o tempo ao longo do círculo quase completo: uma progressão clara e ordenada.

— É um ciclo de treze anos. Isso é tudo o que o feitiço permite. E, no nosso caso, infelizmente, menos que isso... Todo o mecanismo está sincronizado com a biologia de Luna. Não há muito que eu possa a fazer quanto a isso. Ela já tem 5 anos. Então, o relógio vai se programar para 5 anos, e vai despertar quando ela fizer 13 anos.

Glerk apertou os olhos. Nada daquilo estava fazendo sentido para ele. É claro, a magia em si sempre parecia uma bobagem para um monstro do pântano. A magia não era mencionada na canção que construíra o mundo, pois chegou ao mundo muito depois, na luz das estrelas e no luar. Para ele, a magia sempre pareceu uma intrusa, uma penetra na festa. Glerk preferia muito mais a poesia.

— Vou usar o mesmo princípio do casulo protetor no qual ela está dormindo. Toda aquela magia vai ser mantida lá dentro. Mas, nesse caso, *dentro dela*. Bem na frente do cérebro dela, atrás do ponto central da testa. Posso mantê-la contida e *pequena*. Um grão de areia. Todo aquele poder em um grão de areia. Dá para imaginar?

Glerk não disse nada. Olhou para a criança em seus braços. Ela não se mexeu.

— Isso não vai... — começou ele. A voz estava grossa. Ele pigarreou e começou de novo. — Isso não vai... *arruinar* as coisas, não é? Acho que eu gosto muito do cérebro dela. Gostaria que ficasse ileso.

— Deixe de bobagem! — repreendeu Xan. — Vai ficar tudo bem com o cérebro dela. Pelo menos tenho quase certeza de que sim.

— *Xan!*

— Ai, só estou brincando! É claro que ela vai ficar bem. Isso é só para ganharmos um pouco de tempo, para nos certificarmos de que ela tenha bom senso para saber o que fazer com a magia quando for liberada. Ela precisa ser educada. Precisa conhecer o conteúdo daqueles livros lá dentro. Precisa entender os movimentos das estrelas e as origens do universo e os requisitos da bondade. Precisa conhecer matemática e poesia. Ela tem que fazer perguntas. Tem que buscar a compreensão. Tem que entender as leis de causa e efeito e consequências não intencionais. Tem que aprender sobre compaixão e curiosidade e admiração. Todas essas coisas. Nós temos de ensiná-la, Glerk. Nós três. É uma grande responsabilidade.

O ar no aposento de repente ficou pesado. Xan gemeu ao empurrar o giz pelas últimas pontas da estrela de treze pontas. Até mesmo Glerk, que normalmente não seria afetado, se viu suando e sentindo-se enjoado.

— E quanto a você? — quis saber o monstro. — *Sua* mágica vai parar de escoar?

Xan deu de ombros.

— Espero que o escoamento fique mais lento. — Ela pressionou os lábios. — Pouco a pouco, pouco a pouco. Quando ela fizer 13 anos, tudo vai fluir de uma só vez. Não haverá mais magia em mim. Serei um frasco vazio, sem nada para sustentar meus ossos velhos. Então, eu partirei. — A voz de Xan era baixa e suave, como a superfície do pântano... E adorável, assim como o pântano é adorável. Glerk sentiu uma dor no peito. Xan tentou sorrir. — Mesmo assim, se eu tivesse que escolher, acho muito melhor deixá-la órfã *depois* de ensinar-lhe uma ou duas coisas. Criá-la de maneira correta. Prepará-la. E prefiro ir de uma só vez do que ir esvanecendo como o coitado do Zosimos.

— A morte é sempre repentina — disse Glerk. Seus olhos começaram a arder. — Mesmo quando não é.

Ele queria abraçar Xan com seu terceiro e quarto braços, mas sabia que a Bruxa não iria gostar nadinha daquilo, por isso abraçou Luna um pouco mais apertado enquanto Xan começava a destrançar o casulo mágico. A menininha contraiu os lábios algumas vezes e se aconchegou mais ao peito úmido do monstro, aquecendo seu coração. O cabelo preto brilhava como o céu noturno. Ela dormia profundamente. Glerk olhou para o desenho no chão. Ainda havia uma abertura para ele passar com a menina. Uma vez que Luna estivesse no lugar e Glerk estivesse em segurança, do lado de fora do círculo, Xan fecharia a circunferência, e o feitiço começaria.

Ele hesitou.

— Você tem certeza, Xan? — perguntou ele. — Você tem certeza mais que absoluta?

— Tenho. Presumindo que fiz tudo certo, a semente da magia só vai se abrir no 13º aniversário de Luna. Não sabemos exatamente o dia, mas podemos prever. É nesse dia que a magia virá. E é nesse dia que eu vou partir. É o suficiente. Eu já ultrapassei muito qualquer período razoável de vida nesta Terra. E estou muito curiosa para saber o que virá em seguida. Venha. Vamos começar.

O ar ficou com cheiro de leite e suor e pão assando. Depois, o cheiro era de tempero forte, joelhos ralados e cabelo molhado. Então, de músculos trabalhando e pele ensaboada e lagoas límpidas nas montanhas. E de mais alguma coisa. Um cheiro escuro, estranho e terroso.

E Luna deu um grito, apenas um.

E Glerk sentiu uma rachadura no coração, tão fina quanto o traçado de um lápis. Pressionou as quatro mãos no peito, tentando impedir que se partisse ao meio.

12

E uma criança aprende sobre o Charco

Não, criança. A Bruxa não mora no Charco. Mas que coisa para se dizer! Todas as coisas boas vêm do Charco. Onde mais poderíamos colher nossos talos de Zirin, nossas flores de Zirin e nossos brotos de Zirin? Onde mais poderíamos colher nosso espinafre da água e pescar os peixes que se alimentam de humo para o jantar? Ou os ovos de pato e as ovas de rã para seu café da manhã? Se não fosse pelo Charco, seus pais não teriam nenhum trabalho e você morreria de fome.

Além disso, se a Bruxa morasse no Charco, eu já a teria visto.

Bem, não. É claro que eu não vi o Charco inteiro. Ninguém viu. O Charco cobre metade do mundo, e a floresta, a outra metade. Todo mundo sabe disso.

Mas, se a Bruxa estivesse no Charco, eu teria visto as águas se ondularem com seus passos amaldiçoados. Eu teria ouvido os juncos sussurrarem seu nome. Se a Bruxa estivesse no Charco, ele a vomitaria, do jeito que fazemos com o que nos faz mal.

Além disso, o Charco nos ama. Sempre nos amou. O mundo foi feito do Charco. Cada montanha, cada árvore, cada pedra e cada animal e cada inseto deslizante. Até mesmo o vento foi sonhado pelo Charco.

Ah, é claro que você conhece essa história. Todo mundo conhece

Tudo bem. Vou contar de novo.

No início, havia apenas o Charco e o Charco e o Charco. Não havia pessoas. Não havia peixes. Não havia pássaros nem ogros, nem montanhas, nem a floresta, nem o céu.

O Charco era tudo, e tudo era o Charco.

O humo do Charco corria da ponta de uma realidade para a outra. Ele se curvava e gorjeava pelo tempo. Não havia palavras; não havia aprendizado; não havia música, poesia nem pensamento. Havia apenas o suspiro do Charco e o tremor do Charco e o sussurro infinito dos juncos.

Mas o Charco estava solitário. Queria olhos para enxergar o mundo. Queria costas fortes para se carregar de um lugar para o outro. Queria pernas para caminhar e mãos para tocar e boca para comer.

Então, o Charco criou um Corpo: um grande Ogro que saiu do Charco com suas próprias pernas fortes e lodosas. O Ogro era o Charco, e o Charco era o Ogro. O Ogro amava o Charco, e o Charco amava o Ogro, assim como uma pessoa ama a própria imagem em um lago de águas calmas, e a olha com carinho. O peito do Ogro estava cheio de amor e compaixão calorosa e revigorante. Ele sentia o brilho do amor irradiar. E o Ogro queria palavras para explicar como se sentia.

Então, havia palavras.

E o Ogro queria que essas palavras se unissem de forma que pudessem expressar o que ele queria dizer. Ele abriu a boca e, de lá, saiu um poema.

"Redondo e amarelo, amarelo e redondo", disse o Ogro, e assim nasceu o sol, pendurado lá em cima.

"Azul e branco e preto e cinza e uma explosão de cores no alvorecer", disse o Ogro. E assim nasceu o céu.

"O ranger da madeira e a maciez do musgo e o farfalhar e o sussurro do verde, verde e verde", cantou o Ogro. E assim nasceram as florestas.

Tudo o que você vê, tudo o que você sabe foi criado porque assim quis o Charco. O Charco nos ama, e nós o amamos.

A Bruxa no Charco? Faça-me o favor! Nunca ouvi uma coisa mais absurda em toda a minha vida!

13

E Antain faz uma visita

A Irmandade da Estrela sempre contava com um aprendiz — sempre um menino. Bem, na verdade, não era bem um aprendiz; estava mais para um criado. Elas contratavam o menino quando ele tinha 9 anos, e o mantinham até que era dispensado com nada além de um bilhete.

Cada um dos meninos recebia o mesmo bilhete. Todas as vezes.

"Tínhamos muitas esperanças", começava a mensagem, "mas este menino nos decepcionou."

Alguns garotos trabalhavam por uma semana ou duas. Antain soube de um garoto da escola que só ficou um único dia. A maioria era enviada de volta quando fazia 12 anos, bem quando tinham começado a se sentir confortáveis. Assim que tomavam ciência do tanto de conhecimento que devia haver nas bibliotecas da Torre, ficavam famintos por aquilo e eram mandados embora.

Antain tinha 12 anos quando recebeu seu aviso — um dia depois que tinha solicitado e recebido (depois de anos de pedidos) o privilégio de usar a biblioteca. Foi um golpe esmagador.

As Irmãs da Estrela moravam na Torre, uma estrutura gigantesca que inquietava os olhos e confundia a mente. A Torre ficava bem no centro do Protetorado e lançava sua sombra sobre todos os lugares.

As Irmãs mantinham suas despensas e bibliotecas e arsenal em andares aparentemente infinitos no subsolo. Havia aposentos destinados à encadernação dos livros, à mistura de ervas e ao treinamento com espadas e combate corpo a corpo. As Irmãs sabiam todas as línguas conhecidas, além de astronomia, arte de envenenamento, dança, metalurgia, artes marciais, decupagem e os mais finos detalhes do assassínio. Nos andares superiores ficavam os aposentos simples das Irmãs (três por quarto), espaços para reuniões e reflexões, celas de prisão impenetráveis, uma câmara de tortura e um observatório celestial. Cada qual era ligado por uma estrutura complexa de corredores com ângulos estranhos e escadas intercruzadas que saíam das entranhas da construção e subiam até as profundezas do topo do observatório e de volta. Se alguém fosse tolo o suficiente para entrar sem permissão, poderia vagar por dias sem encontrar uma saída.

Durante os anos que passou na Torre, Antain ouvia os gemidos das Irmãs nas salas de treino e ouvia um choro ocasional das celas da prisão e da câmara de tortura, e ouvia as Irmãs ocupadas em discussões acaloradas sobre a ciência das estrelas e sobre o preparo alquímico do bulbo de Zirin, ou sobre o significado de um poema particularmente controverso. Ouvia as Irmãs cantando enquanto mediam a farinha ou ferviam ervas ou afiavam facas. Aprendeu a tomar ditado, limpar privada, arrumar a mesa, servir um excelente almoço e dominar a fina arte de fatiar o pão. Aprendeu os requisitos para preparar um excelente bule de chá e os mais finos detalhes de como preparar um sanduíche e de como permanecer imóvel no canto de uma sala e ouvir uma conversa, guardando todos os detalhes, sem que as pessoas no recinto percebessem sua presença. As Irmãs costumavam elogiá-lo durante o tempo que passou na Torre, exaltando sua caligrafia, sua rapidez e seu comportamento educado. Mas não foi o suficiente. Não mesmo. Quanto mais ele aprendia, mais sabia que havia *mais coisas a aprender*. Havia fontes profundas de conhecimento nos volumes empoeirados, silenciosamente guardados nas prateleiras das bibliotecas, e Antain ficou sedento por todos eles. Mas não tinha permissão para beber daquelas fontes. Ele trabalhava duro. Fazia o melhor. Tentava não pensar nos livros.

Mesmo assim, um dia voltou para o quarto e encontrou suas malas já arrumadas. As Irmãs prenderam o bilhete em sua camisa e o enviaram de volta para sua mãe. "Tínhamos muitas esperanças", dizia o bilhete, "mas este menino nos decepcionou."

Antain nunca superou isso.

Agora, como um Ancião em Treinamento, deveria estar na Câmara do Conselho, preparando-se para as audiências do dia, mas simplesmente não conseguia. Depois de dar desculpas novamente por ter faltado no Dia do Sacrifício, Antain notou uma diferença distinta na afinidade com os Anciãos. Mais cochichos. Uma proliferação de olhares de esguelha. E, o pior de tudo, o tio se recusava a encará-lo.

Não colocava os pés na Torre desde o tempo de aprendiz, mas sentiu que já tinha passado da hora de fazer uma visita às Irmãs, que foram para ele um tipo de família temporária; apesar de estranha, reservada e, era preciso admitir, assassina. Mesmo assim. Família é família, disse para si enquanto caminhava até a velha porta de carvalho e batia.

(Havia outro motivo, é claro. Mas não poderia admitir isso para si. E aquilo o deixava irrequieto.)

Seu irmãozinho atendeu. Rook. Como sempre, estava com o nariz escorrendo, e seu cabelo parecia bem mais comprido que da última vez que Antain o vira, mais de um ano antes.

— Você está aqui para me levar para casa? — perguntou Rook, a voz um misto de esperança e vergonha. — Eu também as decepcionei?

— Que bom ver você, Rook — respondeu Antain, acariciando a cabeça do irmãozinho, como se ele fosse um cachorrinho muito bem-comportado. — Mas não. Você só está aqui há um ano. Ainda tem muito tempo para decepcioná-las. A Irmã Ignatia está? Eu gostaria de falar com ela.

Rook estremeceu, e Antain não o culpou. Irmã Ignatia era uma mulher formidável. E aterrorizante. Mas Antain sempre se dera bem com ela, e ela sempre pareceu gostar dele. As outras Irmãs fizeram questão de que ele soubesse o quanto aquilo era raro. Rook acompanhou o irmão até o escritório da Irmã Superiora, mas Antain conseguiria chegar lá de olhos vendados. Conhecia cada degrau, cada pedrinha nas paredes antigas, cada uma daquelas tábuas decrépitas. Mesmo depois de tantos anos, ainda sonhava em voltar à Torre.

— Antain! — exclamou Irmã Ignatia da sua mesa.

Ao que tudo indicava, estava traduzindo textos que tinham a ver com botânica. A maior paixão da vida da Irmã Ignatia era botânica. Seu escritório estava cheio de plantas de todos os tipos; a maioria era originária das partes mais escuras da floresta ou do pântano, mas algumas vinham de todos os lugares do mundo, por meio de comerciantes nas cidades do outro lado da Estrada.

— Ora, meu querido rapaz! — disse a Irmã Ignatia levantando-se da escrivaninha e atravessando o aposento perfumado para pegar o rosto de Antain em suas mãos fortes e fibrosas. Deu uns tapinhas em cada uma das bochechas, de leve, mas mesmo assim doeu. — Você está muito mais bonito agora que quando o mandamos para casa.

— Obrigado, Irmã — agradeceu Antain, sentindo uma pontada familiar de vergonha só de pensar no dia terrível quando deixou a Torre, levando um bilhete.

— Sente-se, por favor. — Ela olhou em direção à porta e gritou bem alto: — MENINO! — berrou ela, chamando Rook. — MENINO, VOCÊ ESTÁ ME OUVINDO?

— Sim, Irmã Ignatia — grunhiu Rook, apressando-se para passar pela porta e tropeçando na soleira.

A Irmã Ignatia não achou nada engraçado.

— Vamos querer chá de lavanda e biscoitos de flor de Zirin. — Ela lançou um olhar tempestuoso para o menino, que saiu correndo como se houvesse um tigre em seu encalço.

Irmã Ignatia suspirou.

— Temo que falte a seu irmão as suas habilidades. É uma pena. Tínhamos muitas esperanças.

Ela fez um gesto para Antain se sentar em uma das cadeiras; esta estava coberta com algum tipo de vinha espinhosa, mas Antain se sentou mesmo assim, tentando ignorar as espetadelas na perna. Irmã Ignatia se sentou em frente a ele, inclinou-se e estudou o rosto do rapaz.

— Diga-me, meu caro, você já se casou?

— Não, senhora — respondeu Antain, corando. — Ainda sou muito novo.

Irmã Ignatia estalou a língua.

— Mas você gosta de alguém. Dá para perceber. Você não consegue esconder nada de mim, caro rapaz. Nem tente. — Antain tentou não pensar na menina da escola. Ethyne. Ela estava em algum lugar na Torre. Mas estava fora de seu alcance e não havia nada que ele pudesse fazer quanto a isso.

— Com meus deveres no Conselho, não me sobra muito tempo — respondeu ele, de forma evasiva.

— É claro, é claro — concordou ela, acenando. — O Conselho.

Pareceu a Antain que ela pronunciara a palavra em tom de desdém. Mas, então, ela espirrou, e ele achou que devia estar imaginando coisas.

— Sou um Ancião em Treinamento há apenas cinco anos agora, mas já estou aprendendo... — ele fez uma pausa — ...tanta coisa — terminou ele, com voz vazia.

O bebê no chão.

A mulher berrando nas vigas.

Não importava o quanto tentasse, não conseguia tirar aquelas imagens da cabeça. Ou a resposta do Conselho a suas perguntas.

Por que eles tinham que tratar suas dúvidas com tanto desprezo? Antain não fazia a menor ideia.

Irmã Ignatia inclinou a cabeça para um lado e o olhou de forma analítica.

— Para ser sincera, meu caro, meu caríssimo rapaz, fiquei muito surpresa por você ter tomado a decisão de se juntar àquele grupo específico, e confesso que presumi que a decisão não tenha sido sua, mas, na verdade, de sua... adorável mãe. — Ela apertou os lábios de forma desagradável, como se estivesse sentindo um sabor amargo na boca.

E era verdade. Absolutamente verdade. Entrar para o Conselho não tinha sido escolha de Antain. Ele preferia ser carpinteiro. Na verdade, disse isso para a mãe, com bastante frequência e em muitas conversas, mas ela não o ouviu.

— Carpintaria — continuou a Irmã Ignatia, sem notar o choque no rosto de Antain por ela ter aparentemente lido sua mente — teria sido minha suposição. Você sempre demonstrou certa inclinação para isso.

— A senhora...

Ela sorriu, e seus olhos ficaram puxados.

— Ah, eu sei algumas coisas, meu jovem. — Ela dilatou as narinas e piscou. — Você ficaria surpreso.

Rook chegou tropeçando, e conseguiu a proeza de derrubar o chá e os biscoitos no colo do irmão. Irmã Ignatia lhe lançou um olhar afiado como uma lâmina, e ele saiu correndo do escritório com uma pressa aterrorizada, como se já estivesse sangrando.

— Agora — começou a Irmã Ignatia, tomando um gole do chá e com um sorriso nos lábios. — O que posso fazer por você?

— Bem — respondeu Antain, apesar de estar com a boca cheia de biscoito. — Eu só queria fazer uma visita. Não venho aqui há muito tempo. Saber as novidades. Ver como a senhora está.

O bebê no chão.

A mãe aos berros.

E, ah, Deus, e se alguma coisa tivesse pegado o bebê antes da Bruxa? O que teria nos acontecido, então?

E, oh, minha nossa, por que isso precisa continuar? Por que não há ninguém para acabar com isso?

A Irmã Ignatia sorriu.

— Mentiroso — disse ela. E Antain baixou a cabeça. Ela apertou carinhosamente o joelho do rapaz. — Não precisa se envergonhar, coitadinho — consolou ela. — Você não é o único que deseja observar e ficar boquiaberto diante de nosso animal enjaulado. Estou pensando em cobrar entrada.

— Ah — protestou Antain. — Não, eu...

Ela o interrompeu.

— Não precisa. Entendo completamente. Ela é um pássaro raro. Um pouco enigmática. Uma fonte de tristeza. — Ela soltou um suspiro curto, e os cantos dos lábios estremeceram, como a pontinha da língua de uma cobra. Antain franziu o cenho.

— Ela pode ser curada? — perguntou ele.

Irmã Ignatia riu.

— Ah, meu doce Antain! Não há cura para a tristeza. — Seus lábios se abriram em um sorriso largo, como se essa notícia fosse muito boa.

— Mas certamente — insistiu Antain — não pode durar para sempre. Tantas pessoas perderam seus filhos. E nem todos ficaram com uma tristeza como a dela.

Ela contraiu os lábios.

— Não. Não, não é isso. A tristeza dela é amplificada pela loucura. Ou sua loucura origina-se de sua tristeza. Ou talvez seja outra coisa. Isso a torna um assunto interessante para ser estudado. Eu aprecio a presença dela em nossa querida Torre. Estamos fazendo bom uso do conhecimento que estamos obtendo a partir da observação de sua mente. Conhecimento, afinal de contas, é um bem precioso. — Antain notou que o rosto da Irmã Superiora estava mais rosado que na época que ele vivia na Torre. — Mas sinceramente, meu caro rapaz, apesar de esta velha senhora apreciar a atenção de um jovem tão bonito, não precisa fazer cerimônia comigo. Você um dia será membro do Conselho, meu caro. Só precisa pedir para o menino na porta, e ele vai levá-lo a qualquer prisioneiro que deseje ver. Essa é a lei. — Seu olhar ficou gelado. Mas apenas por um instante. Ela deu um sorriso caloroso para Antain. — Vamos, meu pequeno Ancião.

Ela se levantou e caminhou até a porta sem fazer nenhum barulho. Antain a seguiu, as botas batendo pesadas nas tábuas.

Embora as celas da prisão ficassem apenas um andar acima, tiveram que subir quatro lances de escada para chegar lá. Antain ficou espiando, esperançoso, todos os aposentos pelos quais passavam, pensando que talvez visse Ethyne, a menina da escola. Viu muitas noviças, mas não ela. Tentou não ficar decepcionado. As escadas iam para esquerda e para a direita, indo para baixo em uma espiral estreita até a sala central no piso da prisão. O cômodo era circular, um espaço sem janelas, com três Irmãs sentadas bem no meio, uma de costas para a outra em um triângulo fechado, cada qual com uma balestra no colo.

Irmã Ignatia lançou um olhar imperioso para a Irmã mais próxima. Fez um gesto com o queixo em direção a uma das portas.

— Deixe-o ver a número cinco. Ele vai bater quando estiver pronto para ir embora. Prestem atenção para não o acertarem sem querer.

Então, com um sorriso, voltou o olhar para Antain e o abraçou.

— Bem, eu já vou indo — disse ela, com alegria, voltando para a escada em espiral enquanto a Irmã mais próxima se levantava e destrancava a porta marcada com o número cinco.

Seus olhos encontraram os de Antain, e ela deu de ombros.

— Ela não fará muita coisa por você. Tivemos que dar a ela poções especiais para mantê-la calma. E tivemos que cortar seu lindo cabelo, porque ela ficava tentando arrancá-lo. — A Irmã o olhou da cabeça aos pés. — Você não tem papel com você, não é?

Antain franziu as sobrancelhas.

— Papel? Não. Por quê?

A Irmã pressionou os lábios, formando uma linha fina.

— Ela não tem permissão para ter papel — disse ela.

— Por que não?

O rosto da Irmã ficou inexpressivo.

— Você vai ver.

E ela abriu a porta.

A cela era uma desordem de papel. A prisioneira havia dobrado e rasgado e torcido tiras de papel, transformando-as em milhares e milhares de pássaros de papel de todas as formas e tamanhos. Havia cisnes de papel no canto, garças de papel na cadeira e pequeninos beija-flores suspensos no teto. Patos de papel, tordos de papel, andorinhas de papel, pombas de papel.

O primeiro instinto de Antain foi se escandalizar. Papel era tão caro. Tremendamente caro. Havia produtores na cidade que faziam finos feixes do material de escrita a partir de uma combinação de polpa de madeira, tifa e linho selvagem e flores de Zirin, mas a maior parte era vendida para os comerciantes, que levavam a produção para o outro lado da floresta. As pessoas no Protetorado só escreviam algo depois de muito pensar e muito planejar.

E ali estava aquela lunática, *desperdiçando papel.* Antain mal conseguiu conter o choque.

Ainda sim...

Os pássaros eram incrivelmente detalhados. Lotavam o chão; amontoavam a cama; transbordavam de duas pequenas gavetas da mesinha de cabeceira. E, Antain não tinha como negar, eram *lindos.* Eram *tão lindos.* Ele levou a mão ao coração.

— Minha nossa — sussurrou ele.

A prisioneira estava deitada na cama, adormecida, mas despertou ao ouvir a sua voz. Muito lentamente, espreguiçou-se. Bem devagar apoiou o cotovelo sob o corpo e se ergueu um pouco.

Antain mal a reconheceu. O lindo cabelo preto tinha desaparecido — havia sido raspado rente à cabeça —, assim como o fogo nos olhos e o rubor de seu rosto. Os lábios eram achatados e caídos, como se fossem pesados demais, e as bochechas pareciam pálidas e sem brilho. Até mesmo a marca de nascença em forma de lua crescente na testa era uma sombra do que costumava ser; como uma sujeira de cinzas na fronte. As mãos pequenas e espertas estavam cobertas de pequenos cortes — *papel, provavelmente,* pensou Antain — e manchas escuras de tinta marcavam cada um de seus dedos.

Os olhos o analisaram de um lado para o outro, de cima a baixo, e de lado, sem nunca parar. Ela não conseguia reconhecê-lo.

— Eu conheço você? — perguntou ela devagar.

— Não, senhora — respondeu Antain.

— Você parece — ela engoliu — familiar. — Cada palavra parecia tirada de um poço muito profundo.

Antain olhou em volta. Havia também uma pequena mesa com mais papel, porém havia desenhos naqueles. Mapas estranhos e complexos, com palavras que ele não compreendia e marcações que não conhecia. E todos eles com a mesma frase escrita no canto inferior direito: "Ela está aqui; ela está aqui; ela está aqui."

Quem está aqui?, perguntou-se Antain.

— Senhora, eu sou membro do Conselho. Bem, um membro temporário. Sou um Ancião em Treinamento.

— Ah — disse ela, deitando de novo na cama e olhando para o teto sem qualquer expressão no rosto. — Você. Eu me lembro de você. Veio para debochar de mim também?

Ela fechou os olhos e riu.

Antain deu um passo para trás. Sentiu um estremecimento ao ouvir o som do riso da mulher, como se alguém estivesse derramando uma bacia de água fria em suas costas. Olhou para os pássaros de papel pendurados no teto. Estranho, mas todos pareciam atados ao que pareciam ser fios compridos de cabelo preto e ondulado. Mais estranho ainda: todos olhavam para ele. Será que estavam assim antes?

As palmas das mãos de Antain começaram a suar.

— Você deve dizer a seu tio — começou ela muito, muito devagar, colocando uma palavra na frente da outra, como uma longa fileira reta de pedras redondas e pesadas — que ele está errado. Ela está *aqui*. E ela é *terrível*.

Ela está aqui, dizia o mapa.

Ela está aqui.

Ela está aqui.

Ela está aqui.

Mas o que aquela mulher queria dizer?

— Quem está onde? — perguntou Antain, sem querer.

Por que estava falando com ela? *Ninguém consegue discutir com os loucos*, lembrou-se ele. Os pássaros de papel farfalharam acima. *Deve ser o vento*, pensou o rapaz.

— A criança que ele levou? Minha filha? — Ela deu um sorriso oco. — Ela não morreu. Seu tio acha que ela está morta. *Seu tio está errado.*

— Por que ele acha que ela está morta? Ninguém sabe o que a Bruxa faz com as crianças. — Ele estremeceu de novo. Havia um som farfalhante e arrepiante à esquerda, como o bater de asas de papel. Ele se virou, mas não observou nenhum movimento. Ouviu o barulho de novo à direita. Nada.

— Tudo o que sei é isto — disse a mãe ao se levantar de forma instável. Os pássaros de papel começaram a se erguer e a girar.

É só o vento, disse Antain para si mesmo.

— Eu sei onde ela está.

Estou imaginando coisas.

— Sei o que vocês fizeram.

Algo está descendo por meu pescoço. Meu deus. É um beija-flor. E.. AI!

Um corvo de papel passou pelo quarto, raspando a asa em sua bochecha, cortando-a e fazendo o sangue escorrer.

Antain ficou surpreso demais para gritar.

— Mas não importa. Porque o ajuste de contas está chegando. Está chegando. Está chegando. E está quase aqui.

Ela fechou os olhos e balançou o corpo. Era claramente louca. Na verdade, sua loucura pairava sobre ela, como uma nuvem, e Antain sabia que precisava sair dali para que não fosse infectado. Bateu na porta, mas a batida não emitiu som.

— DEIXEM-ME SAIR DAQUI — berrou ele para as Irmãs, mas a voz pareceu morrer no instante que saiu da garganta. Conseguiu sentir suas palavras caírem a seus pés. Será que estava contraindo a loucura da mulher? Esse tipo de coisa acontecia? Os pássaros de papel se embaralharam e se juntaram. Então se ergueram como ondas enormes.

— POR FAVOR! — gritou ele, quando uma andorinha de papel veio na direção de seus olhos e dois cisnes de papel bicaram seu pé. Ele chutava e golpeava, mas os pássaros continuavam vindo.

— Você parece ser um bom menino — comentou a mãe. — Escolha uma profissão diferente. Esse é meu conselho. — Ela deitou novamente na cama.

Antain socou a porta de novo. E uma vez mais suas batidas foram silenciosas.

Os pássaros se alvoroçavam e gritavam alto. Afiaram suas asas de papel como facas. Eles se amontoaram em uma grande revoada: crescendo e encolhendo e crescendo de novo. Preparavam-se para o ataque. Antain cobriu o rosto com as mãos.

E eles partiram para cima do menino.

14

E existem consequências

Quando Luna acordou, sentia-se diferente. Não sabia por quê. Ficou deitada na cama por um longo tempo, ouvindo o canto dos passarinhos. Não entendia nada que diziam. Sacudiu a cabeça. Mas por que os compreenderia, para início de conversa? Eram pássaros, afinal. Pressionou a mão contra o rosto. Ouviu os passarinhos de novo.

— Ninguém consegue conversar com passarinhos — disse em voz alta.

E isso era verdade. Então, por que sentia como se não fosse verdade? Um tentilhão colorido pousou no peitoril da janela e cantou suavemente, e Luna achou que seu coração fosse se partir. Realmente, *estava* se partindo um pouco, mesmo agora. Levou as mãos aos olhos e percebeu que estava chorando, mas não sabia a razão.

— Boba — ralhou consigo mesma em voz alta, notando um pequeno tremor na voz. — Luna boba. — Ela era uma menina muito boba. Era o que todo mundo dizia.

Olhou em volta. Fyrian estava enrolado aos pés da cama. Isso era comum. Ele amava dormir na cama de Luna, embora a avó proibisse. A menina nunca soube o porquê.

Pelo menos *achava* que não sabia. Mas parecia que, bem no fundo de seu ser, talvez um dia ela *tenha sabido.* Mas não conseguia se lembrar de quando.

A avó estava dormindo na própria cama do outro lado do cômodo. E o monstro do pântano se esparramava no chão, roncando extraordinariamente alto.

Que estranho, pensou Luna. Não conseguia se lembrar de nenhuma vez que Glerk tenha dormido no chão. Ou dentro de casa. Ou fora do pântano. Luna sacudiu a cabeça. Ergueu um ombro até a orelha e depois o outro. O mundo pesava sobre ela de forma estranha, como um casaco que não servia mais. Além disso, ela sentia uma dor de cabeça horrível. Bem lá dentro. Bateu na testa algumas vezes com a parte de baixo da palma da mão, mas não ajudou em nada.

Luna levantou-se da cama, tirou a camisola e botou um vestido com bolsos profundos, costurados por todos os lados, porque tinha pedido para a avó fazê-lo assim. Com cuidado para não acordar Fyrian, enfiou o dragão dentro de um dos bolsos. A cama de Luna era presa ao teto com cordas e roldanas para abrir espaço na casinha durante o dia, mas a menina ainda era muito pequena para erguê-la sozinha. Deixou a cama do jeito que estava e saiu de casa.

Era cedo pela manhã, e o sol matinal ainda nem tinha chegado até o alto da colina. A montanha estava fresca, úmida e viva. Três das crateras do vulcão exibiam finas colunas de fumaça erguendo-se preguiçosas de lá de dentro e serpenteando até o céu. Luna caminhou devagar até a beira do pântano. Olhou para os próprios pés, descalços, afundarem-se um pouco no chão lodoso, deixando pegadas. Nenhuma flor cresceu nos lugares onde pisou.

Mas que bobeira para se pensar, não é? Por que algo cresceria em suas pegadas?

— Boba, boba — disse em voz alta.

Então, sentiu a cabeça ficar confusa. Sentou-se no chão e ficou olhando para a colina sem pensar em absolutamente nada.

* * *

Xan encontrou Luna sentada sozinha, olhando para o céu. O que era estranho. Normalmente a menina acordava em um turbilhão, despertando todos por perto. Mas não foi o que aconteceu naquele dia.

Bem, pensou Xan. *Tudo está diferente agora.* Ela negou com a cabeça. *Nem tudo,* decidiu. Apesar da magia enrolada e presa em segurança dentro da menina, por ora ela ainda era a mesma garotinha. Ainda era *Luna.* Eles simplesmente não precisavam mais se preocupar com sua magia explodindo para todo canto. Agora ela poderia aprender em paz. E aquele seria o primeiro dia.

— Bom dia, queridinha — cumprimentou Xan, passando a mão na cabeça da menina e mergulhando os dedos nos cachos pretos e compridos.

Luna não respondeu. Parecia estar um pouco em transe. Xan tentou não se preocupar.

— Bom dia, tia Xan — disse Fyrian, olhando pelo bolso e bocejando enquanto alongava os bracinhos o máximo que conseguia. Olhou em volta, apertando os olhos. — Por que estou do lado de fora?

Luna voltou ao mundo com um sobressalto. Olhou para a avó e sorriu.

— Vovó! — exclamou a menina, levantando-se. — Parece que não a vejo há muitos e muitos dias.

— Bem, isso é porque... — começou Fyrian, mas foi interrompido por Xan.

— Quieto, menino — disse a Bruxa.

— Mas, tia Xan — continuou Fyrian todo animado —, eu só queria explicar que...

— Já chega, dragão bobinho. Vá embora. Vá procurar seu monstro.

Xan pegou Luna e a afastou dali.

— Aonde nós vamos, vovó? — perguntou Luna.

— Para a oficina, queridinha — respondeu Xan. E, lançando um olhar sério para Fyrian, mandou: — Vá ajudar Glerk a preparar o café da manhã.

— Tudo bem, tia Xan, mas eu só queria contar a Luna que...

— Agora, Fyrian. — Irritada, Xan afastou-se rapidamente com Luna.

* * *

Luna amava a oficina da avó e já tinha aprendido o básico de mecânica: alavancas e cunhas, polias e engrenagens. Apesar da pouca idade, Luna possuía uma mente mecânica e era capaz de construir engenhocas que giravam e funcionavam. Amava encontrar pedaços de madeira que pudesse polir e conectar, criando outra coisa.

Por ora, Xan havia empurrado todos os projetos de Luna para um canto e dividido a oficina inteira em setores, cada qual com o próprio conjunto de estantes de livros e ferramentas e materiais. Havia um setor para construção e outro para estudo científico e outro para botânica e outro para estudo da magia. No chão, ela fez desenhos com números.

— O que aconteceu aqui, vovó? — perguntou Luna.

— Nada, queridinha — respondeu Xan. Mas refletiu melhor e emendou: — Bem, na verdade, aconteceram muitas coisas, mas temos afazeres mais importantes para cuidar primeiro.

Ela se sentou no chão, em frente à menina, e reuniu sua magia na mão, deixando-a flutuar um pouco acima dos dedos, como uma bola brilhante e cintilante.

— Está vendo, queridinha? — perguntou Xan. — A magia flui por mim, da terra para o céu, mas também está em mim. Dentro de mim. Como eletricidade estática. Ela estala e vibra em meus ossos. Quando eu preciso de um pouco mais de luz, esfrego as mãos e deixo a luz girar entre minhas palmas até que seja suficiente para flutuar até onde eu quero que flutue. Você já me viu fazer isso antes, centenas de vezes, mas eu nunca lhe expliquei. Não é bonito, queridinha?

Porém, Luna não viu. Seu olhar estava vazio. Seu rosto inteiro não carregava expressão. Parecia que sua alma ficara dormente como uma árvore no inverno. Xan ofegou.

— Luna? — chamou. — Você está bem? Está com fome? *Luna*?

Nada. Olhos vazios. Rosto sem expressão. Um buraco no universo com a forma de Luna. Xan sentiu uma onda de pânico no peito.

E, como se o momento de vazio nunca tivesse acontecido, a luz retornou aos olhos da menina.

— Vovó? Posso comer um doce? — perguntou ela.

— O quê? — disse Xan, sentindo o pânico crescer apesar de a luz ter voltado aos olhos da menina. Olhou a neta com mais atenção.

Luna sacudiu a cabeça, como se estivesse com água nos ouvidos.

— Doce — repetiu ela devagar. — Eu gostaria de comer um doce. — Ela franziu as sobrancelhas e acrescentou: — Por favor.

E a Bruxa a atendeu, enfiando a mão no bolso e tirando um punhado de frutas secas. A menina olhou em volta, pensativa, enquanto mastigava.

— Por que estamos aqui, vovó?

— Já estamos aqui faz um tempo — explicou Xan. Ela analisou o rosto da menina com olhos atentos. *O que estava acontecendo?*

— Mas por que estamos aqui? — Luna olhou em volta. — A gente não estava lá fora? — Luna pressionou os lábios. — Eu não... — começou ela, a voz falhando — ...eu não me lembro...

— Eu queria ensinar sua primeira lição, queridinha. — Uma nuvem passou pelo rosto de Luna, e Xan parou de falar. A Bruxa tocou a bochecha da neta. As ondas de magia tinham desaparecido. Se ela se concentrasse muito, conseguia sentir a atração gravitacional daquela densa pepita de poder, macia e dura, selada como uma noz. Ou um ovo.

Decidiu tentar de novo.

— Luna, meu amor. Você sabe o que é magia?

E, uma vez mais, os olhos de Luna ficaram vazios. Ela não se moveu. Mal respirava. Era como se todas as *coisas* que faziam Luna ser quem era — luz, movimento, inteligência — tivessem simplesmente desaparecido.

Xan esperou novamente. Daquela vez, Luna levou ainda mais tempo para voltar a si. A menina olhou para a avó com uma expressão curiosa. Olhou para a direita e para a esquerda. Franziu as sobrancelhas.

— Quando foi que viemos para cá, vovó? — perguntou ela. — Eu dormi?

Xan se levantou e começou a andar de lá para cá. Parou na mesa de invenções, analisando as engrenagens, os cabos, a madeira, os vidros e os livros com diagramas complexos e instruções. Pegou uma pequena engrenagem com uma das mãos e, com a outra, uma pequena mola cujas extremidades afiadas fizeram o sangue aflorar na ponta de seu polegar. Olhou de novo para Luna e imaginou o mecanismo funcionando dentro da menina: o tique-taque rítmico seguindo rumo ao aniversário de 13 anos, de forma constante e inexorável, tal qual um relógio bem ajustado.

Ou, pelo menos, era assim que o feitiço *deveria* ter funcionado. Nada na criação do feitiço de Xan indicava aquele tipo de... *vazio*. Será que ela cometera algum erro?

Decidiu usar outra tática.

— Vovó, o que você está fazendo? — perguntou Luna.

— Nada, queridinha.

Xan alvoroçava-se pela mesa de magia e montava um dispositivo de cristalomancia: madeira da terra, vidro de meteorito derretido, um pouco de água e um único orifício no meio para deixar o ar entrar. Raras vezes ela se empenhou tanto em alguma coisa. Luna sequer pareceu notar. Seu olhar vagava de um lado para o outro. Xan colocou o objeto entre elas e olhou para a menina através do orifício.

— Quero contar uma história a você, Luna — disse a velha.

— Eu adoro histórias. — A menina sorriu.

— Era uma vez uma bruxa que encontrou um bebê na floresta — começou Xan.

Através do dispositivo de cristalomancia, viu as palavras poeirentas entrarem no ouvido da criança. Viu as palavras se separarem dentro da cabeça da menina: *bebê* ficou e adejou pelos centros de memória e pelas estruturas de imaginação até o lugar onde o cérebro gosta de brincar com as palavras que soam agradáveis. *Bebê, Bebê, b-b-beb-b-bêêêê,* de novo e de novo e de novo. Os olhos de Luna começaram a escurecer.

— Era uma vez — recomeçou Xan —, quando você era bem pequenina, eu a levei para ver as estrelas.

— A gente sempre sai para ver as estrelas — comentou Luna. — Todas as noites.

— Sim, sim — disse Xan. — Preste atenção. Uma noite, muito tempo atrás, enquanto olhávamos as estrelas, eu colhi luz estelar com a ponta de meus dedos e lhe dei para comer como se fosse mel.

E os olhos de Luna ficaram vazios. Ela balançou a cabeça, como se quisesse afastar teias de aranha.

— Mel — disse a menina lentamente, como se a palavra em si fosse um grande peso.

Xan não se abalou.

— Então — insistiu a Bruxa. — Um dia, a vovó não notou que a lua estava nascendo, pendurada bem baixa e redonda no céu. E a vovó ergueu o braço para pegar luz estelar e acabou lhe dando luz do luar por engano. E foi assim que você se tornou embruxada, minha querida. É daí que vem sua magia. Você tomou muita luz do luar, e agora a lua está cheia dentro de você.

Era como se não fosse Luna sentada no chão, e sim uma imagem de Luna. A menina não piscava. Seu rosto ainda parecia pedra. Xan passou a mão diante do rosto da menina, e nada aconteceu. Nadinha mesmo.

— Ai, minha nossa! — exclamou Xan. — Minha nossa, minha nossa, minha nossa.

Xan pegou a menina nos braços e saiu correndo pela porta, aos prantos, procurando Glerk.

Quase a tarde inteira se passou antes de a menina voltar a si.

— Bem — disse Glerk. — Esta é uma situação difícil.

— Não é nada disso — irritou-se Xan. — Tenho certeza de que é temporário — acrescentou, como se suas palavras pudessem tornar aquilo realidade.

Porém, não era temporário. Essa era a consequência do feitiço de Xan: a criança não tinha mais capacidade de aprender magia. Não podia ouvir nada sobre aquilo, nem falar, nem mesmo conhecer a palavra. Todas as vezes que ouvia qualquer coisa relacionada à magia, sua consciência, o brilho em seus olhos e sua própria alma pareciam simplesmente desaparecer. E Xan não sabia dizer se o conhecimento estava entrando no meio do cérebro de Luna ou se estava indo embora por completo.

— O que faremos quando ela completar 13 anos? — perguntou Glerk. — Como você poderá ensinar a ela? — *Porque você com certeza vai morrer quando isso acontecer,* pensou Glerk. *A magia dela vai se abrir, e a sua vai se desvanecer, e você, minha querida bruxa de 500 anos, não terá mais magia dentro de si para mantê-la viva.* Sentiu a fenda no coração se aprofundar mais.

— Talvez ela não cresça — sugeriu Xan, desesperada. — Talvez fique assim para sempre, e nunca terei que me despedir. Talvez eu tenha cometido algum erro no feitiço, e a magia nunca saia. Talvez ela jamais possuísse magia, para começo de conversa.

— Você sabe que não é verdade — disse Glerk.

— Talvez seja — argumentou Xan. — Você não tem como saber. — Ela fez uma pausa antes de voltar a falar. — A alternativa é triste demais para ser considerada.

— Xan... — começou Glerk.

— A tristeza é perigosa — vociferou ela, depois saiu depressa.

Eles tiveram essa conversa várias e várias vezes, sem chegarem a uma solução. Por fim, Xan recusou-se a sequer tocar no assunto.

A menina nunca teve magia, Xan começou a repetir para si. E quanto mais Xan insistia que *talvez* fosse verdade, mas conseguia se convencer de que *era*. E, se Luna nunca teve magia, todo poder não estava primorosamente pausado, e não seria um problema. Talvez ficasse preso ali para sempre. Talvez Luna agora fosse uma menina normal. *Uma menina normal.* Xan repetia de novo e de novo e de novo e de novo e de novo. Repetiu tantas vezes que *só podia* ser verdade. Era exatamente o que ela dizia para as pessoas nas Cidades Livres. *Uma menina normal.* Também disse a eles que Luna era alérgica à magia. *Urticária,* falou. *Convulsões. Coceira nos olhos. Vômito.* Pedia para ninguém mencionar magia perto da menina.

Portanto, ninguém mencionava. Os pedidos de Xan eram sempre seguidos à risca.

Enquanto isso, havia um mundo de coisas para Luna explorar: ciências, matemática, poesia, filosofia, arte. Decerto, isso teria que ser o suficiente. Decerto, ela cresceria como as meninas crescem, e Xan continuaria sendo como era — ainda dotada de magia, com envelhecimento lento e imortal. Decerto, Xan nunca teria que se despedir.

— Isso não pode continuar — repetia Glerk de novo e de novo. — Luna precisa saber o que existe dentro de si. Ela precisa saber como a magia funciona. Precisa saber o que é magia. Precisa estar *preparada*.

— Tenho certeza de que não sei do que você está falando — refutou Xan. — Ela é só uma menina comum. Mesmo se antes não fosse, agora é, sem dúvida. Minha própria magia está reabastecida. E eu quase não a uso, de qualquer forma. Não há necessidade de chateá-la. Por que temos que lhe apresentar esse tipo de tristeza? É perigoso, Glerk, você não se lembra?

Glerk franziu a sobrancelha.

— Por que acreditamos nisso?

Xan sacudiu a cabeça.

— Não faço a menor ideia. — E não fazia. Houve uma época em que sabia, mas a lembrança desapareceu.

Era mais fácil esquecer.

E assim Luna cresceu.

Sem saber nada sobre luz estelar, nem luz do luar, nem sobre o nó apertado atrás de sua testa. E não se lembrava de ter encoelhado Glerk, nem das flores em suas pegadas, nem do poder que, mesmo agora, estalava pelas engrenagens, pulsando, pulsando, pulsando, inexoravelmente em direção ao ponto final. Sem saber sobre a semente dura e apertada de magia preparando-se para se abrir dentro dela.

Ela não fazia a menor ideia.

15

E Antain conta uma mentira

As cicatrizes dos pássaros de papel nunca se curaram. Não como deveriam.

— Era apenas papel — chorava a mãe de Antain. — Como é possível que tenha causado cortes tão profundos?

Não eram apenas os cortes. As infecções depois dos cortes foram bem piores. Sem mencionar a considerável perda de sangue. Antain ficou caído no chão por um longo tempo enquanto a louca usava papel para tentar estancar o sangramento... com pouco sucesso. Os medicamentos que as Irmãs lhe davam a deixavam tonta e fraca. Ela perdia e recobrava a consciência. Quando as guardas enfim entraram para ver se o rapaz estava bem, tanto ele quanto a louca ocupavam uma poça tão grande de sangue que demoraram um tempo para descobrir quem tinha se ferido.

— E por que elas não vieram quando você gritou? — perguntou a mãe, zangada. — Por que o abandonaram?

Ninguém sabia a resposta para essa pergunta. As Irmãs afirmavam que não faziam ideia. Que não tinham ouvido nada. Mais tarde, um olhar para seus rostos e olhos vermelhos fizeram com que todos acreditassem que era verdade.

As pessoas cochichavam que Antain fizera aquilo contra si mesmo.

As pessoas cochichavam que a história dos pássaros de papel era só uma fantasia. Afinal, ninguém encontrou pássaro algum. Apenas pedaços ensanguentados de papel no chão. E, de qualquer modo, quem algum dia ouvira falar em um ataque de pássaros de papel?

As pessoas cochichavam que um rapaz *daqueles* não tinha nada que se meter a ser um Ancião em Treinamento. E, àquela altura, Antain não poderia concordar mais. Quando as feridas se curaram, avisou ao Conselho de que estava demitindo-se. Imediatamente. Livre da escola, do Conselho e das reclamações constantes da mãe, Antain se tornou um carpinteiro. Sempre fora bom nisso.

O Conselho, por causa do profundo desconforto que os membros sentiam sempre que olhavam para as cicatrizes que cobriam o rosto do pobre rapaz — sem contar a insistência da mãe —, pagou-lhe uma boa quantia em dinheiro com a qual Antain conseguiu comprar madeiras raras e boas ferramentas dos comerciantes que faziam negócios pela Estrada. (E ah! Aquelas cicatrizes! E ah! Ele era tão bonito antes! E ah! Quanto potencial perdido! Que pena. Que horror.)

Antain começou a trabalhar.

Não demorou nada para que a notícia de sua habilidade e seu talento artístico se espalhasse pelos dois lados da Estrada, e o rapaz começou a ganhar bem o suficiente para deixar a mãe e os irmãos felizes e contentes. Construiu uma casa só para si: menor, mais simples e infinitamente mais humilde, porém, ainda assim, confortável.

Ainda assim. Sua mãe não aprovava que ele tivesse saído do Conselho e lhe disse isso. Seu irmão Rook também não entendia, embora sua reprovação só viesse muito mais tarde, depois de ter sido dispensado da Torre e voltado para casa coberto de vergonha. (O bilhete de Rook, diferente do de Antain, não continha o prefácio "Tínhamos muitas esperanças"; em vez disso, dizia simplesmente: "Este menino nos decepcionou". A mãe culpava Antain.)

Mas ele mal notava. Passava os dias longe de todos, trabalhando com madeira e metal e óleo. A coceira que a serragem causava. O deslizar da textura sob seus dedos. Fazer algo bonito, inteiro e *real* era tudo com que se preocupava. Os meses se passaram. Anos. E sua mãe ainda fazia estardalhaço.

— Mas que tipo de pessoa deixa o Conselho? — gritou ela certo dia, depois de insistir que ele a acompanhasse ao Mercado.

Ela enchia sua paciência e reclamava enquanto examinava os diferentes boxes, com suas diversas seleções de flores medicinais e cosméticas, assim como mel de Zirin e geleia de Zirin e pétalas secas de Zirin (que podiam ser reconstituídas com leite e colocadas no rosto para prevenir as rugas). Nem todo mundo podia fazer compras no Mercado; a maioria das pessoas fazia escambo com vizinhos para manter as despensas um pouco menos vazias. E até mesmo os que conseguiam ir ao Mercado não podiam comprar a quantidade grande de mercadorias que a mãe de Antain empilhava no cesto. Ser a única irmã do Grão-Ancião tinha lá suas vantagens.

Estreitou os olhos para as pétalas secas de Zirin. Lançou um olhar duro para a atendente da barraca.

— Há quanto tempo elas foram colhidas? E não se atreva a mentir para mim!

A atendente empalideceu e murmurou:

— Eu não saberia dizer, senhora.

A mãe de Antain lhe lançou um olhar imperioso.

— Se não sabe dizer, então não vou pagar.

E seguiu para outra barraca.

Antain não fez comentários; em vez disso, seu olhar pousou na Torre e ele passou o dedo pelas marcas e cortes profundos do rosto, seguindo os traços das cicatrizes como as linhas de um mapa.

— Bem — comentou a mãe, enquanto olhava os tecidos que foram trazidos do outro lado da Estrada. — Só podemos esperar que, quando esse ímpeto ridículo de carpintaria chegar ao inevitável fim, seu Honorável Tio o aceite de volta. Se não como membro do Conselho, pelo menos como membro da própria equipe. Pelo menos *ele* tem o bom senso de ouvir sua mãe.

Antain assentiu e resmungou, mas não disse nada. Viu-se caminhando em direção à barraca do vendedor de papéis. Dificilmente tocava em papel agora. Não se pudesse evitar. Mesmo assim. Aquelas folhas de papel de Zirin eram adoráveis. Permitiu que seus dedos tocassem as resmas, e deixou a mente voltar ao som farfalhante das asas de papel que voavam pela face da montanha até desaparecer de vista.

* * *

A mãe de Antain estava errada quanto ao possível fracasso do filho. A oficina de carpintaria continuava um sucesso, e não apenas entre o pequeno enclave endinheirado do Protetorado e a avarenta Associação de Vendedores. As esculturas, os móveis e as construções inteligentes tinham uma demanda alta do outro lado da Estrada também. Todos os meses, os vendedores chegavam com uma lista de encomendas, e todo mês Antain precisava recusar algumas delas, explicando, bondosamente, que ele era um só e que seu tempo era, portanto, limitado.

Ao ouvir tais recusas, os vendedores ofereciam mais e mais dinheiro para Antain pelo trabalho manual.

À medida que ele aprimorava suas habilidades e seus olhos ficavam mais claros e astutos e suas criações se tornavam mais e mais inteligentes, o reconhecimento de seu trabalho também crescia. Em cinco anos, seu nome era famoso em cidades das quais ele nunca ouvira falar, muito menos visitara. Prefeitos de lugares distantes pediam a honra de sua companhia. Antain considerava os convites, é claro que considerava. Ele nunca tinha saído do Protetorado. Não conhecia ninguém que *tivesse*, embora sua família certamente possuísse condições financeiras para tanto. Mas mesmo o pensamento de fazer qualquer coisa que não fosse trabalhar e dormir e ler um livro ocasional em frente à lareira era mais com que conseguia lidar. Às vezes, parecia-lhe que o mundo era pesado; que o ar, engrossado pela tristeza, envolvia sua mente, seu corpo e sua visão, como uma névoa.

Mesmo assim. Saber que seu trabalho manual encontrava bons lares o satisfazia sobremaneira. Sentia-se bem sendo *bom* em alguma coisa. E, ao dormir, sentia-se quase contente.

A mãe agora insistia que sempre soubera que o filho seria um grande sucesso, e que sorte, repetia ela de novo e de novo, que ele tivesse escapado de uma vida maçante com aqueles velhos decrépitos do Conselho, e como fora melhor ele ter seguido seus próprios talentos, algo que ela sempre lhe orientara a fazer.

— Sim, mamãe — respondia Antain, escondendo um sorriso. — Você realmente sempre disse isso.

E, assim, os anos se passaram: uma oficina solitária; coisas sólidas e bonitas; clientes que elogiavam seu trabalho, mas estremeciam ao ver seu rosto. Não era uma vida ruim, no fim das contas.

* * *

A mãe de Antain estava na porta da oficina no final de uma manhã, com as narinas se contraindo por causa da serragem e do cheiro forte de óleo de caule de Zirin, que conferiam um brilho particular à madeira. Antain tinha acabado de entalhar os detalhes finais da cabeceira de um berço: um céu cheio de estrelas brilhantes. Não era a primeira vez que fazia um berço daquele, e não era a primeira vez que tinha ouvido a expressão *Criança Estelar,* embora não soubesse seu significado. As pessoas do outro lado da Estrada eram estranhas. Todo mundo sabia disso, embora ninguém nunca tivesse conhecido ninguém de lá.

— Você deveria ter um aprendiz — declarou a mãe, olhando o aposento. A oficina era bem organizada, bem estabelecida e confortável. Quer dizer, confortável para a maioria das pessoas. Antain, por exemplo, se sentia muito confortável ali.

— Eu não quero um aprendiz — respondeu ele, passando óleo na madeira entalhada. A textura brilhou como ouro.

— Você faria mais negócios com mais um par de mãos. Seus irmãos...

— Não levam o menor jeito com madeira — respondeu Antain suavemente. Era verdade.

— Bem — ofendeu-se a mãe. — Apenas pense se você...

— Está tudo bem do jeito que está — afirmou Antain. E isso também era verdade.

— Bem, então — continuou a mãe. Ela alternou o peso do corpo de um lado para o outro. Ajustou as pregas da capa. Ela, sozinha, tinha mais capas que a maioria das famílias grandes. — E quanto a sua *vida*, filho? Aqui está você, construindo berços para os netos de outras mulheres, e não para o meu. Como posso suportar a contínua vergonha de você ter saído do Conselho sem um lindo neto para colocar em meu colo abençoado?

A voz da mãe falhou. Houve um tempo, Antain bem sabia, quando ele poderia ter passeado pelo Mercado de braços dados com uma garota. Mas ele era tão tímido na época que nunca se atreveu. Agora, sabia que não teria sido difícil se tivesse tentado. Ele tinha visto os retratos que a mãe encomendara tempos atrás, e tinha percebido que fora bonito.

Não importava. Ele era bom no trabalho e amava o que fazia. Será que realmente precisava de mais alguma coisa?

— Tenho certeza de que Rook vai se casar um dia, mamãe. Assim como Wynn. E todos os outros. Não se preocupe. Vou fazer para cada um de meus irmãos uma cômoda e uma cama de casal e um berço quando chegar a hora. Muito em breve você terá netos pendurados nas vigas.

A mãe nas vigas. A filha nos braços. E, oh!, os berros. Antain fechou os olhos e se esforçou para esquecer a cena.

— Tenho conversado com algumas mães. Elas estão muito interessadas no que você construiu aqui. Estão interessadas em apresentar as filhas a você. Não as mais bonitas, você entende, mas mesmo assim.

Antain suspirou, levantou-se e lavou as mãos.

— Obrigado, mas devo recusar, mamãe. — Atravessou o aposento e se inclinou para dar um beijo no rosto da mulher. Viu como a mãe se encolheu quando seu rosto arruinado se aproximou demais. Esforçou-se ao máximo para não sofrer por causa disso.

— Mas Antain...

— Agora é melhor eu ir.

— Para onde você vai?

— Tenho várias coisas a fazer. — Era mentira. A cada mentira que contava, a seguinte saía mais fácil. — Eu vou visitá-la daqui a dois dias para jantar. Eu não me esqueci. — Isso também era mentira. Ele não tinha a menor intenção de jantar na casa da família, e vinha aperfeiçoando várias desculpas para faltar em cima da hora.

— Talvez eu devesse ir com você — ofereceu-se ela. — Para fazer companhia. — Ela o amava, de seu jeito. Antain sabia disso.

— É melhor se eu for sozinho — respondeu ele, amarrando a capa em volta dos ombros e se afastando, deixando a mãe para trás.

Antain usava os becos e ruas menos frequentadas do Protetorado. Embora o dia estivesse fresco, puxou o capuz sobre a testa para manter o rosto nas sombras. Havia muito tempo, Antain notara que se esconder deixava as pessoas mais confortáveis e minimizava os olhares. Às vezes, crianças pequenas pediam timidamente para tocar as cicatrizes. Se as famílias estivessem próximas, algum pai ou mãe envergonhado chamava a atenção do filho e a interação logo chegava ao fim. Se não fosse esse o caso, Antain se agachava sobriamente e olhava a criança nos olhos. Se ela não fugisse, tirava o capuz e dizia:

— Pode tocar.

— Dói? — perguntava a criança.

— Hoje não — respondia sempre.

Outra mentira. Suas cicatrizes sempre doíam. Não tanto quanto naquele primeiro dia, nem tanto quanto na primeira semana. Mas doíam uma dor sombria de algo perdido.

O toque dos dedinhos infantis em seu rosto, traçando os sulcos e as pontas das cicatrizes, fazia o coração de Antain se contrair um pouquinho.

— Obrigado — agradecia Antain. E o agradecimento era sincero. Todas as vezes.

— Obrigado — sempre respondia a criança. E cada um seguia seu caminho. A criança de volta para a família, e Antain, sozinho.

Seus passeios o levavam, como de costume, quisesse ele ou não, até a base da Torre. O lugar que havia chamado de lar por um tempo curto e maravilhoso de sua juventude. Onde sua vida mudara para sempre. Ele enfiava a mão nos bolsos e levantava o rosto para o céu.

— Ora — disse uma voz. — Se não é Antain de volta para uma visita, enfim! — A voz era agradável o suficiente, embora houvesse, Antain percebeu, certo rosnado, enterrado tão fundo na voz que era difícil detectar.

— Olá, Irmã Ignatia — cumprimentou o rapaz, baixando a cabeça. — Estou surpreso por vê-la longe de seu escritório. Será que suas curiosidades maravilhosas perderam a atração?

Era a primeira vez que se falavam pessoalmente desde que ele tinha sido ferido, anos antes. Sua correspondência consistia em bilhetes sucintos, provavelmente escritos por uma das outras Irmãs e assinado pela Irmã Ignatia. Ela nunca se preocupou em visitá-lo — nenhuma vez — desde aquele dia. Ele sentiu um gosto amargo na boca. Engoliu em seco para evitar uma careta.

— Ah, não — disse ela, com alegria. — A curiosidade é a maldição dos inteligentes. Ou talvez a inteligência seja a maldição dos curiosos. De qualquer forma, nunca me falta nenhuma das duas coisas, temo eu, o que me deixa bastante ocupada. Mas descobri que cuidar de minha horta de ervas me dá muito conforto... — Ela ergueu uma das mãos. — Cuidado para não tocar nenhuma das folhas. Nem as flores. Talvez nem mesmo a terra. Não sem luvas. Muitas destas ervas são altamente venenosas. Não são bonitas?

— Bastante — respondeu Antain. Mas não estava pensando nas ervas.

— O que o traz aqui? — perguntou Irmã Ignatia, estreitando os olhos quando o olhar de Antain foi atraído para a janela onde a louca vivia.

Antain suspirou. Voltou a olhar para Irmã Ignatia. A terra da horta sujava suas luvas. Suor e luz do sol lhe banhavam o rosto. Tinha um aspecto saciado, como se tivesse acabado de comer a mais maravilhosa refeição do mundo e estivesse completamente satisfeita. Mas não poderia. Estava trabalhando do lado de fora. Antain limpou a garganta.

— Eu queria lhe informar pessoalmente que nos próximos seis meses não vou conseguir construir a escrivaninha que me encomendou, talvez nem no próximo ano — disse Antain. Era uma mentira. O desenho era bem simples, e a madeira necessária, fácil de obter na floresta controlada no lado ocidental do Protetorado.

— Bobagem — disse Irmã Ignatia. — Sem dúvida você pode reorganizar melhor as coisas. As Irmãs são praticamente da família.

Antain negou com a cabeça, deixou os olhos pousarem novamente na janela. Ele não tinha visto, de fato, a louca — não tão de perto — desde o ataque dos pássaros. Mas a via todas as noites em seus sonhos. Às vezes, nas vigas. Às vezes, na cela. Às vezes, montada nas costas de uma revoada de pássaros de papel, desaparecendo na noite.

Ele deu um meio sorriso para Irmã Ignatia.

— Família? — perguntou ele. — Senhora, acho que já conheceu minha família.

Irmã Ignatia fingiu desconsiderar o comentário, mas pressionou os lábios, segurando um sorriso.

Antain olhou mais uma vez para cima. A louca estava na janela estreita. O corpo era pouco mais que uma sombra. Ele viu a mão dela se estender por entre as barras, e um pássaro flutuar próximo, pousando na palma de sua mão. O pássaro era feito de papel. Conseguia ouvir o farfalhar de suas asas de onde estava.

O rapaz estremeceu.

— O que você está olhando? — perguntou Irmã Ignatia.

— Nada — mentiu Antain. — Não vejo nada.

— Meu caro rapaz. Tem algo errado?

Ele olhou para o chão.

— Boa sorte com a horta.

— Antes de ir, Antain, por que não nos faz um favor, já que não conseguimos induzi-lo a aplicar suas mãos talentosas para fazer coisas bonitas, não importando quantas vezes pedimos?

— Senhora, eu...

— Você aí! — chamou Irmã Ignatia. A voz assumiu um tom bem mais duro. — Já acabou de arrumar as malas, menina?

— Sim, Irmã. — Veio uma voz de dentro do barracão da horta.

Uma voz clara como um sino. Antain sentiu o coração disparar. *Essa voz,* pensou. *Eu me lembro dessa voz.* Não a escutava desde a época da escola, tantos anos antes.

— Excelente. — A Irmã se virou para Antain, a voz melosa de novo. — Temos uma noviça que optou por não continuar na vida elevada de estudo e contemplação da Irmandade e decidiu voltar para o mundo maior. Tola.

Antain ficou chocado.

— Mas — sua voz falhou —, isso *nunca* aconteceu antes!

— Realmente. Nunca aconteceu. E jamais voltará a acontecer. Eu não devia estar bem da cabeça quando a abraçamos em nossa Irmandade. Devo ser mais lúcida da próxima vez.

Uma jovem saiu do barracão para a horta. Usava um vestido simples que lhe servia exatamente como quando entrou pela primeira vez na Torre, logo depois de seu 13º aniversário, mas ela ficara mais alta e a saia agora mal cobria seus joelhos. Usava um par de botas masculinas, remendadas, gastas e tortas, as quais deve ter pegado emprestadas com um dos cuidadores do terreno. Ela sorriu, e até mesmo suas sardas pareceram brilhar.

— Olá, Antain — cumprimentou Ethyne, com voz gentil. — Há quanto tempo.

Antain sentiu o chão se inclinar sob seus pés.

Ethyne virou-se para Irmã Ignatia.

— Nós nos conhecíamos na escola.

— Ela nunca falava comigo — contou Antain, com um sussurro baixo, virando o rosto para o chão. As cicatrizes queimavam. — Nenhuma garota falava.

Os olhos dela brilharam, e seus lábios em forma de botão de rosa se abriram em um sorriso.

— É mesmo? Minha lembrança é diferente.

Ela *olhou para ele.* Para suas cicatrizes. Olhou *diretamente para ele.* E não desviou o olhar. Nem se encolheu. Até mesmo sua mãe se encolhia. *Sua própria mãe.*

— Bem — disse ele. — Para ser justo, eu não falava com nenhuma garota, na verdade. Você deveria ouvir minha mãe comentar sobre isso.

Ethyne riu. Antain achou que fosse desmaiar.

— Será que você poderia ajudar nossa pequena decepção a carregar suas coisas? Seus irmãos arrumaram alguma doença, e seus pais já estão mortos. Eu gostaria que todas as evidências deste fracasso fossem removidas o mais rápido possível.

Se qualquer coisa do que foi dito magoou Ethyne, ela não demonstrou.

— Obrigada, Irmã, por tudo — agradeceu ela, a voz suave e doce como um creme. — Sou tão mais do que eu era quando passei por aquela porta.

— E tão *menos* do que poderia ter sido — irritou-se Irmã Ignatia. — Jovens! — Ergueu as mãos. — Se não conseguimos suportá-los, como eles mesmos conseguem se suportar? — Ela se virou para Antain. — Você vai ajudar, não vai? A menina não tem a decência de demonstrar nem mesmo a menor tristeza por seus atos. — Os olhos da Irmã Superiora ficaram pretos por um momento, como se ela estivesse terrivelmente faminta. Ela apertou os olhos e franziu as sobrancelhas, e a escuridão desapareceu. Talvez Antain tenha imaginado aquilo. — Não consigo tolerar nem mais um segundo em sua companhia.

— É claro, irmã — sussurrou ele. Antain engoliu em seco. Parecia haver areia em sua boca. Ele se esforçou para se restabelecer. — Estou sempre a seu serviço. Sempre.

Irmã Ignatia se virou, resmungando enquanto caminhava.

— Eu pensaria melhor sobre isso se fosse você — murmurou Ethyne para Antain. Ele se virou, e ela abriu outro sorriso. — Obrigada por me ajudar. Você sempre foi o rapaz mais gentil que já conheci. Venha. Vamos sair daqui o mais rápido possível. Depois de todos esses anos, as Irmãs ainda me dão calafrios.

Ela colocou a mão no braço de Antain e o levou até suas trouxas no barracão da horta. Seus dedos eram calejados, e suas mãos, fortes. E Antain sentiu algo flutuar no peito: um tremor no início, então uma subida forte e uma batida, como as asas de um pássaro, voando sobre a floresta e olhando tudo lá do alto, do céu.

16

E sempre há tanto papel

A louca na Torre não conseguia se lembrar do próprio nome. Não conseguia se lembrar do nome de ninguém.

Mas o que era um nome, afinal de contas? Você não pode segurá-lo. Não pode sentir seu cheiro. Não pode sussurrar seu amor por ele de novo e de novo. Havia um nome que ela estimava acima de todos os outros. Mas ele voara para longe, como um pássaro. E ela não conseguia trazê-lo de volta.

Tantas coisas voaram para longe. Nomes. Lembranças. O próprio conhecimento sobre si. Houve um tempo, ela sabia, que tinha sido inteligente. Capaz. Bondosa. Amorosa e amada. Houve um tempo que seus pés se encaixavam perfeitamente na curvatura da terra e seus pensamentos se empilhavam de forma uniforme — um em cima do outro — nos armários da mente. Mas seus pés não tocavam a terra fazia tempo demais, e seus pensamentos foram substituídos por redemoinhos e tempestades que arrancaram tudo dos armários. Talvez para todo o sempre.

Ela só conseguia se lembrar da textura do papel. Era faminta por papel. À noite, sonhava com a maciez seca da folha, do corte afiado e dolorido das beiradas. Sonhava com a gota de tinta na profundeza branca. Sonhava com pássaros de papel e estrelas de papel e céu de papel. Sonhava com uma lua de papel pairando sobre cidades de papel e florestas de papel e pessoas de papel. Um mundo de papel. Um universo de papel. Sonhava com oceanos de tinta e florestas de penas, e com um charco infinito de palavras. Sonhava com tudo isso em abundância.

Não só sonhava com papel; também os tinha. Ninguém sabia como. Todos os dias, as Irmãs da Estrela entravam em seu quarto e retiravam todos os mapas que ela havia desenhado e as palavras que tinha escrito sem se importar em lê-las. Emitiam sons de desaprovação e a repreendiam, e levavam tudo embora. Mas, todos os dias, ela se via cercada por uma inundação de papéis, penas e tinta. Tinha tudo de que precisava.

Um mapa. Desenhou um mapa. Conseguia vê-lo claro como o dia. *Ela está aqui,* escreveu ela. *Ela está aqui, ela está aqui, ela está aqui.*

— Quem está aqui? — perguntava o rapaz de novo e de novo.

A princípio, seu rosto era jovem, bonito e claro. Então, ficou vermelho e zangado e sangrando. Por fim, os cortes provocados pelos pássaros de papel se curaram e viraram cicatrizes — primeiro arroxeadas, depois rosadas e, por fim, brancas. Elas formavam um mapa. A louca se perguntava se ele conseguia ver. Ou se ele compreendia o que significava. Perguntava-se se alguém conseguia entender, ou se aquelas coisas só faziam sentido para ela. Estava sozinha e louca? Ou será que o mundo tinha enlouquecido com ela? Não saberia dizer. Queria espetá-lo e escrever "Ela está aqui" bem no lugar onde a bochecha e o lóbulo da orelha se encontravam. Queria fazê-lo compreender.

Quem está aqui? Ela o sentia se perguntando enquanto olhava fixamente para a Torre lá de baixo.

Você não vê?, queria responder de volta. Mas não respondia. Suas palavras estavam emaranhadas. Não sabia se qualquer coisa que saía de sua boca fazia sentido.

Todos os dias, ela lançava pássaros de papel pela janela. Às vezes um. Às vezes dez. Cada qual com um mapa no coração.

Ela está aqui, no coração de um tordo.

Ela está aqui, no coração de uma garça.

Ela está aqui, ela está aqui, ela está aqui, no coração de um falcão e de um alcíone e de um cisne.

Seus pássaros não iam muito longe. Pelo menos não no começo. Ela observava pela janela quando as pessoas os pegavam do chão nas proximidades. Via as pessoas olharem para a Torre. Via quando meneavam a cabeça. Ouvia quando suspiravam "Coitada, coitadinha" e aproximavam-se mais de seus entes queridos, como se sua loucura fosse contagiosa. E talvez estivessem certos. Talvez fosse mesmo.

Ninguém olhava as palavras e os mapas. Apenas amassavam o papel; provavelmente o transformavam em polpa para produzir mais papel. A louca não podia culpá-los. Papel era caro. Ou era caro para a maioria das pessoas. Ela o recebia de forma bem fácil. Apenas enfiava a mão pelas fendas do mundo, puxando folha após folha. Cada folha era um mapa. Cada folha era um pássaro. Cada folha era lançada no céu.

Sentou-se no chão da cela. Os dedos encontraram papel. Seus dedos encontraram pena e tinta. Não se perguntava como. Apenas desenhou o mapa. Às vezes desenhava o mapa enquanto dormia. O jovem estava se aproximando mais. Conseguia sentir seus passos. Logo ele pararia e olharia para cima. Um ponto de interrogação enroscando-se no coração. Ela o viu crescer da juventude e se transformar em um artesão e, depois, em um homem de negócios e depois um homem apaixonado. Ainda assim, a mesma pergunta.

Dobrou o papel na forma de um falcão. Deixou-o descansar na mão por um momento. Observou-o começar a tremer e ficar ansioso. Permitiu que ele se lançasse aos céus.

Olhou pela janela. O pássaro de papel estava imperfeito. Ela se apressara demais, não fez as dobras de forma adequada. O pobrezinho não sobreviveria. Caiu no chão, lutando corajosamente, diante do jovem com as cicatrizes no rosto. Ele parou. Pisou no pescoço do pássaro com o pé. Compaixão ou vingança? Às vezes eram a mesma coisa.

A louca levou a mão à boca, o toque dos dedos tão leve quanto o papel. Tentou ver o rosto do rapaz, mas ele estava na sombra. Não que aquilo importasse. Conhecia tão bem o rosto dele quanto o próprio. Poderia seguir a curva de cada uma das cicatrizes com os dedos no escuro. Observou enquanto ele parava, desdobrava o papel e olhava os desenhos. Observou enquanto ele levantava os olhos para a Torre, então seu olhar formou um arco lento pelo céu até pousar na floresta. E, então, ele olhou para o mapa de novo.

Ela pressionou a mão contra o peito e sentiu a própria tristeza; sua densidade impiedosa, como um buraco negro no coração, engolindo toda a luz. Talvez sempre tenha sido assim. Sua vida na Torre parecia infinita. Às vezes, sentia que fora aprisionada desde o início do mundo.

Com um raio profundo e repentino, sentiu a transformação.

Esperança, disse o coração.

Esperança, disse o céu.

Esperança, disseram o pássaro na mão do rapaz e a expressão em seu olhar.

Esperança e luz e movimento, sussurrou sua alma. *Esperança e formação e fusão. Esperança e calor e crescimento. O milagre da gravidade. O milagre da transformação. Cada coisa preciosa é destruída e cada coisa preciosa é salva. Esperança, esperança, esperança.*

Sua tristeza se foi. Apenas a esperança ficou. Sentiu-a irradiando para fora, enchendo a Torre, a cidade, o mundo inteiro.

E, naquele instante, ouviu a Irmã Superiora gritar de dor.

17

E há uma rachadura na noz

Luna achava que era uma menina comum. Achava que era amada. Estava mais ou menos certa.

Era uma garota de 5 anos e, depois, de 7; depois, tinha incríveis 11 anos.

Na verdade, era uma coisa boa ter 11 anos, pensou Luna. Amava a simetria do número e a falta de simetria. Onze era um número visualmente par, mas funcionalmente era ímpar — *parecia* ser de um jeito e se *comportava* de outro. Tal como a maioria das pessoas de 11 anos, ou era isso que imaginava. Sua ligação com outras crianças sempre se limitava às visitas da avó às Cidades Livres, e às visitas às quais tinha permissão de acompanhar. Às vezes a avó partia sem ela. E, a cada ano que passava, Luna achava isso mais irritante.

Afinal, tinha 11 anos. Era tanto par quanto ímpar. Estava pronta para ser muitas coisas de uma só vez: criança, adulta, poeta, engenheira, botânica, dragão. A lista continuava. O fato de ir a *algumas* das viagens e ser impedida de ir a *outras* era cada vez mais irritante. E ela dizia isso. Com frequência. Em alto e bom som.

Quando a avó estava longe, Luna passava a maior parte do tempo na oficina. Era um lugar cheio de livros sobre metais, rochas e água, livros sobre flores e musgo e plantas comestíveis, sobre biologia e comportamento e criação de animais, livros sobre teorias e princípios da mecânica. Mas os livros favoritos de Luna eram sobre astronomia, principalmente sobre a lua. Amava tanto a lua que queria envolvê-la nos braços e cantar para ela. Queria apanhar um bocado de luar e colocar em uma grande tigela e beber tudinho. Tinha uma mente faminta, uma curiosidade inquietante e aptidão para desenho, construção e criação.

Seus dedos tinham vontade própria.

— Está vendo, Glerk? — perguntou ela, mostrando o grilo mecânico feito de madeira polida e olhos de vidro e pequenas patas de metal presas a molas. Ele saltava, deslizava, agarrava. Até cantava. Agora, Luna o ajustou para que começasse a virar as páginas de um livro. Glerk franzia o grande nariz molhado.

— Ele vira páginas — disse ela — de um livro. Será que já existiu um grilo mais inteligente que este?

— Mas ele só está virando as páginas, querida — respondeu ele. — Não é como se estivesse *lendo* o livro. E, mesmo que estivesse, não estaria lendo ao mesmo tempo que você. Como ele sabe quando pegar a página e virá-la?

O monstro estava só implicando com a menina, é claro. Na verdade, estava muito impressionado. Mas, como já tinha lhe dito milhares de vezes, não era possível que ele se impressionasse com *todas* as coisas impressionantes que ela fazia. Se fosse o caso, ele poderia descobrir que seu coração já tinha crescido além da capacidade e o tirara completamente de sua órbita.

Luna bateu o pé.

— É claro que ele não pode *ler.* Ele vira a página quando eu digo a ele. — Ela cruzou os braços e lançou um olhar que esperava ser bem duro para seu monstro do pântano.

— Acho que vocês dois estão certos — interveio Fyrian, conciliador. — Adoro coisas tolas. E adoro coisas inteligentes. Adoro todas as coisas.

— *Quieto, Fyrian* — disseram a menina e o monstro em uníssono.

— Demora mais para posicionar seu grilo a virar a página do que se você a virasse sozinha. Por que não a vira simplesmente? — Glerk se preocupou de estar levando a piada longe demais. Pegou Luna com os quatro braços e a colocou no alto do ombro direito. Ela revirou os olhos e desceu.

— Porque então não haveria um *grilo.* — O peito de Luna estava pinicando. Todo o corpo pinicava. Vinha sentindo isso o dia todo. — Onde está a vovó?

— Você sabe onde ela está — respondeu Glerk. — Ela vai voltar na semana que vem.

— Eu não gosto da semana que vem. Eu queria que ela estivesse de volta *hoje.*

— O Poeta diz que a impaciência pertence às coisas pequenas: pulgas, girinos e moscas-das-frutas. Você, meu amor, é muito mais que uma mosca.

— Eu também não gosto do Poeta. Espero que a cabeça dele exploda.

Essas palavras magoaram profundamente Glerk. Ele pressionou as quatro mãos no peito e caiu pesadamente sobre o traseiro enorme, enrolando a cauda em volta do corpo em um gesto de proteção.

— Que coisa feia de se dizer.

— Estou falando sério — reforçou Luna.

Fyrian voava da menina para o monstro e do monstro para a menina. Não sabia onde pousar.

— Venha, Fyrian — chamou Luna, abrindo um de seus bolsos laterais. — Você pode tirar um cochilo, e eu vou caminhar até a colina para ver se consigo ver minha avó em sua viagem. Conseguimos enxergar muito longe lá de cima.

— Você não vai conseguir vê-la ainda. Ainda demora uns dias. — Glerk olhou com atenção para a menina. Havia algo... *estranho* hoje. Não conseguia saber o que era.

— Nunca se sabe — disse Luna, virando de costas e começando a subir pela trilha.

— *A paciência não tem asas.* — Glerk começou a recitar enquanto ela caminhava.

"A paciência não tem asas
A paciência não tem pressa
Nem explode, nem desliza, nem vacila.
A paciência é o mar a balançar;
A paciência é a montanha a suspirar;
A paciência é o Charco a chiar;
A paciência é o coro das estrelas
Sempre a cantar."

— Não estou ouvindo nadinha! — gritou Luna sem se virar. Mas estava ouvindo. Glerk sabia que sim.

* * *

Quando Luna chegou aos pés da encosta, Fyrian já havia pegado no sono. Aquele dragãozinho conseguia dormir em qualquer lugar, a qualquer momento. Era um senhor dorminhoco. Luna colocou a mão no bolso e deu um tapinha na cabeça do animal. Ele não acordou.

— Dragões! — resmungou a menina.

Essa era a resposta dada para muitas de suas perguntas, embora nem sempre fizesse muito sentido. Quando Luna era pequena, Fyrian era mais velho que ela — isso era óbvio. Ele lhe ensinou a contar, a somar e a subtrair, a multiplicar e a dividir. Ensinou-lhe como tornar números maiores que eles mesmos, aplicando-os a conceitos maiores sobre movimento e força, espaço e tempo, curvas e círculos e molas apertadas.

Mas agora era diferente. Fyrian parecia mais jovem a cada dia que passava. Às vezes, parecia a Luna que ele estava voltando no tempo enquanto ela ficava parada; outras vezes, entretanto, parecia o oposto: que Fyrian estava parado no tempo enquanto Luna avançava. Ela se perguntava por que isso acontecia.

Dragões!, explicara Glerk.

Dragões!, concordara Xan. E ambos deram de ombros. Dragões, ficou decidido. O que ela poderia fazer?

Só que, na verdade, isso nunca respondeu nada. Pelo menos Fyrian jamais tentou se desviar nem obscurecer nenhuma das muitas perguntas de Luna. Primeiro porque não fazia ideia do que significava *obscurecer*. Segundo porque raramente sabia as respostas. A não ser que fossem de matemática. Então, ele era uma fonte de respostas. Para todo o resto, era apenas *Fyrian*, e isso era o suficiente.

Luna chegou ao alto da colina antes do meio-dia. Protegeu os olhos com a mão e tentou enxergar o mais longe possível. Nunca subira tão alto antes. Ficou surpresa de Glerk ter permitido.

As Cidades ficavam do outro lado da floresta, descendo pela ladeira ao sul da montanha, onde a terra ficava estável e plana. Onde a terra não era mais assassina. Depois das cidades, Luna sabia que havia fazendas e mais florestas e mais montanhas e, por fim, um oceano. Mas Luna jamais fora tão longe. Do outro lado da montanha, para o norte, não havia nada além de florestas, e, depois delas, havia um charco que cobria metade do mundo.

Glerk lhe contou que o mundo inteiro nasceu daquele charco.

— Como? — perguntava Luna umas mil vezes.

— Com um poema — dizia Glerk às vezes.

— Com uma canção — dizia em outras. Então, em vez de explicar mais, dizia que um dia ela entenderia.

Luna decidiu que Glerk era horrível. Todo mundo era horrível. E a coisa mais horrível era sua dor de cabeça, que piorava a cada dia. Acomodou-se no chão e fechou os olhos. Na escuridão atrás das pálpebras conseguia ver uma cor azulada com um brilho prateado nas pontas, junto a uma coisa completamente diferente. Uma coisa densa e dura como uma noz.

E tinha mais: a *coisa* parecia estar pulsando, como se contivesse uma complexa engrenagem. *Tum, tum, tum.*

Cada tum *me aproxima mais do fim,* pensou Luna. Balançou a cabeça. Por que pensaria uma coisa dessas? Não fazia ideia.

Me aproxima mais do quê?, perguntou-se ela. Mas não havia resposta.

De repente, tinha uma imagem na cabeça de uma casa com colchas costuradas a mão e pregadas nas cadeiras, quadros nas paredes e jarros coloridos arrumados em prateleiras brilhantes e tentadoramente alinhadas. E uma mulher com cabelo preto e uma marca de nascença em forma de lua crescente na testa. E a voz de um homem, perguntando: *Você está vendo a mamãe? É a mamãe, querida.* E aquela palavra ecoando em sua cabeça de um lado para outro: *mamãe, mamãe, mamãe,* de novo e de novo e de novo, como o chamado de um pássaro distante.

— Luna? — chamou Fyrian. — Por que você está chorando?

— Eu não estou chorando — respondeu Luna, enxugando as lágrimas. — E, de qualquer forma, estou com saudades da vovó, só isso.

E era verdade. Ela sentia saudade da avó. E ficar parada, olhando, não diminuiria nadinha o tempo que levava para caminhar das Cidades Livres até a casa delas no topo do vulcão adormecido. Isso era fato. Mas a casa e as colchas e a mulher de cabelo preto... Luna já vira aquilo antes. Só não sabia onde.

Olhou em direção ao pântano e ao celeiro e à oficina e à casa da árvore, com suas janelas arredondadas saindo das laterais do tronco enorme como olhos arregalados e surpresos. *Havia outra casa. E outra família antes desta casa. E desta família.* Sentia isso nos ossos.

— Luna, o que houve? — perguntou Fyrian, com um tom angustiado na voz.

— Nada, Fyrian — respondeu Luna, pegando-o pelo meio e puxando-o para mais perto. Deu um beijo no alto de sua cabeça. — Nada mesmo, só estou pensando no quanto amo minha família.

Foi a primeira mentira que disse na vida. Mesmo que as palavras fossem verdade.

18

E uma bruxa é descoberta

Xan não conseguia se lembrar da última vez que viajou tão devagar. Sua magia vinha diminuindo havia anos, mas não se podia negar que estava acontecendo mais rápido. Agora a magia parecia ter se diluído a ponto de se transformar em um gotejamento por um canal estreito em seus ossos porosos. A visão estava embaçada; a audição, menos apurada; o quadril doía (assim como o pé esquerdo e as costas e os ombros e os pulsos e, estranhamente, o nariz). E sua condição estava prestes a piorar. Logo, seguraria a mão de Luna pela última vez, tocaria seu rosto pela última vez, falando palavras de amor em sussurros roucos. Era um fardo pesado demais para aguentar.

Na verdade, Xan não tinha medo de morrer. Por que teria? Ajudara a curar a dor de centenas de pessoas (milhares, na verdade) na preparação para a jornada ao desconhecido. Já tinha visto o suficiente de épocas e rostos de pessoas em seus momentos finais, uma expressão repentina de surpresa — e um contentamento selvagem e louco. Xan tinha confiança de que não havia nada a temer. Mesmo assim. Era o *antes* que a fazia parar e pensar. Sabia que os meses que a levariam rumo ao fim seriam menos que dignos. Quando conseguia convocar lembranças de Zosimos (o que ainda era difícil, apesar de seus esforços), eram de sua careta, seu estremecimento, sua magreza alarmante. Lembrava-se de sua dor. E não gostava nada de lhe seguir os passos.

Luna, pensava. *Tudo, tudo é por Luna.* Era verdade. Amava aquela menina com todas as dores de sua coluna; amava com cada acesso de tosse; amava com cada suspiro reumático; amava com cada estalo das articulações. Não havia nada que não suportasse por aquela menina.

E é claro que precisava lhe contar. É claro que sim.

Logo, disse para si mesma. *Não ainda.*

* * *

O Protetorado ficava na parte inferior de uma encosta longa e suave, um pouco antes de ela se abrir para o vasto Charco de Zirin. Xan subiu em um afloramento rochoso para ver a cidade, antes de fazer sua descida final. Havia algo sobre aquela cidade. O jeito como as muitas tristezas pairavam no ar, tão persistentes quanto uma neblina. De pé bem acima da nuvem de tristeza, Xan, em sua lucidez, se repreendeu.

— Velha tola — resmungou. — Quantas pessoas você já ajudou? Quantas feridas já curou e quantos corações já confortou? Quantas almas você já guiou? Ainda assim, aqui estão essas pobres pessoas, homens e mulheres e crianças, às quais você se recusou a ajudar. O que tem a dizer em sua defesa, sua tola?

Não tinha nada a dizer.

E ainda não sabia o porquê.

Só sabia que, quanto mais se aproximava, maior era o desespero em partir.

Balançou a cabeça, tirou folhas e pedrinhas das saias e continuou descendo em direção à cidade. Enquanto caminhava, chegou uma lembrança. Conseguia se lembrar de seu quarto no velho castelo — seu aposento favorito, com os dois dragões esculpidos em pedra, um de cada lado da lareira, e um teto quebrado, aberto para o céu, mas embruxado para manter a chuva afastada. E conseguiu se lembrar de subir na cama improvisada, unindo as mãos na frente do peito, e rezar para as estrelas a fim de que tivesse uma noite livre de pesadelos. Nunca teve. E conseguia se lembrar de chorar no colchão... uma grande torrente de lágrimas. E conseguia se lembrar de uma voz do outro lado da porta. Baixa, seca, rangente, sussurrante. *Mais. Mais. Mais.*

Xan apertou mais a capa junto ao corpo. Não gostava de sentir frio. Também não gostava de se lembrar de coisas. Balançou a cabeça para clarear os pensamentos, e continuou descendo a encosta. Entrou na nuvem.

* * *

A louca na Torre viu a Bruxa mancando por entre as árvores. Estava muito longe, muito mesmo, mas os olhos da louca conseguiriam enxergar o mundo todo se ela deixasse.

Será que sabia fazer isso antes de ter enlouquecido? Talvez sim. Talvez simplesmente não tivesse notado. Fora uma filha devotada antigamente. Depois, uma moça apaixonada. Depois, uma grávida, contando os dias para a chegada do bebê. Depois, tudo dera errado.

A louca descobriu que lhe era possível *saber* coisas. Coisas impossíveis. O mundo, sabia ela em sua loucura, estava cheio de pedacinhos brilhantes e peças preciosas. Um homem pode deixar uma moeda cair no chão e nunca mais encontrá-la, mas um corvo a encontrará em um instante. Conhecimento, em sua essência, era uma joia brilhante — e a louca era um corvo. Pressionava, esticava, pegava e juntava. Sabia *tantas coisas*. Sabia onde a Bruxa morava, por exemplo. Poderia caminhar até lá de olhos vendados se conseguisse sair da Torre por tempo suficiente. Sabia para onde a Bruxa levava as crianças. Sabia como aquelas cidades eram.

— Como vai nossa paciente esta manhã? — perguntava a Irmã Superiora todos os dias ao alvorecer. — Quanta tristeza há nessa pobre, pobre alma? — Ela estava faminta. A louca conseguia sentir.

Nenhuma, a louca teria dito se sentisse vontade de falar. Mas não sentia.

Durante anos, as tristezas da louca alimentaram a Irmã Superiora. Durante anos, ela sentia as garras predatórias. (*Devoradora de Tristeza,* a louca descobriu que sabia o que a Irmã era. Não era uma expressão que tivesse aprendido. Encontrou-a do jeito que encontrava tudo o que era útil: enfiava a mão pelas fendas do mundo e puxava para fora.) Durante anos, ficou deitada em silêncio na cela enquanto a Irmã Superiora se fartava com sua tristeza.

Então, um dia, não havia mais tristeza para ser consumida. A louca aprendeu a enclausurar o sentimento, trancá-lo com outra coisa. Esperança. Cada dia que passava, Irmã Ignatia partia faminta.

— Espertinha você — disse a Irmã, a boca formando uma linha fina e austera. — Você me trancou do lado de fora. Por ora.

E você me trancou do lado de dentro, pensou a louca, com uma pequena centelha de esperança acendendo na alma. *Por ora.*

A louca pressionou o rosto contra as barras grossas da janela estreita. A Bruxa tinha saído do afloramento e mancava em direção aos muros da cidade enquanto o Conselho carregava o mais recente bebê pelos portões.

Nenhuma mãe chorava. Nenhum pai berrava. Não lutavam pela criança condenada. Observavam, dormentes, enquanto o recém-nascido era carregado até os horrores da floresta, acreditando que ele manteria aqueles horrores longe. Eles se preparavam e encaravam o medo.

Tolos, queria dizer a louca. *Vocês estão olhando para o lado errado.*

A louca dobrou o mapa no formato de um falcão. Havia coisas que podia fazer acontecer; coisas que não conseguia explicar. Isso era verdade mesmo antes de eles chegarem para lhe tirar a filha, antes da Torre: uma medida de trigo virava duas; tecido gasto e fino como papel se transformava em um tecido pesado e exuberante em suas mãos. Lentamente, porém, durante os longos anos na Torre, seus dons se tornaram afiados e claros. Encontrou fragmentos de magia nas fendas do mundo, e os recolheu.

A louca mirou. A Bruxa estava se dirigindo para a clareira. Os Anciãos também. E o falcão voaria direto para onde a bebê estava. Sentia isso nos ossos.

* * *

O Grão-Ancião Gherland sentia o peso dos anos. As poções que recebia das Irmãs da Estrela ajudavam, mas ultimamente pareciam ajudar *menos* que antes. Isso o irritava.

E esse negócio com os bebês também o irritava — não o *conceito*, na verdade, nem os *resultados*. Não gostava de tocar em bebês. Eram barulhentos, grosseiros e, francamente, *egoístas*.

Além disso, fediam. O que estava segurando agora fedia bastante.

Estava tudo indo bem, e era importante manter as aparências, mas — Gherland passou o bebê de um braço para o outro — estava ficando velho demais para aquele tipo de coisa.

Sentia falta de Antain. Sabia que estava sendo tolo. Foi melhor assim, sem o rapaz. Afinal de contas, execuções eram um assunto complicado. Principalmente quando a família estava envolvida. Por mais que a resistência irracional de Antain ao Dia do Sacrifício irritasse Gherland, sentiu que tinha perdido algo quando Antain pediu demissão, embora não conseguisse dizer exatamente o quê. O Conselho parecia vazio sem o rapaz. Disse a si mesmo que só gostaria de ter mais alguém para segurar o pirralho inquieto, mas Gherland sabia que havia outros sentimentos.

As pessoas ao longo da calçada baixaram a cabeça enquanto o Conselho passava, e tudo estava indo muito bem. O bebê se agitou e se contorceu. Babou na toga de Gherland, que soltou um suspiro profundo. Não faria uma cena. Devia isso a seu povo e aguentaria o desconforto de cada passo.

Era difícil — ninguém jamais soube o *quanto* era difícil — ser tão amado e honrado e altruísta. Enquanto o Conselho passava pela última calçada, Gherland se certificou de se parabenizar pela natureza bondosa e humanitária.

O choro do bebê diminuiu, transformando-se em soluços autoindulgentes.

— *Ingrato* — murmurou Gherland.

* * *

Antain se certificou de ser visto na estrada enquanto o Conselho passava. Fez um breve contato visual com o tio Gherland — *homem horrível,* pensou com um estremecimento —, então escondeu-se atrás da multidão e passou pelo portão quando ninguém observava. Quando estava protegido pela cobertura das árvores, seguiu correndo para a clareira.

Ethyne ainda estava na estrada. Tinha preparado um cesto para a família enlutada. Era um anjo, um tesouro e, incrivelmente, era agora a esposa de Antain — e fora assim desde um mês depois de ter deixado a Torre. Eles se amavam desesperadamente. E queriam uma família. Mas...

A mulher nas vigas do teto.

O choro do bebê.

A nuvem de tristeza pairando como uma névoa sobre o Protetorado.

Antain assistira àquele horror se desdobrar diante de seus olhos e nada fizera. Tinha ficado ali enquanto cada um dos bebês era levado e abandonado na floresta. *Não conseguiríamos impedir se tivéssemos tentado,* dizia para si. Era o que todos diziam. Era no que Antain sempre acreditara.

Mas também acreditava que passaria a vida sozinho e solitário. E o amor provou que ele estava errado. Agora o mundo era melhor que antes. Se aquela crença estava errada, será que as outras também poderiam estar?

E se estivermos errados em relação à Bruxa? E se estivermos errados sobre o sacrifício?, perguntava-se Antain. As perguntas em si já eram revolucionárias. E surpreendentes. *O que aconteceria se tentássemos?*

Por que isso nunca lhe passara pela cabeça? Não seria melhor, pensou ele, trazer um filho a um mundo que fosse bom, justo e amável?

Será que alguém já tinha tentado falar com a Bruxa? Como *sabiam* que não era possível negociar com ela? Afinal, qualquer pessoa tão velha assim deveria ter um pouco de sabedoria. Fazia sentido.

O amor o deixou tonto. O amor o tornou corajoso. O amor fez com que as perguntas, antes embaçadas, ficassem mais claras. E Antain precisava de respostas.

Passou apressado pelos plátanos e se escondeu nos arbustos, esperando os Anciãos partirem.

Foi lá que encontrou o falcão de papel, pendurado, como um enfeite, no arbusto. Ele o agarrou e o aproximou do coração.

* * *

Quando Xan chegou à clareira, já estava atrasada. Conseguiu ouvir o bebê a meia légua de distância.

— Tia Xan já está chegando, queridinho! — gritou ela. — Por favor, não se preocupe.

Não conseguia acreditar. Depois de todos esses anos, nunca se atrasara. *Nunca*. Pobrezinho. Fechou os olhos e tentou mandar um fluxo de magia às pernas, para ganhar um pouco mais de velocidade. Nossa, era mais uma poça que um fluxo, mas ajudou. Usando o cajado para dar impulso, Xan se apressou pela grama.

— Ah, que bom, cheguei! — Respirou aliviada quando viu o bebê com rostinho vermelho e raivoso e são e salvo. — Fiquei tão preocupada com você, eu...

Então, um homem se colocou entre ela e a criança.

— PARE! — exclamou ele. Tinha um rosto coberto por cicatrizes e uma arma nas mãos.

A poça de magia, em conjunto agora com a surpresa e a preocupação com a criança que estava do outro lado daquele estranho perigoso, virou de repente uma onda enorme. Ela passou pelos ossos de Xan, iluminando seus músculos, seus tecidos e sua pele. Até mesmo seu cabelo chiava com magia.

— SAIA DO MEU CAMINHO! — gritou a Bruxa, a voz rugindo pelas pedras. Conseguia sentir a magia saindo do centro da Terra, passando pelos pés até o topo de sua cabeça a caminho do céu, indo e voltando, indo e voltando, como ondas poderosas na praia. Ergueu as mãos e agarrou o homem. Ele gritou quando uma onda o atingiu bem no meio da barriga, deixando-o sem fôlego. Xan o colocou de lado tão facilmente quanto faria com uma boneca de pano. Ela se transformou surpreendentemente em um grande falcão, desceu sobre a criança, pegou-a pelas roupas com suas garras e a levou para o céu.

Xan não conseguiria se manter assim, simplesmente não tinha magia suficiente. Ela e a criança conseguiriam ficar no ar pelos próximos dois picos da colina. Então teria que alimentar e confortar o bebê, presumindo que não desmaiasse antes. A criança abriu a boca e danou a berrar.

* * *

A louca assistiu da Torre quando a Bruxa se transformou. Não sentiu nada quando viu o velho nariz se endurecer e formar um bico. Não sentiu nada quando viu as penas surgirem de seus poros, enquanto seus braços se estendiam e seu corpo encolhia e a velha gritava com o poder e a dor.

A louca se lembrou do peso de um recém-nascido nos braços. O cheirinho do cabelo. E o chute cheio de contentamento de perninhas novas em folha. Os socos surpresos das mãozinhas no ar.

Ela se lembrou de se encostar no telhado.

Ela se lembrou dos pés nas vigas. Ela se lembrou do desejo de voar.

— Pássaros — murmurou ela, enquanto a Bruxa levantava voo. — Pássaros, pássaros, pássaros.

Não há tempo na Torre. Só perda.

Por ora, pensou ela.

Observou o rapaz, aquele com as cicatrizes no rosto. Que pena em relação às cicatrizes. Não quisera fazer aquilo. Mas ele era um bom rapaz: inteligente, curioso e de bom coração. Sua bondade era sua melhor moeda. Suas cicatrizes, ela sabia, mantiveram as garotas tolas distantes. Ele merecia que alguém extraordinário o amasse.

Observou enquanto ele olhava para o falcão de papel. Observou enquanto ele desdobrava cuidadosamente cada dobra e alisava a folha com uma pedra. O papel não tinha um mapa. Em vez disso, tinha palavras.

Não se esqueça, dizia um lado.

Estou falando sério, dizia o outro.

E, na sua alma, a louca sentiu mil pássaros — pássaros de papel, pássaros de pena, pássaros com coração e mente e carne e osso — saltarem para o céu e sobrevoarem as árvores sonhadoras.

19

E há uma jornada para a Cidade da Agonia

Para as pessoas que amavam Luna, o tempo passou voando. Luna, porém, se preocupava que talvez nunca completasse 12 anos. Cada dia parecia uma pedra pesada a ser carregada até o topo de uma montanha muito alta.

Enquanto isso, cada dia ampliava seu conhecimento. Cada dia fazia o mundo expandir e simultaneamente se contrair; quanto mais Luna *sabia*, mais frustrada ficava com o que ainda *não sabia*. Aprendia rápido, contava rápido, andava rápido e, às vezes, também era rápida em perder a paciência. Cuidava das cabras e cuidava das galinhas e cuidava da avó e de seu dragão e de seu monstro do pântano. Sabia tirar leite e catar ovos e assar pão e construir invenções e dispositivos e plantar mudas e fazer queijo e cozinhar um ensopado para nutrir a mente e a alma. Sabia manter a casa arrumada (embora não gostasse muito da tarefa) e sabia bordar pássaros na bainha do vestido para torná-los encantadores.

Era uma criança inteligente, uma criança educada, uma criança que amava e era amada.

Mesmo assim.

Faltava alguma coisa. Uma lacuna em seu conhecimento. Uma lacuna em sua vida. Luna conseguia *sentir*. Esperava que, ao fazer 12 anos, isso se resolvesse — seria como construir uma ponte por sobre a lacuna. Não foi o que aconteceu.

Quando enfim completou 12 anos, Luna notou que várias mudanças começaram a acontecer, e nem todas eram agradáveis. Tinha ficado mais alta que a avó. Estava mais distraída. Impaciente. Rabugenta. Irritava-se com a avó. Irritava-se com o monstro do pântano. Irritava-se até mesmo com seu dragãozinho, que estava mais próximo de seu coração que um irmão gêmeo. Pedia desculpas a todos eles, é claro, mas o *fato de isso estar acontecendo* constituía, por si só, uma irritação. Por que todos a aborreciam tanto?, perguntava-se a garota.

E outra coisa: mesmo que Luna acreditasse já ter lido todos os livros na oficina, começou a perceber que havia muitos outros que jamais havia lido. Sabia a aparência deles. Sabia onde estavam nas prateleiras. Mesmo assim, por mais que tentasse, não conseguia ler seus títulos nem se lembrar de qualquer dica sobre o conteúdo.

E mais ainda: descobriu que não conseguia sequer ler as palavras nas lombadas de certos livros. Deveria ser capaz de lê-las. As palavras não eram estrangeiras, e as letras se juntavam de um jeito que deveria fazer sentido.

Mesmo assim.

Toda vez que tentava olhar as lombadas, seus olhos deslizavam de um lado para o outro, como se os livros não fossem feitos de couro e tinta, mas de vidro e óleo. Isso não acontecia quando olhava para a lombada do livro *As vidas de uma estrela*, e não acontecia quando olhava para seu amado exemplar de *Mecânica*. Mas os outros livros eram escorregadios como manteiga no mármore. E mais: sempre quando tentava tocar um deles, encontrava-se completamente perdida em uma lembrança ou um sonho. Ela se via vesga e com os pensamentos embolados, sussurrando poesia ou inventando uma história. Às vezes, voltava a si em questão de minutos, às vezes passava metade do dia sacudindo a cabeça para desanuviar o cérebro, e perguntando o que estivera fazendo e por quanto tempo.

Não contava nada disso a ninguém. Nem à avó. Nem a Glerk. Certamente não a Fyrian. Essas mudanças eram constrangedoras demais. *Estranhas* demais. Por isso, ela as manteve em segredo. Mesmo assim, às vezes eles lhe lançavam olhares estranhos. Ou davam respostas esquisitas para suas perguntas, como se soubessem que havia algo de errado com ela. E essa *incorreção* se agarrava à menina como uma dor de cabeça da qual não conseguia se livrar.

Outra coisa que aconteceu quando Luna fez 12 anos: começou a desenhar. Desenhava rostos, lugares e detalhes minuciosos de plantas e animais — um estame aqui, uma pata acolá, um dente podre de uma cabra velha. Desenhava mapas estelares e mapas das Cidades Livres e mapas de lugares que só existiam em sua imaginação. Desenhou uma torre, uma construção de pedra perturbadora, cujo interior era cheio de corredores interligados e escadas. E a torre se agigantava sobre uma cidade mergulhada em névoa. Desenhou uma mulher com cabelo preto e comprido. E um velho de toga.

Era tudo o que sua avó conseguia fazer para abastecê-la com papéis e penas. Fyrian e Glerk começaram a fazer lápis de carvão para ela. Parecia que nunca era suficiente.

* * *

Mais tarde naquele ano, Luna e a avó caminharam novamente para as Cidades Livres. A avó era sempre muito solicitada. Visitava as grávidas, aconselhava as parteiras e as curandeiras e os boticários. Embora Luna amasse as visitas às cidades do outro lado da floresta, daquela vez a viagem a irritou.

A avó — sempre tão forte quanto uma rocha aos olhos de Luna — estava começando a enfraquecer. A menina sentiu a preocupação com a saúde da avó começar a lhe pinicar a pele, como um vestido feito de espinhos.

Xan mancou durante todo o caminho. E estava piorando.

— Vovó — disse Luna, observando a avó contrair o rosto a cada passo. — Por que ainda está caminhando? Você deveria estar sentada, isso sim. Acho que deveria se sentar agora mesmo. Olhe ali um tronco. Para você se sentar.

— Ah, deixe de bobagem — respondeu a avó, apoiando-se pesadamente no cajado e contraindo o rosto de novo. — Quanto mais eu me sentar, mais tempo a viagem vai levar.

— Quanto mais você andar, mais dor vai sentir — argumentou Luna.

A cada manhã parecia que Xan tinha uma nova dor ou aflição. Uma nebulosidade no olho ou uma curvatura em um dos ombros. Luna estava muito preocupada.

— Você quer que eu me sente a seus pés, vovó? — perguntou ela. — Quer que lhe conte uma história ou cante uma canção?

— Mas o que foi que deu em você, filha? — suspirou a avó de Luna.

— Talvez você devesse comer alguma coisa. Ou beber algo. Talvez devesse tomar um chá. Quer que eu prepare um chazinho? Talvez você devesse se sentar. Para tomar um chá?

— Eu estou muito bem. Já fiz esta viagem mais vezes do que seria capaz de contar. Você está se preocupando à toa.

Mas algo mudava na Bruxa. Havia um tremor em sua voz e em suas mãos. E ela estava tão magra! A avó de Luna costumava ser bulbosa e atarracada — abraços macios e aconchegos melosos. Agora era tão frágil, delicada e leve, como mato seco pendurado em papel esmigalhado e que poderia se desfazer com um sopro de vento.

* * *

Quando chegaram a uma cidade chamada Agonia, Luna correu na frente até a casa da viúva, bem na fronteira.

— Minha avó não está bem — avisou Luna à viúva. — Não conte a ela que eu disse isso.

E a viúva mandou o filho mais velho (uma Criança Estelar, como muitos outros) correr até o curandeiro, que correu até o boticário, que correu até o prefeito, que alertou a Liga das Mulheres, que alertou a Associação de Cavalheiros e a Aliança de Relojoeiros e as Bordadeiras, e os Funileiros e a escola da cidade. Quando Xan mancou pela horta da mulher, metade da cidade já estava ali, montando as mesas e as tendas, com legiões e legiões de intrometidos, preparando-se para cuidar da velha.

— Tolice — fungou Xan, embora tenha se sentado de bom grado na cadeira que uma jovem colocou bem ao lado da horta de ervas.

— Achamos melhor assim — disse a viúva.

— *Eu* achei melhor assim — corrigiu Luna, e parecia que milhares de mãos acariciavam seu rosto e o alto de sua cabeça.

— Uma menina tão boa — murmuravam as pessoas da cidade. — Sabíamos que ela era a melhor das meninas, e a melhor das filhas, e um dia será a melhor das mulheres. Nós realmente amamos ter razão.

Essa atenção não era incomum. Sempre que Luna visitava as Cidades Livres, era recebida calorosamente e era bajulada. Não sabia por que as pessoas da cidade a amavam tanto ou por que pareciam ouvir cada palavra que dizia, mas gostava daquela admiração.

Elogiavam seus lindos olhos, escuros e brilhantes como o céu noturno, o cabelo preto com um brilho dourado, a marca de nascença na testa, com o formato de uma lua crescente. Comentavam sobre sua inteligência e seus braços fortes e pernas ligeiras. Elogiavam o jeito preciso de falar e seus passos de dança elegantes e o canto adorável.

— O som de sua voz parece magia — disse uma das matronas da cidade suspirando, e Xan lhe lançou um olhar venenoso, diante do qual todos passaram a comentar sobre o tempo.

Aquela palavra fez Luna franzir as sobrancelhas. Naquele momento, soube que devia tê-la ouvido antes — *tinha que ter ouvido.* No instante seguinte, entretanto, a palavra fugiu de sua mente, como um beija-flor; então partiu, deixando apenas uma lacuna no lugar da palavra, como um pensamento fugaz no limiar de um sonho.

Luna se sentou entre várias Crianças Estelares, todas de idades diferentes: um bebê, alguns começando a andar, até chegar ao mais velho, que era um idoso impressionante.

("Por que são chamadas de Crianças Estelares?", Luna deve ter perguntado umas mil vezes.

"Tenho certeza de que não sei do que você está falando", respondia Xan, vagamente.

E mudava de assunto. Então Luna esquecia. Todas as vezes.

Só que ultimamente conseguia se lembrar de quando esquecia.)

As Crianças Estelares estavam discutindo suas lembranças mais antigas. Era algo que costumavam fazer, para ver qual delas conseguia se aproximar mais do exato momento quando a Velha Xan as trouxe para suas famílias e as marcou como amadas. Uma vez que ninguém conseguia lembrar — eram novas demais —, elas mergulhavam fundo nas próprias lembranças para encontrar a imagem mais antiga.

— Eu me lembro de um dente... Ele ficou mole e caiu. Tudo antes disso é meio indistinto — disse o senhor que era a mais velha das Crianças Estelares.

— Eu me lembro de uma música que minha mãe costumava cantar. Mas ela ainda canta, então talvez não seja bem uma lembrança — revelou uma menina.

— Eu me lembro de uma cabra. Uma cabra com uma juba ondulada — confessou um garoto.

— Você tem certeza de que não era apenas a Velha Xan? — perguntou uma menina, rindo. Era uma das mais jovens Crianças Estelares.

Luna franziu o cenho. Havia imagens se esgueirando no fundo de sua mente. Eram lembranças ou sonhos? Ou lembranças de sonhos de lembranças? Ou talvez ela tenha inventado tudo. Como saber?

Pigarreou.

— Havia um velho — começou ela. — Ele usava uma toga escura que farfalhava com o vento, tinha um pescoço molengo e o nariz como o de um abutre, e não gostava muito de mim.

As Crianças Estelares inclinaram a cabeça.

— Sério? — perguntou um dos meninos. — Você tem certeza?

Eles a encararam intensamente, mordendo o lábio.

Xan acenou com a mão esquerda, sem interesse, enquanto seu rosto ficava corado e vermelho.

— Não ouçam o que ela diz. — Xan revirou os olhos. — Ela não sabe do que está falando. Esse homem não existe. Nós vemos um monte de tolices nos sonhos.

Luna fechou os olhos.

— E havia uma mulher que morava no teto e cujo cabelo se ondulava como os galhos dos plátanos na tempestade.

— Impossível — zombou a avó. — Você não conhece ninguém que eu não tenha conhecido. Eu estive com você toda a sua vida. — Ela estreitou os olhos para Luna.

— E um garoto com cheiro de serragem. Por que ele tinha cheiro de serragem?

— Muitas pessoas têm cheiro de serragem — respondeu Xan. — Lenhadores, carpinteiros, a mulher que entalha colheres. A lista não para por aí.

Isso era verdade, é claro, e Luna balançou a cabeça. A lembrança era bem antiga e distante, mas, ao mesmo tempo, *cristalina*. Luna não tinha muitas lembranças que fossem tão persistentes — sua memória, tipicamente, era escorregadia e difícil de localizar —, por isso ela se agarrava a essa. Aquela imagem *significava* alguma coisa. Tinha *certeza*.

Sua avó, agora que pensava no assunto, nunca falava sobre lembranças. Nunca mesmo.

* * *

No dia seguinte, depois de dormir no quarto de hóspedes da viúva, Xan passeou pela cidade, verificando as grávidas, aconselhando-as em relação ao parto e às escolhas alimentares, ouvindo suas barrigas.

Luna a acompanhou.

— Assim você pode aprender algo de útil — disse sua avó. Suas palavras magoaram, sem dúvida.

— Eu sou útil — retorquiu Luna, tropeçando em uma pedra enquanto seguiam para a casa da primeira paciente na fronteira da cidade.

A gravidez da mulher estava tão adiantada que parecia prestes a explodir. Ela cumprimentou a avó e a neta com uma exaustão serena.

— Eu me levantaria — disse ela. — Mas temo que possa cair.

Luna deu um beijo no rosto da mulher, como era de costume, e rapidamente tocou a barriga arredondada, sentindo a criança pular lá dentro. De repente, sentiu um nó na garganta.

— Por que eu não preparo um chá para nós? — sugeriu depressa, virando o rosto.

Eu tive uma mãe uma vez, pensou Luna. *Devo ter tido.* Franziu as sobrancelhas. Certamente, ela também deve ter feito perguntas sobre aquilo, mas parecia não se lembrar de fazê-las.

Luna listou mentalmente as coisas que sabia.

A tristeza é perigosa.

Lembranças se esvaem com facilidade.

Minha avó nem sempre diz a verdade.

Assim como eu.

Esses pensamentos giraram na cabeça de Luna enquanto ela mexia as folhas de chá na água fervente.

— Será que a menina pode ficar um pouquinho com a mão em minha barriga? — pediu a grávida. — Ou talvez pudesse cantar uma música para o bebê. Eu gostaria muito de ter sua bênção, vivendo como vive, na presença de magia.

Luna não sabia por que a mulher iria querer sua bênção — na verdade nem *sabia* o que era uma *bênção.* E a última palavra... soava familiar. Mas Luna não conseguia se lembrar dela; só estava ciente da sensação pulsante em seu cérebro, como o tique-taque de um relógio. De qualquer forma, a avó de Luna rapidamente a afugentou pela porta, então seu pensamento ficou confuso, então ela estava de volta ali dentro, servindo chá da chaleira. Mas o chá tinha esfriado. Por quanto tempo ficara do lado de fora? Bateu algumas vezes na lateral da cabeça para desanuviar as ideias. Nada parecia ajudar.

Na casa seguinte, Luna arrumou as ervas para o cuidado da mãe por ordem de uso. Reorganizou os móveis para acomodar melhor a enorme barriga da grávida e rearranjou os suprimentos da cozinha para que ela não precisasse se esticar muito.

— Bem, olhe só para você. Tão prestativa — elogiou a grávida.

— Obrigada — agradeceu Luna timidamente.

— E esperta que só — acrescentou a mulher.

— É claro — concordou Xan. — Ela é minha, não é?

Luna sentiu uma onda de frio. De novo, aquela lembrança do cabelo preto ondulado e mãos fortes, e o cheiro de leite e tomilho e pimenta-do-reino, e uma voz de mulher gritando. *Ela é minha, ela é minha, ela é minha.*

A imagem foi tão clara, tão presente e imediata que Luna sentiu a respiração ficar presa e o coração disparar. A grávida não notou. Xan não notou. Luna conseguia sentir os berros da mulher nos ouvidos. Conseguia sentir aquele cabelo preto nos dedos. Ergueu os olhos para as vigas, mas não havia ninguém ali.

O restante da visita passou sem incidentes, e Luna e Xan fizeram a longa viagem de volta para casa. Não conversaram sobre a lembrança do homem de toga. Nem sobre qualquer outro tipo de lembrança. Não falaram sobre tristeza nem sobre preocupações nem sobre mulheres de cabelos pretos em telhados.

E as coisas sobre as quais *não falavam* começaram a ter um peso maior que as coisas sobre as quais *falavam*. Cada segredo, cada coisa não dita era redonda e dura e pesada e fria, como uma pedra pendurada no pescoço da avó e no da neta.

As costas das duas se curvaram sob o peso dos segredos.

20

E Luna conta uma história

Ouça, seu dragãozinho ridículo. Sossegue o facho agora mesmo ou nunca mais vou contar nenhuma história para você.

Você ainda não sossegou.

Sim, pode ficar abraçado.

Era uma vez uma menina que não tinha nenhuma lembrança.

Era uma vez um dragão que nunca crescia.

Era uma vez uma avó que não contava a verdade.

Era uma vez um monstro do pântano que era mais velho que o mundo e que amava o mundo e amava as pessoas que vivem no mundo, mas que nem sempre sabia a coisa certa a dizer.

Era uma vez uma menina que não tinha nenhuma lembrança. Espere. Eu já disse isso?

Era uma vez uma menina que não tinha nenhuma lembrança de perder suas lembranças.

Era uma vez uma menina que tinha lembranças que a seguiam, como sombras. Que sussurravam, como fantasmas. Ela não conseguia olhá-las nos olhos.

Era uma vez um homem que vestia uma toga e tinha o rosto de abutre.

Era uma vez uma mulher no teto.

Era uma vez cabelos pretos e olhos pretos e um berro justificado. Era uma vez uma mulher com cabelo como cobras que disse "Ela é minha"*, e estava dizendo a verdade. E eles a levaram embora.*

Era uma vez uma torre escura que cortava o céu e deixava tudo cinza.

Sim. Tudo isso é uma mesma história. Esta é minha história. Só não sei como termina.

Era uma vez algo aterrorizante que vivia no bosque. Ou talvez o bosque fosse aterrorizante. Ou talvez o mundo inteiro esteja envenenado com maldade e mentiras, e talvez seja melhor aprender isso agora.

Não, Fyrian, querido. Eu também não acredito nessa última parte.

21

E Fyrian faz uma descoberta

— Luna, Luna, Luna, Luna — cantou Fyrian, fazendo piruetas no ar.

Ela já estava em casa havia duas semanas. Fyrian continuava felicíssimo.

— Luna, Luna, Luna, Luna.

Terminou sua dança com um floreio, pousando com a ponta de um dos dedos do pé bem no meio da palma da mão de Luna. Curvou-se em agradecimento, e Luna sorriu sem querer. A avó estava doente, de cama. Ainda. Ela estava doente desde que voltaram de viagem.

Quando chegou a hora de dormir, Luna deu um beijo de boa noite em Glerk e entrou em casa com Fyrian, que não podia dormir na cama de Luna, mas certamente dormiria.

— Boa noite, vovó — disse Luna, inclinando-se sobre a avó adormecida e dando um beijo na pele fina como papel de seu rosto. — Tenha bons sonhos — acrescentou a garota, notando um tremor na voz. A velha continuou dormindo com a boca aberta. Suas pálpebras nem se moveram.

Como Xan não estava em condições de se opor, Luna disse para Fyrian que ele poderia dormir aos pés de sua cama, como antigamente.

— Ah, que alegria, que alegria! — suspirou Fyrian, levando as patas dianteiras ao coração e quase desmaiando.

— Mas, Fyrian, eu vou chutar você para fora se roncar. Você quase botou fogo em meu travesseiro da última vez.

— Eu jamais vou roncar — prometeu Fyrian. — Dragões não roncam. Estou certo disso. Talvez apenas dragõezinhos não ronquem. Você tem minha palavra de Dragão Simplesmente Enorme. Somos uma raça antiga e gloriosa, e nossa palavra é nossa obrigação.

— Você está inventando isso — disse Luna, prendendo o cabelo em uma longa trança e se escondendo atrás da cortina para trocar a roupa pela camisola.

— Não estou, não — contradisse ele, magoado. Então, suspirou. — Bem, talvez esteja. Às vezes eu queria que minha mãe estivesse aqui. Seria bom ter outro dragão com quem conversar. — Ele arregalou os olhos. — Não que você não seja o suficiente, Luna, minha Luna. E Glerk me ensina tantas coisas. E tia Xan me ama tanto quanto qualquer mãe poderia me amar. Mesmo assim.

Ele suspirou e não falou mais nada. Em vez disso, mergulhou com um salto no bolso da camisola de Luna e encolheu o corpinho quente em uma bola. Luna pensou que era como colocar uma pedra da lareira no bolso: desconfortavelmente quente, ainda assim confortador.

— Você é uma charada, Fyrian — murmurou Luna, pousando a mão na curva do corpinho do dragão, fechando os dedos sobre o calor. — Minha charada favorita.

Fyrian pelo menos tinha lembranças da mãe. Tudo o que Luna tinha eram sonhos. E não poderia atestar sua veracidade. Fyrian viu a mãe morrer, era verdade, mas pelo menos ele *sabia*. Além disso, podia amar completamente a nova família sem a menor sombra de dúvida.

Luna amava sua família. *Amava mesmo.*

Mas tinha dúvidas.

E foi com a mente cheia de perguntas que ela se encolheu embaixo das cobertas e adormeceu.

Quando a lua crescente passou pelo peitoril da janela e espiou o quarto, Fyrian estava roncando. Quando a lua brilhou completamente pela janela, ele começou a queimar a camisola de Luna. Quando a curva da lua tocou o outro lado da moldura da janela, a respiração de Fyrian deixou uma marca vermelha no quadril de Luna, provocando uma bolha.

Ela o tirou do bolso e o colocou aos pés da cama.

— Fyrian — disse ela, com voz arrastada, meio acordada e meio dormindo. — Para FORA!

E Fyrian se foi.

Luna olhou em volta.

— Bem — sussurrou ela. *Ele voou pela janela?* Não dava para saber. — Isso é o que eu chamo de rápido.

Então ela pressionou a palma da mão no machucado, tentando imaginar um pouco de gelo derretendo na queimadura e aliviando a dor. Depois de um tempo, a dor *desapareceu* e Luna caiu no sono.

* * *

Fyrian não acordou com o grito de Luna. Teve aquele sonho de novo. Sua mãe tentava lhe dizer alguma coisa, mas estava muito distante, e havia tanto barulho e fumaça que ele não a ouvia, mas conseguia vê-la quando apertava os olhos — de pé com os outros magos do castelo enquanto as pedras desmoronavam ao redor.

— Mamãe! — gritou Fyrian, com sua voz do sonho, mas as palavras foram abafadas pela fumaça. A mãe permitiu que um homem impossivelmente velho subisse em suas costas brilhantes, e eles voaram para dentro do vulcão. O vulcão, furioso e hostil, berrou e trovejou e cuspiu, tentando tirá-los de lá.

— MAMÃE! — chamou Fyrian de novo, e seu choro o despertou.

Não estava mais encolhido ao lado de Luna, onde tinha adormecido, nem também descansava na rede suspensa sobre o pântano, para que sussurrasse boa noite para Glerk de novo e de novo e de novo. Na verdade, Fyrian não fazia ideia de onde se encontrava. Tudo o que sabia era que seu corpo parecia estranho, como uma massa de pão que estava crescendo antes de ser sovada. Até os olhos pareciam inchados.

— Mas o que está acontecendo? — perguntou Fyrian em voz alta. — Onde está Glerk? GLERK! LUNA! TIA XAN! — Ninguém respondeu. Estava sozinho na floresta.

Pensou que talvez tivesse voado sonâmbulo, embora nunca tivesse feito isso antes. Por algum motivo, não conseguia voar *agora*. Bateu as asas, mas nada aconteceu. Bateu com tanta força que as árvores a seu lado se dobraram e perderam as folhas (*Será que isso sempre acontece? Deve acontecer,* decidiu ele) e a terra no chão formou grandes redemoinhos. Suas asas pareciam pesadas, assim como seu corpo, e ele não era capaz de voar.

— Isso sempre acontece quando estou cansado — disse Fyrian para si mesmo com firmeza, mesmo achando que também não era verdade.

Suas asas sempre funcionaram, assim como seus olhos sempre funcionaram e suas patas sempre funcionaram, e ele sempre conseguiu andar ou rastejar ou descascar as frutas e subir em árvores. Tudo isso ia bem. Mas por que suas asas não estavam funcionando *agora*?

O sonho deixara uma dor em seu coração. Sua mãe tinha sido um dragão lindo. Incrivelmente lindo. Suas pálpebras eram contornadas com pequenas joias, cada qual de uma cor diferente. Sua barriga era da cor exata de um ovo recém-botado. Quando Fyrian fechou os olhos, sentiu como se pudesse tocar cada escama macia do couro dela, cada espinho afiado. Podia sentir até mesmo seu hálito de enxofre.

Quanto tempo já fazia? Não muitos anos, com certeza. Ele ainda era um dragãozinho jovem. (Sempre que pensava sobre o tempo, a cabeça doía.)

— Olá? — chamou ele. — Tem alguém aí?

Ele sacudiu a cabeça. É claro que não havia ninguém. Ali não era a *casa* de ninguém. Estava no meio de uma floresta profunda e escura, para a qual não tinha permissão de ir e onde provavelmente morreria, e a culpa de tudo aquilo era inteiramente sua, mesmo que não estivesse bem certo do que *fizera* para isso acontecer. Sonambulismo-voador, ao que parecia. Embora talvez tenha inventado essa expressão.

— Quando sentir medo — aconselhara sua mãe tantos anos antes —, cante e espante seus receios. Os dragões compõem as músicas mais lindas do mundo. É o que todo mundo diz.

Embora Glerk lhe assegurasse que aquilo não era verdade e que os dragões eram os reis do autoengano, Fyrian aproveitava cada oportunidade que tinha para cantar. E isso fazia com que se sentisse melhor.

— *Aqui estou eu* — cantou em voz alta. — *No meio de uma floresta assustadora. Trá-lá-lá!*

Tum, tum, tum! Trovejaram seus pés batendo no chão. Seus pés sempre foram pesados assim? Provavelmente.

— *E eu não estou com medo* — continuou ele. — *Nem um pouquinho. Trá-lá-lá!*

Não era verdade. Estava apavorado.

— Onde *estou?* — perguntou em voz alta.

Como se para responder a sua pergunta, uma figura apareceu na escuridão. Um *monstro,* pensou Fyrian. Não que monstros fossem aterrorizantes. Fyrian amava Glerk, e Glerk era um monstro. Mesmo assim, esse monstro era bem maior que Glerk. E estava nas sombras. Fyrian deu um passo à frente. Suas grandes patas se afundaram ainda mais na lama. Tentou bater as asas, mas elas ainda não o levantaram do chão. O monstro não se moveu. Fyrian se aproximou mais. As árvores farfalharam e gemeram, seus grandes galhos cedendo sob o peso do vento. O dragão apertou os olhos.

— Ora, você não é um monstro. Você é uma chaminé. Uma chaminé sem casa.

Era verdade. Uma chaminé se erguia solitária ao lado de uma clareira. A casa, ao que parecia, tinha queimado anos antes. Fyrian examinou a estrutura. Estrelas entalhadas decoravam as pedras superiores e fuligem enegrecia a lareira. Fyrian espiou dentro da chaminé e viu uma mamãe-falcão com seus filhotes amedrontados no ninho.

— Desculpem — gritou ele, enquanto a ave bicava o focinho dele, fazendo-o sangrar. Fyrian se afastou da chaminé. — Que falcão pequeno — comentou. Embora tenha lhe ocorrido que estava longe da terra dos gigantes e que tudo ali tinha um tamanho normal. Na verdade, ele só precisara ficar em pé nas pernas traseiras e esticar o pescoço para olhar dentro da chaminé.

Olhou ao redor. Estava em uma aldeia destruída, entre os restos de casas e uma torre central e um muro que talvez fosse um lugar de adoração. Viu figuras de dragões e de um vulcão, e até mesmo de uma menininha com cabelo como luz estelar.

— Esta é Xan. — Sua mãe lhe disse uma vez. — Ela vai tomar conta de você quando eu partir.

Ele amou Xan desde o primeiro instante, com as sardas no nariz e um dente quebrado e seu cabelo de luz estelar preso em longas tranças com fitas nas pontas. Mas aquilo não era possível. Xan era uma mulher velha, e ele era um jovem dragão, e não poderia tê-la conhecido quando ela ainda era uma criança, não?

Xan o pegara no colo. O rosto estava sujo de fuligem. Os dois vinham pegando doces na despensa do castelo.

— Mas eu não sei como! — dissera ela. E chorou. Soluçou como uma garotinha.

— Mas vai saber. Vai aprender — respondera a mãe de Fyrian, com sua voz de dragão. — Tenho fé em você.

Fyrian sentiu um nó na garganta. Duas lágrimas gigantescas rolaram de seus olhos e caíram no chão, fervendo dois pedaços de musgo. Quanto tempo fazia? Quem poderia dizer? O tempo era traiçoeiro, tão escorregadio quanto a lama.

E Xan o avisara para ter cuidado com a tristeza.

— A tristeza é perigosa — repetia ela de novo e de novo, embora ele não conseguisse se lembrar de ela ter explicado o motivo.

A torre central pendia precariamente para um lado. Várias pedras dos alicerces estavam empilhadas de lado, por isso Fyrian conseguia se agachar e espiar lá dentro. Havia uma coisa... na verdade, duas coisas; ele conseguia vê-las por uma luz fraca nos cantos. Enfiou as patas e as pegou. Ficou olhando para elas. Os objetos pequeninos se encaixavam na curvatura da palma de sua mão.

— Botas — disse ele. Botas pretas com fivelas prateadas. Eram velhas. Deviam ser. Mesmo assim, brilhavam como se tivessem acabado de ser polidas. — Parecem exatamente como aquelas botas do velho castelo — disse ele. — É claro que não devem ser as mesmas. São pequenas demais. As outras eram gigantescas. E eram usadas por gigantes.

Os magos de muito tempo atrás estudaram botas como aquelas. Colocaram os calçados em cima da mesa e os examinaram com ferramentas e lentes especiais e pós e tecidos e outras manipulações. Todos os dias, faziam experimentos e observavam e tomavam notas. Botas de Sete Léguas, era como as chamavam. Nem Fyrian nem Xan tinham permissão para tocá-las.

— Você é muito pequena — dissera um dos magos para Xan quando ela tentou.

Fyrian sacudiu a cabeça. Não podia ser. Xan não era pequena naquela época, era? Não fazia tanto tempo assim.

Algo rugiu na floresta. Fyrian se sobressaltou e ficou em pé.

— *Não estou com medo* — cantou ele, enquanto seus joelhos tremiam e sua respiração ficava ofegante. Passos suaves se aproximavam. Existiam tigres na floresta, ele sabia. Ou existiam muito tempo atrás.

— Eu sou um dragão muito feroz! — exclamou ele, a voz aguda como um grito. A escuridão rugiu novamente. — Por favor, não me machuque — implorou o dragãozinho.

Então, ele se lembrou. Um pouco depois que sua mãe desapareceu no vulcão, Xan lhe disse isto:

— Vou tomar conta de você, Fyrian. Para todo o sempre. Você é minha família, e eu sou sua família. Vou fazer um feitiço para mantê-lo em segurança. Você jamais deve se afastar, mas, se isso acontecer e você ficar com medo, apenas diga "tia Xan", três vezes bem rápido, que vou puxá-lo até mim mais rápido que um raio.

— Como? — perguntou Fyrian.

— Com uma corda mágica.

— Mas eu não estou vendo nenhuma corda.

— Só porque você não vê algo não significa que não esteja lá. Algumas das coisas mais maravilhosas do mundo são invisíveis. Acreditar em coisas invisíveis as torna muito mais poderosas e maravilhosas. Você vai ver.

Fyrian jamais tentara.

O rugido se aproximou mais.

— T-t-tia Xan, tia Xan, tia Xan! — gritou o dragão. Fechou os olhos. Abriu os olhos. Nada aconteceu. Seu pânico subia pela garganta.

— Tia Xan, tia Xan, tia Xan! — repetiu.

Nada ainda. O rugido se aproximou mais. Dois olhos amarelos brilharam na escuridão. Uma forma imensa curvada nas sombras.

Fyrian ganiu. Tentou voar. O corpo era grande demais, e suas asas, pequenas demais. Estava tudo errado. Por que tudo estava tão errado? Sentia saudade de seus gigantes, sua Xan e seu Glerk e sua Luna.

— Luna! — gritou ele, conforme o monstro se aproximava. — LUNA, LUNA, LUNA!

E sentiu um puxão.

— LUNA, MINHA LUNA! — berrou Fyrian.

— Por que você está gritando? — perguntou Luna. Abriu o bolso e tirou lá de dentro o dragão, que tinha enrolado o corpinho no formato de uma bola.

Fyrian tremia descontrolado. Estava seguro. Quase chorou de alívio.

— Eu estava com medo — explicou ele, os dentes se prendendo na camisola da menina.

— *Humpf* — resmungou Luna. — Você estava roncando e acabou me queimando.

— Queimei? — perguntou Fyrian, realmente chocado. — Onde?

— Bem aqui — disse ela. — Espere um pouco. — Ela se sentou e olhou melhor. A marca da queimadura tinha desaparecido, assim como o buraco na camisola e a bolha no quadril. — *Estava bem aqui* — disse ela lentamente.

— Eu estava em um lugar engraçado. E havia um monstro. E meu corpo não estava funcionando direito, eu não conseguia voar. E encontrei umas botas. E, de repente, eu estava aqui. Acho que você me salvou. — Ele franziu o cenho. — Mas não sei como.

Luna negou com a cabeça.

— Mas como eu poderia salvar você? Acho que nós dois tivemos pesadelos. Eu não estou queimada, e você estava em segurança o tempo todo, então vamos voltar a dormir.

E a menina e seu dragão se encolheram embaixo das cobertas e adormeceram quase instantaneamente. Fyrian não sonhou e não roncou, e Luna não se mexeu.

Quando Luna acordou depois, Fyrian estava dormindo na curva de seu braço. Duas finas linhas de fumaça saíam onduladas de suas narinas, e os lábios de lagarto pareciam sorrir. Luna pensou: *Nunca existiu um dragão mais contente.* Tirou o braço de baixo da cabeça do dragão e se sentou. Fyrian não despertou.

— Ei — sussurrou ela. — Dorminhoco. Acorde, dorminhoco.

Nem assim Fyrian acordou. Luna bocejou e se espreguiçou, deu um beijinho de leve do narizinho quente. A fumaça fez Luna espirrar. *Nem assim* Fyrian acordou. Luna revirou os olhos.

— Preguiçoso — disse ela, saindo da cama e pisando no chão frio enquanto procurava os chinelos e o xale. O dia estava frio, mas logo ficaria agradável. Uma caminhada faria bem à menina. Pegou a corda para puxar sua cama para o teto. Fyrian não se importaria de acordar com a cama no alto, e era muito melhor começar o dia com as camas arrumadas. Foi o que sua avó sempre lhe ensinou.

Quando, porém, a cama já estava presa lá em cima, Luna notou algo no chão.

Um grande par de botas.

Eram pretas, de couro e ainda mais pesadas do que aparentavam. Luna mal conseguia levantá-las. E tinham um cheiro estranho — parecia familiar a Luna, mas, de alguma forma, ela não conseguia distinguir. As solas eram grossas e feitas de um material que não conseguiu identificar na hora. Ainda mais estranho, havia palavras escritas no salto de cada uma delas.

"Não nos calce", lia-se no salto do pé esquerdo.

"A não ser que realmente queira", lia-se no pé direito.

— Mas o que é isto? — perguntou Luna em voz alta.

Pegou uma das botas e tentou examiná-la com mais atenção. Antes que conseguisse, sentiu uma dor de cabeça repentina e aguda, bem no meio da testa, fazendo com que caísse de joelhos. Pressionou a parte de baixo das mãos na cabeça com força, como se quisesse evitar que a cabeça explodisse.

Fyrian ainda não tinha acordado.

Ela engatinhou pelo chão até que a dor passasse.

Luna olhou para a parte de baixo da cama.

— Grande protetor que você é — debochou ela.

Levantando-se, foi até um baú pequeno de madeira embaixo da janela e o abriu. Guardava lembranças ali: brinquedos com os quais costumava brincar, cobertores que amava, pedras de aparência estranha, flores secas, diários com capa de couro nos quais escrevia os pensamentos e perguntas e fazia desenhos.

E, agora, botas. Grandes botas pretas. Com palavras estranhas e cheiro estranho que lhe provocavam dor de cabeça. Luna baixou a tampa com um suspiro de alívio. Com o baú fechado, a cabeça parou de doer. Na verdade, mal conseguia se lembrar da dor. Agora iria contar para Glerk.

Fyrian continuava roncando.

Luna estava com sede. E com fome. E preocupada com a avó. E queria ver Glerk. E havia tarefas a fazer. E precisava tirar o leite das cabras e coletar os ovos das galinhas. E havia mais alguma coisa.

Parou a caminho do canteiro de frutas.

A menina tinha uma pergunta a fazer. O que era mesmo?

Por mais que se esforçasse, Luna não conseguia se lembrar.

22

E existe outra história

Mas com certeza eu já contei sobre as botas, criança.

Pois bem. Entre todas as coisas terríveis que a Bruxa possuía e usava, a mais terrível de todas eram suas Botas de Sete Léguas. Veja, sozinhas, elas são como qualquer tipo de magia: nem boa nem má. Elas permitem que quem as use viaje grandes distâncias em um instante, dobrando a medida dos movimentos a cada passo.

Isso é o que lhe permite roubar nossas crianças.

Isso é o que lhe permite vaguear pelo mundo, espalhando sua malevolência e tristeza. Isso é o que lhe permite jamais ser capturada. Não temos poder algum. Não há solução para nossa tristeza.

Há muito tempo, veja você, antes de a floresta se tornar perigosa, a Bruxa era só uma coisinha. Praticamente uma formiga. Seus poderes eram limitados. Seu conhecimento, pequeno. Mal se notava sua capacidade de fazer travessuras. Uma criança perdida na floresta. Era esse seu poder, na verdade.

Certo dia, porém, ela encontrou um par de botas.

De qualquer forma, quando ela as calçou, as botas permitiram que ela fosse de um lado a outro do mundo em um instante. Assim, ela pôde encon-

trar mais magia. Ela a roubou dos magos. Ela a roubou na terra. Ela a tirou do ar e das árvores e dos campos floridos. Dizem que até da lua ela roubou. Então, lançou um feitiço sobre todos nós — uma grande nuvem de tristeza que cobriu o mundo inteiro.

Bem, é claro que cobre o mundo. É por isso que o mundo é pardo e cinzento. É por isso que só as criancinhas têm esperança. É melhor você aprender isso já.

23

E Luna desenha um mapa

Luna deixou um bilhete para a avó dizendo que queria colher frutinhas e desenhar o nascer do sol. Era bem provável que Xan ainda estivesse dormindo quando Luna voltasse; ela dormia *tanto* ultimamente. Embora a velha assegurasse à menina de que nada tinha mudado nem jamais mudaria, Luna sabia que era mentira.

Nós duas estamos mentindo uma para a outra, pensou a garota, sentindo uma punhalada grande no coração. *E nenhuma de nós sabe como parar.* Deixou o bilhete na mesa de madeira e fechou a porta sem fazer barulho.

Luna pendurou a bolsa atravessada nos ombros, colocou suas botas de viagem e tomou o caminho longo e tortuoso atrás do pântano, antes de seguir por uma encosta que passava entre dois cones de fumaça na parte sul da cratera. O dia estava quente e úmido, e a garota percebeu, horrorizada, que ela começava a feder. Esse tipo de coisa vinha acontecendo com muita frequência nos últimos tempos: odores, erupções estranhas no rosto. Luna sentia que tudo em seu corpo conspirava de repente para se alterar... até mesmo sua voz a tinha traído.

Isso nem era o pior de tudo.

Houve... outros tipos de erupção também. Coisas que não conseguia explicar. Percebeu isso, pela primeira vez, quando tentou saltar para ver melhor um ninho de passarinho e se pegou, de repente, empoleirada no galho mais alto da árvore, segurando-se para não cair.

— Deve ter sido o vento — disse para si, embora fosse uma ideia claramente ridícula. Quem já ouviu falar que uma rajada de vento soprava alguém até o alto de uma árvore? Contudo, já que Luna não tinha outra explicação, *deve ter sido o vento* pareceu boa o bastante. Não contara nada à avó nem a Glerk. Não queria preocupá-los. Além do mais, parecia vagamente constrangedor, como se houvesse algo de errado com ela.

E era só o vento.

Então, um mês depois, quando Luna e a avó colhiam cogumelos na floresta, Luna notou de novo o cansaço e a magreza de Xan, e como sua respiração saía difícil e dolorosamente.

— Estou preocupada com ela — disse a menina em voz alta quando se viu longe dos ouvidos da avó. Luna sentiu a voz presa na garganta.

— Eu também — respondeu um esquilo marrom. Estava sentado em um galho bem baixo, espiando a garota com uma expressão sábia no rostinho pontudo.

Luna levou um momento para perceber que esquilos *não deveriam falar*.

Levou outro momento para perceber que não era a primeira vez que um animal falava com ela. Já havia acontecido antes. Tinha certeza. Só não se lembrava de quando.

Mais tarde, quando tentou explicar para Glerk o que acontecera, sua mente ficou completamente vazia. Não conseguia mais se lembrar do incidente. Sabia que tinha acontecido *alguma coisa.* Só não sabia *o quê.*

Isso já aconteceu antes, disse uma voz dentro de sua cabeça.

Isso já aconteceu antes.

Isso já aconteceu antes.

Esse conhecimento era uma certeza pulsante, tão certa e estável como as engrenagens de um relógio.

Luna seguiu o caminho que fazia uma curva no primeiro montículo, deixando o pântano para trás. Uma figueira antiga derramava seus galhos sobre o caminho, como se desse as boas-vindas a todos que passavam por ali. Um corvo estava no galho mais baixo. Era um belo exemplar, com penas brilhantes como óleo. Olhou direto nos olhos de Luna, como se a estivesse esperando.

Isso já aconteceu antes, pensou ela.

— Olá — cumprimentou a menina, fitando os olhos brilhantes do corvo.

— *Crau* — grasnou o corvo. Mas Luna tinha certeza de que ele dizia "Oi".

E, de uma vez só, Luna se lembrou.

No dia anterior, tinha pegado um ovo no viveiro das galinhas. Havia apenas um ovo em todos os ninhos, e Luna não tinha um cesto, por isso simplesmente o levou na mão. Antes de chegar em casa, percebeu que a casca do ovo estava tremulando. E que ele não era mais macio e quente e regular, mas afiado, pontudo e melindroso. Então, ele a picou. Ela soltou o ovo com um grito. Não era um ovo, e sim um corvo, de tamanho adulto, voando em círculos sobre sua cabeça e pousando na árvore mais próxima.

— *Crau* — grasnou o corvo. Ou é o que *deveria* ter dito. Mas não disse. O que ele disse de verdade foi: — Luna.

E ele não voou para longe. Ficou empoleirado nos ramos mais baixos da casa da árvore de Luna e a seguiu para onde quer que ela fosse durante o resto do dia. A menina ficou confusa.

— *Crau* — grasnou o corvo. — Luna, Luna, Luna.

— Xiu! — impacientou-se ela. — Estou tentando *pensar*.

O corvo era preto e brilhante, como os corvos devem ser, contudo, quando Luna apertou bem os olhos, viu outra cor também: azul, com um brilho prateado nas pontas. As cores extras desapareceram quando ela arregalou os olhos e o encarou.

— Quem é você? — perguntou Luna.

— *Crau* — respondeu o corvo, querendo dizer: — Sou o melhor entre todos os corvos.

— Entendi. Garanta que minha avó não o veja — avisou Luna. — Nem meu monstro do pântano — acrescentou ela, depois de pensar um pouco. — Acho que você vai deixá-los chateados.

— *Crau* — respondeu o corvo, querendo dizer: — Concordo.

Luna balançou a cabeça.

O corvo não fazia sentido. Nada fazia sentido. Mesmo assim, o corvo estava *lá*. Era certo e inteligente, e estava *vivo*.

Existe uma palavra para explicar isso, pensou ela. *Existe uma palavra para explicar tudo o que não compreendo. Tem que existir. Eu só não lembro qual é.*

Luna instruiu o corvo a ficar longe até que ela conseguisse entender as coisas, e o corvo aceitou. Era mesmo um corvo excelente.

Agora, ali estava ele de novo. No galho mais baixo da oliveira.

— *Crau!* — Deveria ter dito o corvo, mas o que disse foi: — Luna.

— Quieto — pediu Luna. — Alguém pode ouvi-lo.

— *Crau* — sussurrou o corvo, envergonhado.

Luna o perdoou, é claro. Enquanto caminhava, distraída, tropeçou em uma pedra e se estabacou no chão, bem em cima de sua bolsa.

— Ai — disse a bolsa. — Saia já de cima de mim.

Luna olhou para ela. Àquela altura, porém, nada mais a surpreendia. Nem mesmo bolsas falantes.

Então um pequeno focinho verde espiou por baixo da aba.

— É você, Luna? — perguntou o focinho.

Luna revirou os olhos.

— O que está fazendo em minha bolsa? — exigiu a menina, olhando com raiva para o dragãozinho que saía dali com uma expressão envergonhada.

— Você vai a lugares — disse ele, sem a olhar nos olhos — sem mim. Não é justo. Eu só queria vir junto. — Fyrian voou para cima e pairou na altura dos olhos dela. — Eu só queria fazer parte do *grupo*. — Ele lhe deu um sorriso esperançoso de dragão. — Talvez a gente devesse buscar Glerk e a tia Xan. Aí seremos um grupo pronto para a diversão.

— Não — negou Luna, continuando sua subida até o topo da colina. Fyrian voou atrás dela.

— Aonde estamos indo? Posso ajudar? Sou muito útil. Ei, Luna! Aonde estamos indo?

Luna revirou os olhos e virou de costas com um suspiro.

— *Crau* — disse o corvo. Ele não disse *Luna* dessa vez, mas a garota conseguia senti-lo pensando isso. O corvo voou na frente, como se já soubesse para onde estavam indo.

Seguiram pela trilha até o terceiro cone de cinzas, o que ficava na extremidade mais distante da cratera, e subiram ao topo.

— Por que a gente está aqui em cima? — perguntou Fyrian.

— Xiu! — pediu Luna.

— Por que temos que ficar em silêncio? — perguntou Fyrian.

Luna deu um suspiro profundo.

— Eu preciso que você fique muito, muito quieto, Fyrian. Para que eu possa me concentrar em meu desenho.

— Eu consigo ficar quieto — respondeu Fyrian, ainda pairando diante dos olhos da menina. — Posso ficar bem quietinho. Mais quieto que as minhocas, e, veja bem, as minhocas são muito silenciosas, a não ser que estejam tentando convencer alguém a não as comer, então elas não são tão quietas e são muito convincentes também, embora eu costume comê-las mesmo assim, porque são uma delícia.

— Eu quero que você fique quieto agorinha mesmo — disse Luna.

— Mas eu estou, Luna! Sou a coisa mais silenciosa que...

Luna segurou o focinho do dragão com o indicador e o polegar e, para evitar que ficasse magoado, o agarrou com o outro braço e o aconchegou perto de si.

— Eu amo muito você — sussurrou ela. — Agora, silêncio. — Ela deu um tapinha carinhoso na cabeça verde e o deixou se enroscar perto do quadril.

Sentou-se em cima com as pernas cruzadas em uma pedra lisa. Olhando para os limites da terra antes que se curvasse na beirada do céu, tentou imaginar o que havia além. Tudo o que conseguia enxergar era a floresta. Mas certamente a floresta não poderia continuar para sempre. Quando Luna caminhava com a avó na direção oposta, as árvores começavam a ficar mais espaçadas entre si e davam lugar às fazendas, que davam lugar às cidades, que davam lugar a mais fazendas. Por fim, havia desertos e mais florestas e cadeias de montanhas e até mesmo um oceano, tudo acessível por grandes redes de estradas que desenrolavam seu caminho para esse ou aquele lado, como grandes carretéis de lã. Decerto o mesmo devia acontecer *nessa* direção. Mas não podia saber com certeza. Nunca viajava para aquele lado. Sua avó não permitia.

Nunca explicou por quê.

Luna pousou o diário no colo e o abriu em uma página em branco. Procurou na bolsa, encontrou o lápis com a ponta mais fina e o segurou na mão esquerda — com leveza, como se ele fosse uma borboleta que poderia fugir para longe. Fechou os olhos e tentou esvaziar a mente, deixando-a azul e ampla como um céu sem nuvens.

— Eu também preciso fechar meus olhos? — perguntou Fyrian.

— Xiu, Fyrian — pediu Luna.

— *Crau* — disse o corvo.

— Que corvo cruel — fungou Fyrian.

— Não é não. Ele é só um corvo — suspirou Luna. — E sim, Fyrian, meu querido, feche os olhos.

Fyrian deu um risinho prazeroso e se acomodou nas dobras da saia de Luna. Logo estaria roncando. Ninguém relaxava mais rápido que aquele dragãozinho.

Luna voltou sua atenção para o ponto no qual a terra encontrava o céu. Imaginou o lugar da forma mais clara que conseguiu, como se a própria mente tivesse se transformado em papel e ela só precisasse fazer as marcas ali, com todo cuidado possível. Respirou fundo, permitindo que o coração se acalmasse e que sua alma se libertasse das preocupações e rugas e nós. Havia uma sensação que tomava conta dela quando fazia isso. Um calor nos ossos. Um estalar na ponta dos dedos. E, o mais estranho de tudo, uma consciência da estranha marca de nascença que trazia na testa, como se, de repente, estivesse cintilando, brilhante e clara como uma lâmpada. E quem sabe? Talvez estivesse mesmo.

Em sua mente, Luna conseguia ver a ponta do horizonte. E viu a aba da terra se estender, mais e mais, como se o mundo estivesse se virando em direção a ela, oferecendo o rosto com um sorriso.

Sem abrir os olhos, Luna começou a desenhar. Sentada assim, ela ficava tão calma que mal tomava consciência das coisas; da própria respiração, do calor de Fyrian perto do quadril, do jeito que ele começava a roncar, da onda de imagens vindo com tanta força e rapidez em sua direção que Luna mal conseguia se concentrar nelas, até que passavam como um grande borrão.

— Luna — chamou uma voz muito ao longe.

— *Crau* — chamou outra.

— LUNA! — Chegou um rugido em seu ouvido. Ela despertou com um sobressalto.

— O QUÊ? — rugiu ela de volta. Então, percebeu a expressão no rosto de Fyrian e ficou envergonhada. — Como... — Ela não terminou a pergunta. Olhou em volta. O sol quase não aquecia o mundo lá embaixo quando tinham chegado à cratera, mas agora brilhava alto no céu. — Há quanto tempo estamos aqui?

Metade do dia, ela já sabia. *Já é meio-dia.*

Fyrian pairou bem próximo do rosto de Luna, pressionando o focinho verde no nariz sardento da menina. Sua expressão era séria.

— Luna — sussurrou ele. — Você está doente?

— Doente? — debochou a menina. — É claro que não.

— Eu acho que você talvez esteja doente — disse ele baixinho. — *Uma coisa muito estranha acabou de acontecer com seus olhos.*

— Que ridículo — declarou Luna, fechando o diário com força, amarrando as cordas de couro em volta da capa macia. Enfiou-o na bolsa e se levantou. As pernas quase cederam sob seu peso. — Meus olhos estão normais.

— Não tem nada de ridículo — discordou Fyrian, voando da orelha esquerda de Luna para a direita. — Seus olhos são pretos e brilhantes. Normalmente. Mas agora mesmo eles estavam como duas luas pálidas. Isso não é normal. Eu tenho quase certeza de que não é normal.

— Meus olhos não viraram nada disso — negou Luna, trôpega. Tentou se equilibrar, segurando-se nas pedras. De nada adiantou. Diante de seu toque, as pedras ficaram leves como penas. Uma delas começou a flutuar. Luna resmungou de frustração.

— E agora suas pernas não estão funcionando — disse Fyrian, tentando ser útil. — E o que está acontecendo com aquela pedra?

— Cuide da própria vida — mandou Luna, reunindo toda a força para um salto e caindo pesadamente na encosta macia de granito do lado leste.

— Foi um senhor pulo — disse Fyrian, olhando, boquiaberto, o lugar onde Luna estivera no instante anterior e fazendo um arco até o lugar onde ela estava agora. — Em geral, você não consegue saltar tão longe. É sério, Luna. Parece quase...

— *Crau* — grasnou o corvo. Ou deveria ter sido isso. Mas, para Luna, pareceu mais como "Cale a boca". Ela decidiu que gostava do corvo.

— Tudo bem — fungou Fyrian. — Não me escute. Ninguém *nunca* escuta mesmo. — E ele foi voando ladeira abaixo em um borrão verde de petulância.

Luna suspirou alto e começou a descer com dificuldade a encosta rumo a sua casa. Ela o recompensaria depois. Fyrian sempre a perdoava. Sempre.

O sol claro lançava sombras impetuosas na colina enquanto Luna se apressava pelo caminho. Estava imunda e suada — seria por causa do desenho ou do tempo que passou desenhando com a mente vazia? Não fazia a mínima ideia, mas parou no riacho para se lavar. O lago dentro da cratera era quente demais para se colocar a mão, mas a água dos riachos formados a partir dele, embora desagradável ao paladar, era fria o bastante para lavar um rosto sujo ou tirar o suor do pescoço e das axilas. Luna se agachou e começou a se lavar para ficar mais apresentável quando tivesse que encarar a avó e Glerk, pois ambos iriam exigir respostas sobre sua ausência.

A montanha trovejou. O vulcão, ela sabia, soluçava enquanto dormia. Luna sabia que isso era normal para vulcões — eles tinham um sono inquieto —, e essa inquietude não costumava ser um problema. A não ser quando era. Ultimamente, o vulcão parecia mais inquieto que de costume, e piorava a cada dia que passava. Sua avó lhe disse para não se preocupar com isso, o que só serviu para deixar Luna ainda mais preocupada.

— LUNA! — ecoou a voz de Glerk na cratera.

Luna protegeu os olhos com a mão e olhou lá para baixo. Glerk estava sozinho. Acenou com três braços cumprimentando-a, e a garota acenou de volta. *Vovó não está com ele,* percebeu com um aperto no coração. *Não é possível que ainda esteja dormindo,* pensou, sentindo um nó no estômago de tanta preocupação. *Não até tão tarde.* Mas, mesmo àquela distância, conseguia enxergar a nuvem de ansiedade que pairava sobre a cabeça de Glerk.

Luna voltou correndo para casa.

Xan ainda estava na cama. Já passava do meio-dia. Dormindo como os mortos. Luna a acordou, sentindo lágrimas nos olhos. *Será que está doente?*, perguntou-se a menina.

— Minha nossa, filha — murmurou Xan. — Por que você está me acordando tão cedo assim? Algumas pessoas precisam dormir. — Xan então virou para o outro lado e voltou a dormir.

Só levantou depois de mais uma hora. Assegurou a Luna que aquilo era perfeitamente normal.

— É claro, vovó — respondeu Luna, sem olhar nos olhos de Xan. — Tudo é perfeitamente normal. — E avó e neta olharam uma para a outra com sorrisos amarelos. Cada mentira que caía de seus lábios se espatifava no chão e se espalhava, brilhando e cintilando como cacos de vidro.

* * *

Mais tarde naquele dia, quando sua avó declarou que queria ficar sozinha e saiu para a oficina, Luna pegou seu diário e o folheou, olhando para os desenhos que fizera enquanto sonhava. Sempre achava que seus melhores trabalhos eram os que fazia quando não tinha lembranças do que fizera. Era irritante, na verdade.

Fez o desenho de uma torre de pedras — uma que já desenhara antes — com altos muros e um observatório apontando para o céu. Desenhou um pássaro de papel saindo da janela na parte mais ocidental — outra coisa que já havia desenhado antes. Desenhou também um bebê cercado por árvores retorcidas. Também desenhou uma lua cheia, brilhante e repleta de promessas à Terra.

E desenhou um mapa. Dois, na verdade. Em duas páginas.

Luna ficou virando de uma página para outra, olhando seu trabalho.

Cada mapa era complexo e detalhado, mostrando a topografia, as trilhas e os perigos ocultos. Um gêiser ali. Um poço de lama acolá. Um buraco que poderia engolir um rebanho de cabras e ainda pedir mais.

O primeiro mapa era uma representação precisa da paisagem e das trilhas que levavam às Cidades livres. Luna conseguia ver cada acidente geográfico, cada pedaço de terra na trilha, cada riacho, cada clareira e cada cachoeira. Conseguia até enxergar as árvores derrubadas da viagem recente.

O outro mapa era da outra parte da floresta. A trilha começava em um canto da casa da árvore e seguia a encosta da montanha, virando na direção norte.

Onde ela nunca esteve.

Ela desenhou uma trilha, com todas as curvas e dobras, e identificou claramente os pontos de referência. Lugares para acampar. Que riachos tinham água boa para beber, quais precisavam ser evitados.

Havia um círculo de árvores. No centro dele, Luna havia escrito a palavra "bebê".

Havia uma cidade atrás de um muro alto.

E, na cidade, uma Torre.

E, ao lado da Torre, as palavras: "Ela está aqui, ela está aqui, ela está aqui".

Muito devagar, Luna trouxe o caderno para junto de si e pressionou aquelas palavras contra o peito.

24

E Antain apresenta uma solução

Antain ficou diante do escritório do tio por quase uma hora antes de juntar coragem e bater. Respirou fundo várias vezes, treinou sua fala com os lábios em frente ao reflexo em um painel de vidro, testou a argumentação com uma colher. Andou de um lado para o outro, suou, praguejou baixinho. Enxugou o suor da testa com um lenço que Ethyne havia bordado: seu nome cercado por uma série de nós habilidosos. Sua esposa fazia magia com agulha e linha. Ele a amava tanto que achava que morreria de tanto amor.

— Esperança — disse-lhe ela, traçando carinhosamente com seus dedinhos habilidosos as muitas cicatrizes no rosto do marido — são aqueles primeiros botõezinhos de flor que se formam bem no final do inverno. Como parecem secos! Mortos! E como parecem frios ao toque! Mas não por muito tempo. Eles crescem e ficam grandes, depois pegajosos, depois inchados, e, por fim, o mundo inteiro fica verde.

E foi com a imagem de sua querida esposa na mente — o rosto corado, o cabelo tão ruivo quanto papoulas, a barriga inchada e explodindo sob o vestido que costurara para si — que enfim bateu à porta.

— Ah! — A voz do tio trovejou lá de dentro. — Decidiu parar de andar de um lado para o outro e anunciar sua presença.

— Sinto muito, tio... — gaguejou Antain.

— JÁ CHEGA DE DESCULPAS, GAROTO! — rugiu o Grão-Ancião Gherland. — Abra a porta e acabe logo com isso.

O *garoto* doeu um pouco. Antain já deixara de ser um garoto havia muitos anos. Era um artesão de sucesso, um negociante perspicaz e um homem casado, dedicado à esposa. *Garoto* era uma palavra que não servia mais.

Entrou tropeçando no escritório e fez uma reverência profunda diante do tio, como sempre. Quando se levantou, viu o tio olhar para seu rosto e se encolher. Isso não era novidade. As cicatrizes de Antain continuavam chocando as pessoas. Ele já estava acostumado.

— Obrigado por me receber, tio — agradeceu ele.

— Creio que não tenho escolha, meu sobrinho — respondeu Gherland, revirando os olhos para evitar fitar o rosto do outro. — Afinal, somos da mesma família.

Antain suspeitava que aquilo não fosse inteiramente verdade, mas não disse nada.

— De qualquer modo...

O Grão-Ancião se levantou.

— De qualquer modo nada, meu sobrinho. Eu esperei nesta mesa por toda a eternidade, antecipando sua chegada, mas agora chegou a hora de eu me reunir com o Conselho. Você se lembra do Conselho, não é?

— Ah, sim, tio — respondeu Antain, o rosto de repente iluminado. — Esse é o motivo pelo qual estou aqui. Desejo me dirigir ao Conselho. Como um antigo membro. Agora mesmo, se possível.

O Grão-Ancião Gherland se surpreendeu.

— V-você — gaguejou ele. — Você deseja *o quê*?

Cidadãos comuns *não* se dirigiam ao Conselho. Isso não *acontecia*.

— Se possível, tio.

— Eu... — começou o Grão-Ancião.

— Sei que é uma coisa meio heterodoxa, tio, e compreendo que isso o coloca em uma posição desconfortável. Já faz... tantos anos desde que usei a toga. Eu gostaria, depois de tanto tempo, de dirigir-me ao Conselho e explicar-me e agradecer-lhes por ter me dado um lugar à mesa. Foi algo que não fiz ainda, e me sinto em dívida.

Isso era mentira. Antain engoliu em seco. E sorriu.

O tio pareceu amolecer. O Grão-Ancião uniu os dedos e os pressionou nos lábios bulbosos. Olhou Antain diretamente nos olhos.

— Vamos deixar a tradição de lado — decidiu ele. — O Conselho ficará feliz em vê-lo.

O Grão-Ancião se levantou e abraçou o imprevisível sobrinho e, radiante, o conduziu pelo corredor. À medida que se aproximavam do vestíbulo da casa, um criado silencioso abriu a porta, e tio e sobrinho saíram para a luz fraca.

E Antain sentiu aquele botão pequeno e grudento de esperança florescer de repente no peito.

* * *

O Conselho, como Gherland previra, ficou mais que feliz por ver Antain, e usou a presença do moço para erguer as taças em celebração a seu talento e tino para os negócios, assim como sua sorte prodigiosa em ter se casado com a garota mais bondosa e inteligente do Protetorado. Eles não foram convidados para o casamento — e, mesmo se tivessem, não teriam comparecido —, mas o jeito como lhe davam tapinhas nas costas e esfregavam seus ombros os fazia parecer um grupo de tios bondosos. Não podiam estar mais orgulhosos, disseram.

— Bom rapaz, bom rapaz — repetiam os Anciãos do Conselho, murmurando, rindo e gargalhando. Passaram doces redondos, praticamente desconhecidos no Protetorado. Serviram vinho e cerveja, e se banquetearam com carnes curadas e queijos envelhecidos e bolos com manteiga e creme. Antain guardou grande parte do que lhe foi oferecido para presentear, mais tarde, a amada esposa.

Conforme os criados começaram a tirar pratos, taças e jarros, Antain pigarreou:

— Senhores — começou ele, enquanto os membros do Conselho tomavam seus assentos. — Vim aqui com segundas intenções. Peço que me perdoem. Principalmente o senhor, meu tio. Sou obrigado a admitir que não fui muito claro quanto a meus objetivos.

A sala ficou fria e mais fria. O Conselho começou a lançar olhares de nojo para suas cicatrizes, as quais, até aquele momento, tinha ignorado. Antain fortaleceu sua vontade e continuou. Pensou no bebê que crescia na barriga da esposa. Pensou na louca da Torre. Quem poderia dizer que ele também não enlouqueceria se fosse obrigado a abrir mão de seu bebê — *de seu bebê* — para os homens de toga? Quem poderia dizer que sua amada Ethyne não enlouqueceria? Mal podia suportar ficar longe dela por uma hora, e a louca já estava trancada na Torre havia anos. *Anos.* Ele certamente morreria.

— Por favor — disse o Grão-Ancião, apertando os olhos como uma cobra —, prossiga, garoto.

Novamente, tentando não permitir que *garoto* o magoasse, Antain continuou:

— Como os senhores sabem — começou ele, esforçando-se para transformar sua barriga e sua coluna na madeira mais dura e densa da floresta. Não tinha necessidade de destruir. Estava ali para construir. — Como os senhores já sabem, minha amada Ethyne está esperando um filho...

— Esplêndido — disseram os Anciãos, iluminando-se como um. — Realmente esplêndido.

Antain continuou, forçando a voz a não tremer:

— E nosso filho vai chegar logo depois da virada do ano. Não há outros bebês previstos entre a chegada do nosso e o Dia do Sacrifício. Nosso filho... nosso querido filho será o mais novo do Protetorado.

E as felicitações alegres pararam de repente, como se queimadas por uma chama. Dois Anciãos limparam a garganta.

— Difícil sorte — disse o Ancião Guinnot, com sua voz fina e fraca.

— Realmente — concordou Antain. — Mas não precisa ser. Acredito que encontrei um jeito de acabar com esse horror. Acredito que eu tenha descoberto um jeito de acabar com a tirania da Bruxa para todo o sempre.

O rosto do Grão-Ancião se endureceu.

— Não perca seu tempo com fantasias, garoto — rosnou ele. — Certamente você não acha...

— Eu vi a Bruxa — contou Antain. Guardava essa informação havia muito tempo. E agora ela explodia dentro de si.

— Impossível! — exclamou Gherland. Os outros Anciãos olhavam para o homem mais moço com mandíbulas abertas, como um conselho de cobras.

— Não mesmo. Eu a vi. Segui a procissão. Sei que não é permitido, e sinto muito por isso. Mas fiz mesmo assim. Eu segui e esperei com a criança sacrificada e *eu vi a Bruxa.*

— Você não viu nada! — gritou Gherland, levantando-se. Não havia bruxa alguma. Nunca houvera uma bruxa. Os Anciãos sabiam disso. Todos se ergueram com semblantes acusatórios.

— Eu a vi esperando nas sombras. Eu a vi pairando sobre o bebê, cacarejando faminta. Vi o brilho de seus olhos maléficos. Ela me viu e se transformou em um pássaro. Gritou de dor ao fazer isso. *Ela gritou de dor,* senhores.

— Insanidade — disse um dos Anciãos. — Isso é uma insanidade.

— Não é. A Bruxa existe. É claro que existe. Todos sabemos disso. Mas o que não sabíamos era que ela *envelhecia.* Ela sente dor, e não apenas isso. Nós sabemos onde ela está.

Antain pegou o mapa da louca na abertura de sua bolsa e o estendeu sobre a mesa, traçando uma trilha com os dedos.

— A floresta é perigosa, é claro.

Os Anciãos olharam para o mapa, a cor se esvaindo dos rostos. Antain olhou nos olhos do tio e sustentou o olhar.

Eu sei o que você está fazendo, garoto, o olhar de Gherland parecia dizer.

Antain manteve o olhar. *É assim que vou mudar o mundo, tio. Você vai ver.*

Em voz alta, Antain disse:

— A Estrada é a rota mais direta pela floresta, e certamente a mais segura, considerando sua largura e claridade. No entanto, há diversas outras passagens seguras, apesar de um pouco complicadas e traiçoeiras.

O dedo de Antain contornou várias saídas terminais, passou pelas colinas com rochas afiadas que se soltavam cada vez que a montanha suspirava, e encontrou rotas alternativas além dos penhascos ou dos gêiseres ou dos lagos de areia movediça. A floresta cobria as laterais de uma montanha muito ampla, cujos sulcos profundos e encostas suaves serpenteavam ao redor de um pico de cratera, que, por sua vez, era cercado por uma campina plana e um pequeno pântano. No pântano, uma árvore retorcida foi desenhada. Na árvore havia o entalhe de uma lua crescente.

Ela está aqui, dizia o mapa. *Ela está aqui, ela está aqui, ela está aqui.*

— Mas onde você conseguiu isso? — disse a voz fraca do Ancião Guinnot.

— Não importa — respondeu Antain. — Eu realmente acredito que o mapa seja preciso. E estou disposto a apostar minha vida nessa crença. — Antain enrolou o mapa e o devolveu à bolsa. — É por isso que estou aqui, bondosos pais.

Gherland sentiu a respiração sair ofegante. *E se for verdade. E então?*

— Eu não sei por que motivo — começou o Grão-Ancião, recuperando sua grande estatura de abutre ao se levantar — você está nos incomodando com isso...

Antain não permitiu que ele terminasse.

— Tio, sei que o que estou pedindo é um pouco fora do comum. E talvez o senhor tenha razão. Talvez seja a missão de um tolo. Mas, vejam, não estou pedindo muito. Apenas sua bênção. Não preciso de ferramentas, de equipamentos, nem de suprimentos. Minha esposa conhece minhas intenções e apoia minha decisão. No Dia do Sacrifício, os Togados chegarão a nossa casa, e ela dará nosso precioso filho de bom grado. Todo o Protetorado vai se entristecer conforme caminhamos. Um grande mar de tristeza. E o senhor vai caminhar até aquelas árvores horríveis, as Criadas da Bruxa. E o senhor deitará o bebezinho sobre o musgo, acreditando que nunca mais voltará a vê-lo. — Antain sentiu a voz falhar. Fechou os olhos com força, tentando se recompor. — E talvez isso seja verdade. Talvez eu sucumba aos perigos da floresta, e talvez seja a Bruxa que vá pegar meu filho.

A sala estava silenciosa e fria. Os Anciãos não se atreviam a falar. Antain parecia ficar cada vez mais alto diante deles. Seu rosto parecia iluminado por uma luz interior, como uma lanterna.

— Ou — continuou Antain — talvez não. Talvez seja eu esperando naquelas árvores. Talvez seja eu a tirar o bebê do círculo de plátanos. Talvez seja eu a pessoa que trará o bebê em segurança para casa.

Guinnot encontrou a voz fraca.

— Mas... mas como, garoto?

— É um plano bem simples, bom pai. Eu seguirei o mapa. Encontrarei a Bruxa. — Os olhos de Antain ficaram pretos como o carvão. — Então, vou matá-la.

25

E Luna aprende uma palavra nova

Luna acordou na manhã seguinte com uma dor de cabeça insuportável, que começava em um ponto, do tamanho de um grão de areia, bem atrás de sua testa. Mas sentia universos inteiros explodirem atrás dos olhos, fazendo o mundo alternar entre claro e escuro, claro e escuro. Caiu da cama e se estatelou no chão. Sua avó roncava na cama de balanço do outro lado do aposento, inspirando o máximo de ar que conseguia, embora passasse por um bocado de muco.

Luna pressionou as mãos na testa, tentando segurar a cabeça para que não explodisse. Sentia calor, depois frio, depois calor de novo. Era sua imaginação ou as mãos estavam brilhando? Seus pés também.

— O que está acontecendo? — ofegou ela.

— *Crau!* — Deveria ter dito seu corvo empoleirado na janela, mas na verdade disse: — Luna.

— Está tudo bem — sussurrou a menina.

Mas sabia que não estava. Sentia como se cada um dos ossos fosse feito de luz. Seus olhos estavam quentes; a pele, lustrosa e úmida.

Esforçou-se para ficar de pé e cambaleou até a porta, respirando fundo a cada passo.

A lua crescente tinha acabado de se pôr, e o céu brilhava com estrelas. Sem pensar muito, Luna ergueu as mãos para o céu, deixando a luz estelar se juntar nos dedos. Um por um, ela levou os dedos à boca, deixando a luz estelar escorrer pela garganta. Já o fizera antes. Não conseguia se lembrar. De qualquer forma, aquilo aliviou a dor de cabeça e tranquilizou sua mente.

— *Crau* — grasnou o corvo.

— Venha — chamou Luna, seguindo para a trilha.

Luna não tinha intenção de caminhar até a pedra erguida no mato alto. Mesmo assim. Lá estava ela. Olhando para aquelas palavras, iluminadas pelas estrelas.

Não se esqueça, dizia a pedra.

— Não se esqueça de quê? — perguntou ela em voz alta. Deu um passo para a frente e pousou a mão na pedra. Apesar da hora e apesar da umidade, a pedra estava estranhamente quente. Vibrou e estremeceu sob o seu toque. Ela olhou para as palavras.

— Não se esqueça *de quê*? — repetiu. A pedra se abriu como uma porta.

Não, percebeu ela. Não *como* uma porta. *Era* uma porta. Uma porta suspensa no ar. Uma porta que se abria para um corredor iluminado por velas, com degraus levando ao subterrâneo escuro.

— Como... — suspirou Luna, mas não conseguiu continuar.

— *Crau* — grasnou o corvo, embora parecesse mais um *Acho que você não deveria entrar aí.*

— Fique quieto — disse Luna. E entrou pela porta e desceu os degraus.

A escada levava a uma oficina com mesas limpas e abertas e resmas e mais resmas de papel. Livros abertos. Um diário sob uma pena descansando em uma das páginas com uma grande gota preta e brilhante de tinta pendurada na ponta, como se alguém tivesse parado no meio de uma frase antes de pensar bem e fugir.

— Olá — chamou Luna. — Tem alguém aí?

Ninguém respondeu. Ninguém a não ser o corvo.

— *Crau* — grasnou ele, embora parecesse mais com "Minha nossa, Luna, vamos sair logo daqui".

Luna apertou os olhos em direção aos livros e papéis. Pareciam rabiscos de uma pessoa louca: um monte de bolas e manchas e palavras que não significavam nada.

— Por que alguém se daria o trabalho de fazer um livro cheio de palavras sem sentido? — perguntou a menina.

Ela caminhou pela sala circular, passando as mãos ao longo da ampla mesa e das bancadas macias. Não havia poeira em lugar algum. O ar não tinha odor de mofo, e ela não conseguia detectar o cheiro de nenhum tipo de vida.

— Olá! — chamou mais uma vez.

Sua voz não ecoou, mas também não se espalhou. Parecia simplesmente sair de sua boca e cair no chão com um som suave. Havia uma janela, o que era estranho, porque com certeza estava no subterrâneo, não é mesmo? Tinha descido as escadas. O mais estranho era que a vista do lado de fora mostrava que estavam na metade do dia. Além disso, era uma paisagem que Luna não reconhecia. Onde deveria estar a cratera da montanha, havia o pico de uma montanha. Um pico com fumaça saindo do alto, como uma chaleira que começara a ferver havia muito tempo.

— *Crau* — repetiu o corvo.

— Tem algo de errado aqui — sussurrou Luna.

Os pelos de seu braço se eriçaram, e ela sentiu o suor começar a brotar nas costas. Um pedaço de papel voou de uma das resmas e pousou em sua mão.

Conseguiu ler. Ali dizia: "Não se esqueça."

— Como posso esquecer o que nem sei? — exigiu saber a menina. Mas para quem ela perguntava?

— *Crau* — grasnou o pássaro.

— NINGUÉM ME DIZ NADA! — gritou Luna.

Não era verdade. Sabia que não. Às vezes, a avó lhe dizia coisas e Glerk também, mas as palavras voavam de sua mente assim que eram ditas. Mesmo agora, Luna conseguia se lembrar de ver palavras como pedacinhos minúsculos de papel, erguendo-se de seu coração, pairando diante dos olhos e, então, indo para longe, como se tivessem sido levados pelo vento. *Voltem*, pedia seu coração desesperadamente.

Sacudiu a cabeça.

— Estou sendo boba — disse em voz alta. — Isso nunca aconteceu.

Sua cabeça doía. Aquele grão de areia escondido — minúsculo e infinito ao mesmo tempo, tanto compacto quanto em expansão. Achou que a cabeça fosse se estilhaçar.

Outro pedaço de papel voou da resma e pousou em sua mão.

Não havia uma primeira palavra na frase, ou simplesmente não aparecia para ela. Em vez disso, parecia um borrão. Depois, a frase estava clara: "... é o elemento mais fundamental e menos compreendido do universo conhecido."

Ela ficou olhando aquilo.

— O que é a coisa mais fundamental? — perguntou Luna. Aproximou mais o papel do rosto. — Revele-se!

De repente, o grão de areia atrás de sua testa começou a amolecer e a se liberar — só um pouquinho. Olhou para a palavra e observou as letras se desenrolarem do borrão, soletrando cada uma delas conforme apareciam:

— M — disse ela. — A, G, I, A. — Sacudiu a cabeça. — Mas o que será *isso*?

Um som rugiu em seus ouvidos. Explosões de luz brilharam atrás de seus olhos. M-A-G-I-A. Essa palavra significava alguma coisa. Além disso, tinha certeza de que já a ouvira antes; embora, por mais que se esforçasse, não conseguisse se lembrar de onde tinha ouvido. Na verdade, nem sabia como deveria pronunciá-la.

— Mmmmmmm — começou ela, a língua pesando como granito na boca.

— *Crau* — grasnou o corvo em incentivo.

— Mmmmmm... — tentou ela de novo.

— *Crau, crau, crau* — gritou o corvo, alegremente. — Luna, Luna, Luna.

— Mmmmmmmmagia — cuspiu Luna por fim.

26

E uma louca aprende uma habilidade e a põe em uso

Quando a louca era uma garotinha, fazia desenhos. Sua mãe lhe contava histórias sobre a Bruxa na floresta; histórias que a menina nunca sabia se eram verdadeiras ou não. De acordo com a mãe, a Bruxa se alimentava de tristeza ou de almas ou de vulcões ou de bebês ou de bruxos corajosos. De acordo com a mãe, a Bruxa tinha botas pretas grandes, que podiam cruzar sete léguas em um único passo. De acordo com a mãe, a Bruxa montava nas costas de um dragão que vivia em uma torre tão alta que rasgava o céu.

Mas a mãe da louca já havia morrido. E a Bruxa não.

E, no silêncio da Torre, bem acima da névoa suja da cidade, a mulher sentia coisas que jamais poderia ter sentido antes de seus anos ali. Quando sentia coisas, ela as desenhava. De novo e de novo e de novo.

Todos os dias, as Irmãs vinham a sua cela sem serem anunciadas, e estalavam as línguas diante da quantidade de papel no quarto. Dobrado em forma de pássaros. Dobrado em forma de torres. Dobrado em uma forma parecida com a Irmã Ignatia, só para ser pisoteado pela louca, com os pés descalços. Coberto de escrita. E figuras. E mapas. Todos os dias, as Irmãs tiravam braçadas de papel da cela e as picavam e molhavam e reciclavam em folhas novas nas oficinas de encadernação no subsolo.

Mas, para começo de conversa, de onde veio todo esse papel?, perguntavam as Irmãs.

É tão fácil, queria explicar a louca. *Basta enlouquecer. Afinal, a loucura e a magia estão ligadas. Ou acho que estão. Todos os dias, o mundo se arrasta e se dobra. Todos os dias, eu encontro algo brilhante entre os cascalhos. Papel brilhante. Verdade brilhante. Magia brilhante. Brilhante, brilhante, brilhante.* Era triste, mas a mulher sabia que era muito louca. Talvez nunca se curasse.

Um dia, quando estava sentada com as pernas cruzadas no chão, no meio da cela, encontrou um monte de penas deixadas para trás por uma andorinha que decidiu fazer o seu ninho no peitoril estreito da janela, antes de virar lanche de um falcão. As penas flutuaram da janela da louca até o piso.

A louca as observou cair. As penas pousaram no chão bem a sua frente. Ficou olhando para elas: a pena, a haste, cada filamento. Então conseguiu enxergar as estruturas menores: poeira, farpas e células. Os detalhes, cada vez menores, seguiam diante de seus olhos, até que ela conseguiu enxergar cada partícula girando, como uma minúscula galáxia. Afinal, ela era muito louca mesmo. Mudou as partículas de lugar no vazio escancarado entre elas, um pouco para lá, um pouco para cá, até que uma coisa inteiramente nova surgiu. As penas não eram mais penas. Eram papel.

A poeira virou papel.

A chuva virou papel.

Às vezes o jantar também virava papel.

E sempre ela desenhava um mapa. *Ela está aqui*, escrevia de novo de novo e de novo.

Ninguém lia seus mapas. Ninguém lia suas palavras. Afinal de contas, ninguém se importava com as palavras de uma louca. As Irmãs reciclavam seu papel e o vendiam no mercado por uma quantia considerável.

Uma vez que dominou a arte do papel, descobriu que era fácil transformar *outras* coisas também. Sua cama se tornou um barco por um curto período. As barras da janela viraram fitas. Sua única cadeira se transformou em um corte de seda, no qual ela se enrolou como se fosse um xale, desfrutando do toque. Por fim, descobriu que também conseguia se transformar; embora, apenas, em coisas muito pequenas e apenas por um curto espaço de tempo. Suas transformações eram tão exaustivas que a deixavam de cama durante dias.

Um grilo.

Uma aranha.

Uma formiga.

Era preciso tomar cuidado para não a pisarem e acabar sendo esmagada.

Um percevejo-d'água.

Uma barata.

Uma abelha.

Também se certificava de sempre estar de volta à cela quando as ligações de seus átomos pareciam prestes a explodir e se separar. Com o tempo, conseguia se manter em uma forma particular e ia aumentando a duração. Esperava que um dia conseguisse manter sua forma de pássaro pelo tempo necessário para chegar ao meio da floresta.

Um dia.

Não agora.

Em vez disso, transformou-se em um besouro. Cascudo. Brilhante. Passou bem por baixo dos pés das Irmãs da guarda e desceu as escadas. Subiu nos pés do menino tímido que fazia as tarefas diárias para as Irmãs. Pobrezinho... Tinha medo da própria sombra.

— Menino! — Ela ouviu a Irmã Superiora gritar lá do corredor. — Por quanto tempo ainda preciso esperar pelo chá?

O menino choramingou, empilhou as louças e os alimentos assados em uma bandeja com um tremendo tilintar e se apressou pelo corredor. Tudo o que a louca precisava fazer era se segurar nos cadarços de sua bota.

— Até que enfim — disse a Irmã Superiora.

O menino colocou a bandeja na mesa com um barulhão.

— Saia! — explodiu a Irmã Superiora. — Antes que destrua mais alguma coisa.

A louca se escondeu embaixo da mesa, grata pelas sombras. Seu coração se condoeu pelo coitado do menino que saía, aos tropeços, pela porta. A Irmã respirou fundo pelo nariz. Estreitou o olhar. A louca tentou se encolher o máximo possível.

— Está sentindo o cheiro de alguma coisa? — perguntou a Irmã para o homem sentado em frente a ela.

A louca conhecia aquele homem. Não estava de toga, mas com uma linda camisa, feita de um tecido adorável, e um casaco longo da mais leve lã. Suas roupas recendiam dinheiro. Estava mais enrugado que da última vez que o vira. O rosto parecia cansado e velho. A louca se perguntou se também estaria assim. Já fazia tanto, tanto, tanto tempo desde a última vez que vira o próprio rosto.

— Não sinto cheiro de nada, senhora — respondeu o Grão-Ancião. — A não ser do chá e dos bolos. E do seu perfume maravilhoso, é claro.

— Não há a menor necessidade de me bajular, meu jovem — disse ela, apesar de o Grão-Ancião ser muito mais velho que ela. Ou parecer bem mais velho.

Vê-la ao lado do Grão-Ancião fez a louca perceber com um sobressalto que, mesmo depois de todos aqueles anos, a Irmã Ignatia não parecia ter envelhecido nada.

O velho pigarreou.

— E isso nos traz ao motivo de minha visita, minha cara senhora. Fiz o que me pediu e descobri tudo o que podia descobrir, e os outros Anciãos fizeram o mesmo. Fiz meu melhor para dissuadi-lo, mas de nada adiantou. Antain continua com suas intenções de caçar a Bruxa.

— Ele pelo menos seguiu seu conselho? Manteve os planos em segredo? — Havia um som dentro da voz da Irmã Superiora, percebeu a louca. Pesar. Ela reconheceria aquele som em qualquer lugar.

— Minha nossa, não. As pessoas sabem. Eu não sei quem lhes contou. Ele ou sua esposa odiosa. Ele acredita na missão, e parece que ela também. E os outros também acreditam. Todos têm... *esperança*. — Ele disse a palavra como se fosse o mais amargo dos remédios e estremeceu.

A Irmã suspirou. Levantou-se e andou de um lado para o outro na sala.

— Você realmente não está sentindo esse cheiro? — O Grão-Ancião deu de ombros, e a Irmã sacudiu a cabeça. — Não importa. É muito provável que a floresta o mate. Ele nunca partiu em uma viagem dessas. Não possui habilidades. Não tem ideia do que está fazendo. E sua perda irá prevenir que surjam mais perguntas *desagradáveis*. Talvez. Mas é possível que *ele volte*. É isso que me preocupa.

A louca se esticou o máximo que se atreveu nas sombras. Viu os movimentos da Irmã se tornarem mais abruptos e caóticos. Viu um brilho de lágrima na ponta de seus olhos.

— É arriscado demais. — A Irmã respirou fundo para se acalmar. — E não põe um fim nas perguntas. Se ele voltar sem encontrar nada, isso não significa que não haja *alguma coisa* para ser encontrada por outro tolo que deseje enfrentar a floresta. E se *essa* pessoa também não encontrar nada, talvez outra *pessoa* tente. E logo esses relatos de *nada* se tornarão *alguma coisa*. E logo o Protetorado começará a ter ideias.

Irmã Ignatia estava pálida, notou a louca. Pálida e esquelética. Como se estivesse lentamente morrendo de inanição.

O Grão-Ancião ficou em silêncio por um tempo. Pigarreou.

— Presumo, minha cara senhora... — Sua voz falhou. Ficou em silêncio. Então retomou: — Presumo que uma das Irmãs poderia... Bem. Se elas pudessem... — Ele engoliu em seco. Sua voz estava fraca.

— Isso não é fácil para nenhum de nós dois. Consigo ver que você tem sentimentos pelo garoto. Realmente, sua tristeza... — Parou de falar, e a língua da Irmã rapidamente saiu para fora e voltou para a boca. Ela fechou os olhos, e seu rosto ficou corado, como se tivesse acabado de degustar o melhor sabor do mundo. — Sua tristeza é muito real. Mas isso não pode ser evitado. O garoto não pode retornar. E deve ficar claro para todos que foi a Bruxa quem o matou.

O Grão-Ancião se recostou pesadamente no sofá do escritório. Seu rosto estava pálido e magro. Ergueu os olhos para o teto. Mesmo de seu ponto minúsculo de observação, a louca viu que os olhos do homem estavam marejados.

— Qual delas? — Quis saber ele, com voz rouca. — Qual delas vai fazer?

— E isso importa? — perguntou a Irmã.

— Importa para mim.

Irmã Ignatia levantou e foi até a janela olhar para fora. Esperou por um longo momento. Por fim, disse:

— Veja bem, todas as Irmãs são bem treinadas e disciplinadas. Não é... *comum* que alguma se deixe levar por protestos e sentimentos. Mesmo assim. Todas gostavam mais de Antain que dos outros meninos da Torre. Se fosse qualquer outra pessoa, eu mandaria uma das Irmãs e resolveria logo a situação. Mas, neste caso... — Ela deu um longo suspiro e se virou para o Grão-Ancião. — Eu mesma terei que fazer isso.

Gherland piscou para afastar as lágrimas e pousou o olhar na Irmã.

— Tem certeza?

— Tenho. E pode ficar tranquilo, pois serei rápida. A morte do rapaz será indolor. Ele não perceberá minha aproximação nem saberá o que o atingiu.

27

E Luna aprende mais do que desejava

As paredes de pedra eram impossivelmente velhas e úmidas. Luna estremeceu. Esticou os dedos e os fechou, cerrando os punhos, abrindo e fechando, tentando fazer o sangue fluir. As pontas dos dedos pareciam pedras de gelo, e ela pensou que jamais se sentiria aquecida de novo.

Os papéis giravam ao redor de seus pés. Cadernos inteiros deslizavam pelas paredes em ruínas. Palavras de tinta se libertavam das páginas, arrastavam-se pelo chão, como insetos, antes de retornarem, tagarelando sem parar. Aconteceu que cada livro e cada folha de papel tinham algo a dizer. Murmuravam e resmungavam; conversavam uns com os outros; pisavam uns na voz dos outros.

— Silêncio! — gritou Luna, pressionando as mãos nos ouvidos.

— Pedimos desculpas — murmuraram os papéis. Eles se espalharam e se juntaram; e giraram em um turbilhão; e se elevaram como ondas pela sala.

— Um de cada vez — ordenou Luna.

— *Crau* — concordou o corvo, querendo dizer: — E nada de bobeira.

Os papéis obedeceram.

Valia a pena, asseguraram, estudar a magia.

Era digna de conhecimento.

Então Luna aprendeu que uma tribo de magos e bruxas e poetas e sábios — todos dedicados à preservação, à continuação e à compreensão da magia — estabeleceu um abrigo para a aprendizagem e o estudo em um antigo castelo ao redor de uma Torre ainda mais antiga no meio da floresta.

Luna aprendeu que um dos sábios — uma mulher alta com força considerável (e cujos métodos às vezes suscitavam perguntas) — trouxera uma pupila da floresta. A criança era pequena e estava doente e ferida. Os pais da criança estavam mortos, dissera a mulher, e por que ela mentiria? A criança sofria de coração partido; chorava sem parar. Era uma fonte de tristeza. Os sábios decidiram que encheriam aquela criança com magia. Que a infundiriam em sua pele, em seus ossos, em seu sangue e até mesmo no cabelo. Queriam ver se *eram capazes*. Um adulto poderia apenas usar a magia, mas a teoria dizia que uma criança poderia *se tornar* mágica. Mas a teoria jamais fora testada nem observada — não cientificamente. Ninguém escrevera suas descobertas nem chegara a conclusões. Os sábios estavam sedentos por compreensão, mas alguns protestaram que aquilo poderia matar a criança. Outros argumentaram que, se não a tivessem encontrado, ela já estaria morta; então qual era o problema?

Mas a menina não morreu. Em vez disso, a magia da menina, infundida em cada célula de seu corpo, continuou a crescer. E cresceu e cresceu. Conseguiam sentir quando a tocavam. Trepidava sob sua pele. Preenchia os espaços entre seus tecidos. Vivia nos espaços vazios de seus átomos. Vibrava em harmonia com cada minúsculo filamento de matéria. Sua magia era uma partícula, era uma onda, era um movimento. Probabilidade e possibilidade. A magia se dobrava e se ondulava e se dobrava. Infundira-se inteiramente na menina.

Mas um velho sábio — um bruxo ancião chamado Zosimos — era veementemente contra o embruxamento da criança e foi ainda mais contra a continuidade da pesquisa. Ele mesmo tinha sido embruxado quando criança, e conhecia as consequências do ato: as estranhas erupções, as rupturas do pensamento, a extensão desagradável do tempo de vida. Ouvia a criança chorar à noite, e sabia o que alguns poderiam fazer com aquele sofrimento. Sabia que nem todos que viviam no castelo eram bons.

Então, ele pôs um fim naquilo.

Intitulou-se o guardião da menina e entrelaçou seus destinos. Isso também teve consequências.

Zosimos avisou aos outros sábios da intriga da Devoradora de Tristeza. De fato, todos os dias, à medida que o chão trovejava e rosnava sob seus pés e toda a comunidade de sábios se preocupava cada vez mais com uma possível erupção vulcânica, seu medo em relação à Devoradora de Tristeza aumentava. Seu nome, sempre que mencionado, era acompanhado por um estremecimento de medo.

(Luna, de pé na sala, também estremeceu ao ler a história cercada por todos aqueles papéis.)

E a menina cresceu. E seus poderes aumentaram. Ela era impulsiva e, às vezes, egoísta, tanto quanto qualquer criança. E não notou quando o bruxo que a amava — seu adorado Zosimos — começou lentamente a definhar. Foi ficando mais velho, mais fraco. Ninguém notou. Até que era tarde demais.

— Nós só esperamos que — sussurraram os papéis ao ouvido de Luna —, quando encontrar a Devoradora de Tristeza de novo, nossa menina esteja mais velha e mais forte e mais segura de si. Só esperamos que, depois de nosso sacrifício, ela saiba o que fazer.

— Mas quem? — perguntou Luna. — Quem era a menina? Como posso avisá-la?

— Ah — responderam os papéis enquanto estremeciam no ar. — Pensamos que já tínhamos contado. O nome dela é Xan.

28

E várias pessoas vão para a floresta

Xan se sentou na fogueira, retorcendo o avental de um lado para o outro até que estivesse todo embolado.

Havia algo no ar. Conseguia sentir. E algo embaixo da terra: um zunido, um ribombo, alguma coisa irritada. Também conseguia sentir isso.

As costas doíam. As mãos também. Os joelhos e os quadris, os cotovelos e os tornozelos e cada um dos ossinhos de seus pés inchados doíam e doíam. Cada estalo, cada pulsar, cada segundo a empurravam para mais perto do ponto nas engrenagens da vida de Luna quando todos os ponteiros chegariam ao 13. Xan conseguia sentir-se esvaindo, encolhendo, desbotando. Estava tão leve e frágil como uma folha de papel.

Papel, pensou ela. *Minha vida é feita de papel. Pássaros de papel. Mapas de papel. Livros de papel. Diários de papel. Palavras no papel e pensamentos no papel. Tudo se desbota e é rasgado e se encolhe até virar um nada.* Conseguia se lembrar de Zosimos — querido Zosimos! Como parecia estar próximo agora! —, debruçado sobre pilhas de papel, com seis velas queimando e iluminando o perímetro de sua mesa, registrando o conhecimento em um espaço limpo e rústico.

Minha vida foi escrita no papel e preservada no papel — todos aqueles malditos sábios tomando notas sobre seus pensamentos e observações. Se eu tivesse morrido, teriam feito anotações sobre minha morte no papel sem jamais derramar uma lágrima. E aqui está Luna, exatamente como eu era. E aqui estou eu, me segurando na única palavra que poderia explicar tudo e a qual a menina não consegue ler nem ouvir.

Não era justo. O que os homens e as mulheres do castelo fizeram com Xan não era justo. O que Xan fez com Luna não era justo. O que os cidadãos do Protetorado faziam com os próprios bebês não era justo. Nada daquilo era justo.

Xan se levantou e olhou pela janela. Luna ainda não tinha voltado. Talvez fosse melhor assim. A Bruxa deixaria um bilhete. Era mais fácil escrever algumas palavras no papel que dizê-las.

Xan nunca saiu tão cedo para salvar o bebê do Protetorado. Mas não podia arriscar se atrasar. Não depois da última vez. E também não podia arriscar ser vista. Transformações eram difíceis, e ela deveria considerar a possibilidade de não ter forças para desfazê-la dessa vez. Mais consequências.

Xan ajustou a capa de viagem e colocou os pés em um par de botas fortes, arrumou mamadeiras e tecido seco e um pouco de comida na bolsa. Sussurrou um feitiço para evitar que o leite derramasse e tentou ignorar como cada feitiço drenava suas energias e seu espírito.

— Que pássaro? — murmurou para si mesma. — Que pássaro, que pássaro?

Pensou em se transformar em um corvo, e ganhar um pouco de sua astúcia, ou em uma águia, e ganhar um pouco de sua ferocidade. Um albatroz, com seu voo suave, também parecia uma boa ideia, a não ser que a falta de água pudesse impedir sua capacidade de alçar voo e pousar. No fim, escolheu a andorinha: pequena, sim, e delicada também, mas uma boa voadora, com olhos aguçados.

Precisaria fazer intervalos, e uma andorinha era pequena e marrom e quase invisível aos predadores.

Xan fechou os olhos, forçou os pés contra o chão e sentiu a magia fluir pelos ossos frágeis. Sentiu que se tornava pequena e leve e perspicaz. Olhos brilhantes, dedos ágeis e um bico muito, muito afiado. Bateu as asas e sentiu tão fundo dentro de si a necessidade de voar que achou que fosse morrer disso; com um grito agudo e triste de solidão e de saudade de Luna, voou pelo ar e passou pelas árvores.

Leve como papel.

* * *

Antain esperou o nascimento do filho antes de partir em sua viagem. Ainda faltavam várias semanas para o Dia do Sacrifício, mas não havia outros nascimentos previstos naquele meio-tempo. Havia cerca de vinte e poucas mulheres grávidas no Protetorado, mas a barriga delas mal tinha começado a aparecer, e seu parto estava previsto para dali a alguns meses, não semanas.

O nascimento, felizmente, foi fácil. Ou foi o que Ethyne disse. Porém, cada vez que ela gritava, Antain sentia que morria por dentro. Nascimento era uma coisa confusa e assustadora, e pareceu a Antain que demorava uma eternidade ou mais, embora, na verdade, tenha levado apenas boa parte da manhã. O bebê chegou chorando ao mundo na hora do almoço.

— Um verdadeiro cavalheiro este menino — comentou a parteira. — Fez sua chegada em um horário bastante razoável.

Deram-lhe o nome de Luken e maravilharam-se com os minúsculos dedinhos dos pés e as delicadas mãozinhas e o modo como o olhar se fixava no rosto do pai e da mãe. Beijaram sua boquinha pequena e chorosa, sempre em busca de alimento.

Antain nunca sentiu tanta certeza do que deveria fazer.

Partiu na manhã seguinte, bem antes de o sol nascer, quando a esposa e o filho ainda dormiam na cama. Não conseguiu suportar a ideia da despedida.

* * *

A louca descansava o rosto contra as barras da janela. Observou o jovem se esgueirar da casa silenciosa. Esperava sua aparição havia horas. Não fazia ideia de como sabia que devia esperar por ele, só sabia que precisava. O sol ainda não tinha nascido, e as estrelas seguiam afiadas e claras como cacos de vidro espalhados pelo céu. Ela o viu sair pela porta da frente e fechá-la com cuidado atrás de si. Observou enquanto pousava a mão na porta, pressionando sua palma contra a madeira. Por um momento, achou que ele talvez fosse mudar de ideia e voltar para casa — para a família que dormia no escuro. Mas não voltou. Fechou os olhos com força, soltou um grande suspiro, virou-se e se apressou pela rua escura em direção ao lugar onde o muro da cidade era menos íngreme.

A louca lhe lançou um beijo de boa sorte. Observou quando ele parou e estremeceu ao sentir o beijo pousar no rosto. Então, continuou o caminho com passos visivelmente mais leves. A louca sorriu.

Existia uma vida que ela costumava conhecer. Existia um mundo no qual costumava viver, mas mal conseguia lembrar. Sua vida antes era tão insubstancial quanto fumaça. Vivia agora aquela vida de pássaros de papel, mapas de papel, pessoas de papel, pó e tinta e polpa de madeira e tempo.

O rapaz caminhou nas sombras, verificando se alguém o seguia. Carregava uma mochila e um saco de dormir nas costas. Uma capa que seria pesada demais para o dia, mas nem de longe quente o suficiente à noite. E, balançando no quadril, uma faca longa e afiada.

— Você não deve ir sozinho — sussurrou a louca. — Há muitos perigos na floresta. E há perigos aqui que vão segui-lo pela floresta.

E existe uma pessoa que é mais perigosa do que você jamais poderia supor.

Quando ainda era pequena, ouvira histórias sobre a Bruxa. A Bruxa vivia na floresta, foi o que lhe disseram, e tinha um coração de tigre. Mas as histórias estavam erradas, e a verdade que continham estava retorcida e curvada. A Bruxa vivia ali, na Torre. E, embora não tivesse um coração de tigre, ela rasgaria você em pedacinhos se tivesse a chance.

A louca olhou para as barras de ferro na janela até que não fossem mais de ferro, mas de papel. Rasgou-as. E as pedras que cercavam a abertura da janela não eram mais pedras, e sim pedaços molengos de polpa. Ela os tirou do caminho com as mãos.

Os pássaros de papel ao redor murmuravam e flutuavam e gritavam. Abriram suas asas. Os olhos começaram a brilhar e a procurar. Alçaram voo, como se fossem um só, carregando a louca nas costas da revoada, e seguiram o homem silenciosamente pelo céu noturno.

* * *

As Irmãs descobriram a fuga da louca uma hora depois do alvorecer. Houve acusações e explicações e grupos de busca e explorações da justiça e equipes de detetives. Cabeças rolaram. O trabalho de limpeza era longo e sórdido. Mas tudo de forma discreta, é claro. A Irmandade não poderia permitir que notícias da fuga se espalhassem pelo Protetorado. A última coisa de que precisava era que a população começasse a ter ideias. Afinal, ideias eram perigosas.

O Grão-Ancião intimou a Irmã Ignatia para uma reunião pouco antes do almoço, apesar dos protestos dela de que naquele dia seria simplesmente impossível.

— Não dou a mínima para suas complicações femininas — rugiu o Grão-Ancião, enquanto entrava marchando no escritório.

As outras Irmãs saíram do caminho, lançando olhares assassinos para o Grão-Ancião, que, felizmente, não os notou.

Irmã Ignatia achou melhor não mencionar a fuga da prisioneira. Em vez disso, pediu chá e biscoitos e ofereceu sua hospitalidade para um Grão-Ancião fervente de raiva.

— Minha nossa, caro Gherland! — exclamou ela. — Mas o que está acontecendo? — Ela lhe lançou um olhar predatório e falso.

— Aconteceu — disse Gherland em tom cansado.

Inconscientemente, seus olhos se voltaram na direção da cela agora vazia.

— O quê? — perguntou ela.

— Meu sobrinho. Ele partiu esta manhã. A esposa e o filho estão na casa de minha irmã.

A mente da Irmã Ignatia começou a trabalhar. Esses dois desaparecimentos não podiam estar ligados. Não *podiam*. Ela *saberia* se estivessem... certo? Verdade que tinha havido uma queda marcante na tristeza disponível da louca. Irmã Ignatia não dera muita atenção àquilo. Embora fosse irritante ficar com fome na própria casa, sempre havia tristeza suficiente por todo o Protetorado, pairando sobre a cidade, como uma nuvem.

Ou costumava haver. Mas aquela maldita *esperança* despertada por Antain se espalhava pela cidade, atrapalhando a tristeza. Irmã Ignatia sentiu o estômago roncar.

Sorriu e se levantou. Pousou gentilmente a mão no braço do Grão-Ancião e deu um apertão de leve. Suas unhas afiadas e compridas lhe rasgaram a toga, como garras de tigre, fazendo-o soltar uma exclamação de dor. Ela sorriu e lhe deu um beijo em cada bochecha.

— Não se preocupe, meu rapaz — disse ela. — Deixe Antain comigo. A floresta é cheia de perigos. — Cobriu a cabeça com o capuz e seguiu para a porta. — Ouvi dizer que existe uma bruxa na floresta. Você sabia? — E desapareceu pelo corredor.

* * *

— Não — disse Luna. — Não, não, não, não, não. — Segurou o bilhete da avó nas mãos por um momento antes de rasgá-lo em pedacinhos. Não passou nem da primeira frase. — Não, não, não, não, não.

— *Crau* — grasnou o corvo, embora soasse mais como: — Não faça nada idiota.

A raiva zunia dentro do corpo de Luna, do topo da cabeça até a ponta dos pés. *É assim que uma árvore deve se sentir quando é atingida por um raio,* pensou. Lançou um olhar fulminante para o bilhete rasgado, desejando que ele pudesse ser recomposto, só para ela poder rasgá-lo novamente.

(Ela se virou antes de notar os pedacinhos começarem a tremer um pouco e se juntarem uns aos outros.)

Luna lançou um olhar desafiador ao corvo.

— Eu vou atrás dela.

— *Crau* — respondeu o corvo, embora Luna soubesse o que ele queria dizer: — Que ideia idiota. Você nem sabe para onde está indo.

— Sei, sim — disse Luna, erguendo o queixo e pegando o diário na bolsa. — Está vendo?

— *Crau* — disse o corvo, querendo dizer: — Você está inventando. Certa vez, sonhei que conseguia respirar embaixo d'água, como um peixe. Você não me vê fazer *isso*, não é?

— Ela não está forte o suficiente — argumentou Luna, sentindo a voz começar a falhar. E se sua avó se ferisse na floresta? Ou ficasse doente? Ou se perdesse? E se Luna nunca mais a visse? — Eu preciso ajudá-la. *Eu preciso dela.*

(Os pedacinhos de papel com "Querida" e "Luna" voaram um em direção ao outro e uniram suas pontas até que não restasse nenhuma evidência de sua separação. Assim como o pedacinho que dizia "Quando você ler isto" e "há coisas que preciso explicar". E, em seguida, "você é muito mais que imagina".)

Luna enfiou os pés nas botas, arrumou uma bolsa com tudo o que podia imaginar ser útil para a viagem. Queijo. Frutas secas. Um cobertor. Um cantil de água. Uma bússola com um espelho. O mapa estelar da avó. Uma faca muito afiada.

— *Crau* — granou o corvo, ainda que soasse: — Você não vai contar para Glerk e para Fyrian, vai?

— É claro que não. Eles vão tentar me impedir.

Luna suspirou. (Um pedacinho rasgado de papel escorregou pela sala com a rapidez de um rato. Luna não notou. Não o notou subindo pela perna e ao longo da capa. Não notou quando se enfiou em seu bolso.)

— Não — repetiu ela. — Eles vão descobrir para onde estou indo. E qualquer coisa que eu diga vai sair errado.

— *Crau* — grasnou o corvo. — Acho que isso não é verdade.

Mas não importava o que o corvo pensava. Luna já havia tomado sua decisão. Amarrou o capuz e verificou o mapa que desenhara. Parecia detalhado o bastante. E é claro que o corvo estava certo, e é claro que Luna sabia como a floresta era perigosa. Mas conhecia o caminho. Tinha *certeza.*

— Você vai vir comigo ou não? — perguntou ela para o corvo enquanto saía de casa e deslizava para a mata.

— *Crau* — respondeu o corvo. — Até o fim do mundo, minha Luna. Até o fim do mundo.

* * *

— Bem — disse Glerk, olhando a bagunça na casa. — Isso não é nada bom.

— Onde está a tia Xan? — choramingou Fyrian. Escondeu o rosto em um lenço, que pegou fogo e foi depois apagado com lágrimas. — Por que ela não se despediu?

— Xan sabe tomar conta de si mesma — respondeu Glerk. — É com Luna que estou preocupado.

Disse isso porque parecia ser verdade. Mas não era. Estava louco de preocupação com Xan. *No que ela estava pensando?*, resmungou Glerk em pensamento. *E como posso trazê-la de volta em segurança?*

Glerk se sentou pesadamente no chão, a grande cauda enrolada em volta do corpo, enquanto lia e relia o bilhete da Bruxa para Luna.

Querida Luna. Quando você ler isto, estarei viajando rapidamente pela floresta.

— Rapidamente? Ah — murmurou ele. — Ela se transformou.

Glerk meneou a cabeça. Sabia melhor que ninguém como a magia de Xan vinha desaparecendo. O que aconteceria se ela ficasse presa na transformação? E se ela ficasse para sempre encoelhada ou empassarada ou encervada? Ou, pior ainda, se ela só conseguisse desfazer metade da transformação?

As coisas estão mudando em você, querida. Por dentro e por fora. Sei que consegue sentir isso, mas não existem palavras para explicar. É culpa minha. Você não faz ideia do que é, e isso também é culpa minha. Existem coisas que mantive em segredo por causa das circunstâncias e coisas que mantive em segredo para não partir seu coração. Mas nada disso altera os fatos: você é muito mais que imagina.

— O que está escrito, Glerk? — perguntou Fyrian, voando de um lado para o outro da cabeça do monstro, como um abelhão irritante.

— Espere um pouquinho, meu amigo. Por favor? — murmurou Glerk.

Ouvir Glerk usar a palavra "amigo" para se referir a ele fez Fyrian ficar tonto de alegria. Estalou a língua no céu da boca e fez uma pirueta e virou uma cambalhota no ar, batendo acidentalmente a cabeça no teto.

— É claro que espero um pouquinho, Glerk, meu *amigo* — respondeu Fyrian, esfregando o galo na cabeça. — Posso esperar todo o tempo do mundo. — Ele voou até o braço da cadeira de balanço e ficou o mais empertigado que conseguiu.

Glerk olhou mais atentamente para o papel — não para as palavras, mas para o papel em si. Tinha sido rasgado, conseguia perceber, e tinha sido unido de novo tão perfeitamente que a maioria dos olhos nem teria notado a diferença. Xan teria visto. Glerk olhou ainda mais de perto para os filamentos de magia, para cada fio individual. Azul com brilho prateado nas pontas. Havia milhões de filamentos. E nenhum deles era de Xan.

— Luna — sussurrou ele. — Ah, Luna.

Estava começando antes do previsto. A magia. Todo aquele poder — o grande oceano de ondas — estava vazando. Glerk não tinha como saber se a criança quisera fazer aquilo ou se nem sequer notara o que havia feito. Ele se lembrava de quando Xan era nova, como ela fazia uma fruta explodir em uma chuva de estrelas só de ficar muito tempo perto. Ela era perigosa na época; para si mesma e para os outros. Assim como Luna tinha sido quando pequena. Como provavelmente o era agora.

Quando você era bebê, eu a resgatei de um destino terrível. Então, por acidente, ofereci a lua para você beber — e você a bebeu, e isso a expôs a outro destino terrível. Sinto muito. Você vai viver por muito tempo e vai esquecer muitas coisas, e as pessoas que você ama vão morrer, e você vai continuar seguindo sua vida. Esse foi meu destino. Agora é o seu. Só existe um motivo para isso:

Glerk sabia o motivo, é claro, mas não estava escrito na carta. Em vez disso, havia um buraco perfeito no lugar exato onde deveria estar a palavra "magia". Olhou pelo chão, mas não a encontrou em lugar algum. Essa era uma das coisas que não suportava sobre magia, em geral. A magia era uma coisa inoportuna. Tola. E tinha uma mente própria.

Essa é a palavra que não conseguia se fixar em sua mente, mas é a palavra que define sua vida. Assim como definiu a minha. Só espero ter tempo suficiente para explicar tudo antes de deixá-la novamente... pela última vez. Amo você, minha menina, mais do que é possível escrever.

Da avó que te adora.

Glerk dobrou a carta e a deslizou para baixo do castiçal. Olhou pelo quarto com um suspiro. Era verdade que os dias de Xan estavam minguando, e era verdade que, em comparação com sua vida excessivamente longa, a de Xan não passava de uma respiração profunda ou uma bocada ou um piscar de olhos. E logo ela iria embora para sempre. O monstro sentiu o coração subir pela garganta e virar um nó duro e afiado.

— Glerk? — arriscou Fyrian. Ele zuniu em direção ao rosto do monstro do pântano, olhando naqueles olhos grandes e úmidos. Glerk piscou e retribuiu o olhar. Precisava admitir que o dragãozinho era uma coisinha doce. Generoso. Jovem. Mas de forma artificial. E agora estava na hora de ele crescer.

Mais que na hora, na verdade.

Glerk se levantou, apoiando-se nos primeiros braços, curvando um pouco as costas para aliviar os caroços ao longo da espinha. Amava seu pequeno pântano — é claro que amava — e amava sua vidinha ali, na cratera do vulcão. Escolhera aquilo e não tinha arrependimentos. Mas amava o mundo inteiro também. Havia partes dele que Glerk deixara para trás a fim de viver com Xan. Ele mal conseguia se lembrar do que eram. Mas sabia que eram abundantes e revigorantes e *vastas*. O Charco. O mundo. Todas as coisas vivas. Ele tinha se esquecido do quanto amava aquilo tudo. Seu coração saltou dentro do peito quando deu o primeiro passo.

— Venha, Fyrian — chamou, estendendo a mão esquerda superior, permitindo que o dragão pousasse na palma. — Nós vamos fazer uma viagem.

— Uma viagem de verdade? — perguntou Fyrian. — Você quer dizer, *para longe daqui*?

— Esse é o único tipo de viagem que existe, meu jovem. E sim. Vamos para longe. É esse tipo de viagem.

— Mas... — começou Fyrian. Afastou-se da mão e zuniu até o outro lado da cabeça enorme do monstro. — E se a gente se perder?

— Eu nunca me perco — afirmou Glerk. E isso era verdade.

Era uma vez, muitas eras atrás, um monstro que viajou pelo mundo mais vezes que poderia contar. E no mundo. E acima e abaixo. Um poema. Um Charco. Um desejo profundo. Ele mal conseguia lembrar agora — esse era um dos perigos de uma vida tão longa.

— Mas... — começou Fyrian, zunindo de um lado para outro diante do rosto do monstro. — E se eu assustar as pessoas? Com meu tamanho notável? E se elas fugirem aterrorizadas?

Glerk revirou os olhos.

— Embora isso seja verdade, meu jovem amigo, que seu tamanho seja... hum... *notável,* acredito que uma simples explicação minha acalmará todos os temores. Como você bem sabe, eu tenho excelentes habilidades explicativas.

Fyrian pousou nas costas de Glerk.

— Isso é verdade — murmurou o dragão. — Ninguém explica melhor que você, Glerk. — Então, ele atirou o corpinho contra as grandes costas úmidas do monstro do pântano e abriu os braços em uma tentativa de abraço.

— Não há necessidade disso — falou o monstro, e o dragão voltou a voar, pairando sobre o amigo. Glerk continuou: — Olhe. Está vendo? São as pegadas de Luna.

Assim, eles — o antigo monstro do pântano e o Dragão Perfeitamente Minúsculo — a seguiram pela floresta.

E, a cada passo, Glerk ficava cada vez mais ciente de que a magia que vazava pelos pés da menina estava crescendo. Vazava, então brilhava, então empoçava no chão, então respingava pelas beiradas. Nesse ritmo, quanto tempo levaria para a magia começar a fluir como água, mover-se como riachos e rios e oceanos? Quanto tempo até inundar o mundo?

Quanto tempo?

29

E existe uma história com um vulcão

Não é um vulcão comum, sabe. Foi feito há milhares e milhares de anos por uma bruxa.

Que bruxa? Ah, eu não sei. Com certeza, não por nossa Bruxa Ela é velha, mas não tão velha assim. É claro que não sei quantos anos ela tem. Ninguém sabe. E nunca ninguém a viu. Ouvi dizer que, às vezes, ela parece ser uma jovem moça e, às vezes, uma velha e, às vezes, uma dama. Depende.

O vulcão tem um dragão dentro de si. Ou tinha. Houve um tempo em que existiam dragões por todo o mundo, mas ninguém os vê há uma Era. Talvez mais.

Como eu poderia saber o que aconteceu com eles? Talvez a Bruxa os tenha capturado. Talvez os tenha comido. Ela está sempre faminta, sabe? A Bruxa, quero dizer. Que isso mantenha você na cama à noite.

Todas as vezes que o vulcão entra em erupção, ele está maior e mais zangado e feroz. Houve um tempo em que ele não era muito maior que um formigueiro. Depois ficou do tamanho de uma casa. Agora, é maior que a floresta. E, um dia, há de cobrir o mundo inteiro, você vai ver.

A última erupção do vulcão foi provocada pela Bruxa. Não acredita? Ah, mas tenho tanta certeza disso como de que você está em pé diante de mim. Naquela época, a floresta era segura. Não havia buracos nem cavernas venenosas. Nada queimava. E havia aldeias pela floresta, pontilhando o caminho. Aldeias que colhiam cogumelos. Aldeias que comercializavam mel. Aldeias feitas com lindas esculturas de barro e vitrificadas com fogo. E todas eram interligadas por trilhas e estradinhas que cruzavam e se entrecruzavam pela floresta, como uma teia de aranha.

Mas a Bruxa. Ela odeia a felicidade. Odeia tudo. Então, ela trouxe seu exército de dragões até as entranhas da montanha.

— Fogo! — berrava ela para os dragões. E eles cuspiam fogo no coração do vulcão. — Fogo! — berrava ela de novo.

E os dragões tinham medo. Dragões, se você quer saber, são criaturas do mal: cheios de violência, falsidade e truques. Mesmo assim, os truques dos dragões não eram nada em comparação com a maldade da Bruxa.

— Por favor — pediam os dragões, tremendo no calor. — Por favor, pare com isso. Você vai destruir o mundo.

— E o que me importa o mundo? — A Bruxa gargalhou. — O mundo nunca se importou nem um pouco comigo. Se eu quiser queimá-lo, assim será.

E os dragões não tiveram escolha. Cuspiram fogo e mais fogo até que não houvesse mais nada além de cinzas, brasas e fumaça. Cuspiram fogo até o vulcão explodir no céu, fazendo chover destruição sobre cada floresta, cada fazenda, cada campina. Até mesmo o Charco foi desfeito.

E a erupção do vulcão teria destruído tudo se não fosse por um bruxinho corajoso. Ele entrou no vulcão e... Bem, não estou muito certa do que ele fez, mas ele o parou na hora e salvou o mundo. Morreu ao fazer isso, coitadinho. Pena ele não ter matado a Bruxa, mas ninguém é perfeito. Apesar de tudo, devemos agradecer-lhe pelo que fez.

O vulcão, porém, nunca se apagou de verdade. O bruxo parou a erupção, mas o vulcão continuou vivo sob a terra. Ele vaza sua fúria nos lagos e lamaçais e nas passagens venenosas. Envenena o Charco. Contamina a água. É o motivo por nossas crianças passarem fome e por nossas avós definharem e nossas colheitas estarem quase sempre fadadas ao fracasso. É o motivo por que não podemos deixar este lugar, por que não adianta nem tentar.

Não importa. Um dia, o vulcão vai entrar em erupção de novo. Então, esta penúria há de chegar ao fim.

30

E as coisas ficam mais difíceis que o plano original

Luna não caminhara por bastante tempo e já estava muito, muito perdida e com muito, muito medo. Tinha o mapa e conseguia enxergar com o olho da mente a rota que deveria tomar, mas já tinha se perdido.

As sombras pareciam lobos.

As árvores rangiam e estalavam ao vento. Os galhos se retorciam como garras afiadas que se erguiam para o céu. Morcegos gritavam e corujas piavam em resposta.

As pedras pipocavam sob seus pés, e por baixo delas Luna conseguia sentir a montanha se agitando, se agitando, se agitando. O chão ficava quente, depois frio, depois quente de novo.

Luna pisou em falso no escuro, tropeçou e caiu de cabeça em um barranco enlameado.

Cortou a mão, torceu o tornozelo, bateu com a cabeça em galhos baixos e queimou a perna em uma fonte de água fervente. Ela tinha quase certeza de que o cabelo havia se sujado de sangue.

— *Crau* — grasnou o corvo. — Eu disse que era uma péssima ideia.

— Quieto — resmungou Luna. — Você é pior que Fyrian.

— *Crau* — respondeu o corvo, mas o que disse foi um monte de insultos.

— *Olhe a boca!* — censurou Luna. — Não estou gostando nadinha desse tom.

Enquanto isso, uma coisa continuava acontecendo dentro da menina, uma coisa que Luna não conseguia explicar. O tique-taque de engrenagens que sentiu por quase toda a vida agora parecia mais o badalo de um sino. A palavra *magia* existia. Ela a conhecia agora. Mas o que era e o que significava permaneciam um mistério.

Algo pinicava dentro de seu bolso. Uma coisinha pequena de papel que estalava e se retorcia. Luna se esforçou para ignorar. Tinha problemas mais sérios para resolver.

A floresta era fechada com árvores e arbustos. As sombras cobriam a luz. A cada passo ela parava, cautelosa, colocando um pé na frente do outro, sentindo o chão para pisar em terra firme. Andou a noite inteira, e a lua — quase cheia — tinha desaparecido atrás da copa das árvores, levando consigo sua luz.

No que você foi se meter?, as sombras pareciam perguntar, resmungando e chiando.

Não havia luz suficiente para enxergar o mapa. Não que o mapa a tenha ajudado a encontrar a trilha que desejava.

— Cuidadinho — resmungou Luna, dando outro passo cuidadoso.

O caminho era traiçoeiro ali: curvas fechadas e formações rochosas afiadas como agulhas. Luna conseguia sentir a vibração do vulcão sob os pés. Não dava trégua, nem por um instante. *Dormindo,* pensou ela. *Você deveria estar dormindo.* O vulcão não parecia saber disso.

— *Crau* — disse o corvo, querendo dizer: — Esqueça o vulcão. *Você* deveria estar dormindo.

Era verdade. Perdida assim, Luna não fazia muito progresso. Deveria parar, descansar e esperar até a manhã seguinte.

Mas a avó estava lá fora.

E se estivesse ferida?

E se estivesse doente?

E se não voltasse?

Luna sabia que tudo o que estava vivo morreria um dia — já tinha visto isso com os próprios olhos quando ajudava a avó. As pessoas morriam. E, embora fosse um acontecimento triste para os entes queridos, não parecia incomodar nem um pouco a pessoa que morreu. Estavam mortos, afinal de contas. Tinham partido para a próxima.

Certa vez, Luna perguntara a Glerk o que acontecia com as pessoas depois que morriam.

Ele fechou os olhos e respondeu:

— O Charco. — Havia um sorriso sonhador em seus olhos. — O Charco, o Charco, o Charco.

Foi a coisa mais não poética que ele já dissera. Luna ficou impressionada. Mas aquilo não respondia exatamente à pergunta.

A avó de Luna nunca falou sobre o fato de que morreria um dia. Mas sem dúvida *morreria e* provavelmente *estava morrendo* — aquela magreza, aquela fraqueza, aquela viagem. Essas eram perguntas com uma resposta terrível, que sua avó se recusava a dar.

Luna continuou o caminho com dor no coração.

— *Crau* — grasnou o corvo. — Tenha cuidado.

— *Estou* tendo cuidado — respondeu Luna de forma rabugenta.

— *Crau* — insistiu o corvo. — Tem uma coisa muito estranha acontecendo com as árvores.

— Não faço a menor ideia do que você está falando — disse Luna.

— *Crau*! — ofegou o corvo. — Olhe por onde anda!

— O que você acha que estou tentando...

Mas Luna não disse mais nada. O chão rugiu, as pedras cederam sob seus pés, e ela caiu, girando na escuridão abaixo.

31

E uma louca encontra uma casa na árvore

Voar nas costas de uma revoada de pássaros de papel é menos confortável do que se poderia imaginar. Embora a louca estivesse acostumada com um pouco de desconforto, o movimento das asas de papel produzia certo efeito na pele: elas a cortaram até sangrar.

— Só mais um pouco — disse ela. Conseguia ver o lugar na mente. Um pântano. Uma série de crateras. Uma árvore muito grande com uma porta. Um pequeno observatório através do qual uma pessoa poderia ver as estrelas.

Ela está aqui, ela está aqui, ela está aqui. Por todos esses anos, seu coração pintou uma imagem dela. Sua filha — não um produto de sua imaginação, mas sua filha no mundo. A imagem que seu coração pintou era *real.* Sabia disso agora.

Antes de a louca nascer, a mãe havia sacrificado um bebê para a Bruxa. Um menino. Ou foi o que contou. Mas sabia que a mãe tinha visões do menino enquanto ele crescia. Teve essas visões até morrer. E a louca também conseguia ver a própria filha, tão querida, uma menina crescida agora. Cabelo preto, olhos pretos e a pele da cor de âmbar polido. Uma joia. Dedos ágeis. Um olhar cético. As Irmãs lhe disseram que aquilo era fruto da loucura. Mesmo assim, conseguiu desenhar um mapa. Um mapa que a levaria até a filha. Conseguia sentir essa certeza nas fibras e no calor dos ossos.

— Ali — ofegou a louca, apontando para baixo.

Um pântano. Igualzinho ao que tinha visto em sua mente. Era real.

Sete crateras marcando a fronteira. Igualzinho ao que vislumbrara. Também eram reais.

Uma oficina feita de pedras, com um observatório. Também era real.

E ali, ao lado de um jardinzinho e um estábulo e duas cadeiras de madeira em um pomar florido, havia uma árvore enorme. Com uma porta. E janelas.

E a louca sentiu o coração saltar dentro do peito.

Ela está aqui, ela está aqui, ela está aqui.

Os pássaros deram um impulso para cima antes de mergulharem para o chão, carregando a louca, pousando-a tão cuidadosamente quanto uma mãe colocaria seu bebê no berço.

Ela está aqui.

A louca se levantou. Abriu a boca. Sentiu o coração agarrado no peito. Certamente ela dera um nome à filha. Devia ter dado.

Que filha?, sussurravam-lhe as Irmãs. *Ninguém sabe do que você está falando.*

Ninguém pegou sua bebê, diziam elas. *Você a perdeu. Você a colocou na floresta e a perdeu. Sua tola.*

Sua bebê morreu. Você não se lembra?

Que imaginação. Sua loucura está piorando.

Sua bebê era perigosa.

Você é perigosa.

Você nunca teve uma bebê.

A vida da qual você se lembra é só uma fantasia de sua mente febril.

Você sempre foi louca.

Só sua tristeza é real. A tristeza, a tristeza, a tristeza.

Ela sabia que a bebê era real. Assim como a casa na qual morara e o marido que a amara. O marido que agora tinha uma nova esposa e uma nova família. E um bebê diferente.

Nunca houve uma bebê.

Ninguém sabe quem você é.

Ninguém se lembra de você.

Ninguém sente sua falta.

Você não existe.

Todas as Irmãs eram venenosas e escorregadias e sibilantes. Suas vozes subiam pela espinha da louca e a feriam bem ao redor do pescoço. As mentiras apertavam com força. Mas as Irmãs só cumpriam ordens. Havia apenas uma mentirosa na Torre, e a louca sabia muito bem quem era.

A louca balançou a cabeça.

— Mentiras — disse em voz alta. — Ela só me contou mentiras.

Fora uma garota apaixonada. E uma esposa inteligente. E uma grávida. E uma mãe zangada. E uma mãe enlutada. E o luto a enlouqueceu mesmo. É claro que sim. Mas também a fez ver a verdade.

— Quanto tempo faz? — sussurrou.

Sua espinha se curvou, e ela levou os braços à barriga, como se segurasse a própria tristeza ali dentro. Um truque ineficaz. Foram necessários anos para aprender formas melhores de impedir a Devoradora de Tristeza.

Os pássaros de papel pairaram sobre sua cabeça com um farfalhar calmo das asas. Aguardavam ordens. Esperariam o dia todo. Ela sabia disso. Só não sabia como sabia.

— Tem... — Sua voz falhou. Estava enferrujada e rouca pela falta de uso. Pigarreou. — Tem alguém aqui?

Ninguém respondeu.

Tentou novamente.

— Eu não me lembro de meu nome. — Isso era verdade. A verdade, decidiu ela, era a única coisa que possuía. — Mas eu tive um nome. Há muito tempo. Estou procurando minha filha. Também não lembro seu nome. Mas ela existe. Meu nome existe também. Eu vivia com meu marido e minha filha antes de tudo dar errado. Ela foi tirada de mim. Foi tirada de mim por um homem mau. E mulheres más. E talvez também uma bruxa. Não tenho muita certeza em relação à Bruxa.

Mesmo assim, ninguém respondeu.

A louca olhou em volta. Os únicos sons eram o borbulhar do pântano e o farfalhar das asas de papel. A porta no meio da enorme árvore estava entreaberta. A louca atravessou o quintal. Os pés doíam. Estavam descalços e com a pele fina. Quando fora a última vez que tinham tocado na terra? Ela não conseguia se lembrar. Sua cela era pequena. As pedras lisas. Podia ir de um lado a outro com seis passos curtos. Quando era pequena, corria descalça sempre que podia. Mas aquilo tinha sido mil vidas atrás. Talvez tenha acontecido com outra pessoa.

Uma cabra começou a berrar. E outra. Uma era da cor de pão torrado, e outra, da cor de carvão. Olharam para a louca com seus olhos grandes e úmidos. Estavam com fome. E as tetas estavam cheias. Precisavam ser ordenhadas.

Já tinha ordenhado uma cabra, percebeu com um sobressalto. Muito tempo antes.

As galinhas cacarejaram no galinheiro, pressionando os bicos na cerca que as mantinha presas. Bateram as asas desesperadamente.

Também estavam com fome.

— Quem toma conta de vocês? — perguntou a louca. — E onde estão agora?

Ignorou o choro comovente dos animais e entrou pela porta.

Lá dentro havia um lar: arrumado e organizado e agradável. Tapetes no chão. Colchas no encosto das cadeiras. Havia duas camas erguidas até o teto por um conjunto inteligente de roldanas e cordas. Havia vestidos pendurados em cabides e capas em ganchos. Uma das camas tinha uma coleção de cajados apoiados abaixo do estrado. Havia geleia e muitas ervas, carne-seca coberta de temperos e sal. Um pedaço redondo de queijo em cima da mesa. Desenhos nas paredes — desenhos feitos a mão em madeira ou papel ou casca de árvore. Um dragão sobrevoando a cabeça de uma velha. Um monstro de aparência estranha. Uma montanha com a lua pairando por cima, como um pingente fora do pescoço. Uma torre com uma mulher de cabelo preto estendendo uma das mãos para um pássaro. "Ela está aqui", estava escrito na parte inferior.

Cada desenho estava assinado com uma letra infantil: "Luna."

— *Luna* — sussurrou a louca. — *Luna, Luna, Luna.*

Cada vez que repetia o nome, sentia algo se encaixar dentro de si. Sentiu o coração bater. E bater. E bater. Ofegou.

— Minha filha se chama Luna — sussurrou ela. Sabia no fundo do coração que era verdade.

As camas estavam frias. O forno estava frio. Não havia sapatos no tapete perto da porta. Não tinha ninguém em casa. O que significava que Luna e quem quer que morasse com ela naquela casa não estavam ali. Estavam na floresta. E havia uma bruxa na floresta.

32

E Luna encontra um pássaro de papel. Vários deles, na verdade

Quando Luna recobrou a consciência, o sol já ia alto no céu. Estava deitada em algo muito macio, tanto que achou que estivesse na própria cama. Abriu os olhos e viu o céu cortado pelos galhos das árvores. Apertou os olhos, estremeceu, levantou-se. Observou onde estava.

— *Crau* — ofegou o corvo. — Ainda bem que acordou.

Primeiro, Luna avaliou o próprio corpo. Tinha um arranhão no rosto, mas não parecia particularmente profundo, e um galo na cabeça, que doía quando o tocava. Havia sangue seco no cabelo. O vestido estava rasgado na parte de baixo e nos dois cotovelos. Além disso, nada parecia particularmente *quebrado,* o que, por si só, era extraordinário.

Ainda mais extraordinário era o fato de estar deitada sobre um afloramento de cogumelos enormes na margem de um riacho. Luna nunca vira cogumelos tão grandes. Nem tão confortáveis. Eles não apenas tinham aparado sua queda como evitaram que ela caísse no riacho e provavelmente se afogasse.

— *Crau* — grasnou o corvo. — Vamos voltar para casa.

— Espere um minuto — pediu Luna, irritada.

Pegou o diário na bolsa e o abriu na página do mapa. Sua casa estava marcada. Córregos e morros e subidas rochosas estavam marcadas. Lugares perigosos. Antigas cidades que agora eram ruínas. Penhascos. Passagens. Cachoeiras. Gêiseres. Lugares que não se podia cruzar. E ali, no canto inferior.

"Cogumelos", dizia o mapa.

— Cogumelos? — perguntou Luna em voz alta.

— *Crau* — disse o corvo. — Do que você está falando?

Os cogumelos em seu mapa ficavam ao lado de um riacho. Não estava na rota, mas a levaria a um lugar que ela poderia atravessar em segurança por um caminho mais estável. Talvez.

— *Crau* — choramingou o corvo. — *Por favor,* vamos voltar para casa.

Luna negou com a cabeça e disse:

— Não. Minha avó precisa de mim. Sinto isso nos ossos. E não vamos sair desta floresta sem ela.

Fazendo uma careta, ficou de pé, devolveu o caderno à bolsa e esforçou-se para não mancar.

A cada passo, seus ferimentos doíam um pouco menos e sua mente clareava um pouco mais. A cada passo, seus ossos pareciam mais fortes e menos machucados, e até mesmo o sangue seco no cabelo pareceu ficar menos pesado, grudento e duro. Logo, ela passou a mão pelos fios, e o sangue tinha desaparecido. O galo na cabeça também. Até mesmo o corte no rosto e os rasgos no vestido pareciam ter se fechado sozinhos.

Estranho, pensou Luna. Ela não se virou, não notou que as pegadas que deixava tinham se transformado, cada uma delas, em um jardim florido, as florezinhas balançando ao vento, com botões coloridos virados em direção à menina que desaparecia pelo caminho.

* * *

Uma andorinha voando é graciosa, ágil e precisa. Ela pousa, ela gira, ela mergulha, ela saltita. É uma dançarina, uma música, uma flecha.

Em geral.

Aquela andorinha cambaleava de árvore em árvore. Nada de arabescos. Nada de ganhar velocidade. Seu peito perdia penas aos montes. Seus olhos estavam opacos. Bateu no tronco de um amieiro e, depois, no galho de um pinheiro. Ficou ali por um instante, recuperando o fôlego. Abriu as asas em direção ao céu.

Havia algo que deveria estar fazendo. *O que era mesmo?*

A andorinha se levantou e se agarrou às pontas verdes do galho de pinheiro. Contraiu as penas, formando uma bolinha, e se esforçou para olhar a floresta.

O mundo estava embaçado. *Será que sempre tinha sido embaçado assim?* A andorinha olhou para as patas enrugadas, estreitando os olhos.

Estas sempre foram minhas patas? Deviam ter sido. Mesmo assim, a andorinha não conseguia se livrar da vaga noção de que talvez não fossem. Parecia que ela deveria estar em algum outro lugar. Deveria estar fazendo alguma outra coisa. Alguma coisa importante. Conseguia sentir o coração batendo depressa, depois batendo perigosamente devagar, depois acelerando de novo, como um terremoto.

Estou morrendo, pensou a andorinha, sabendo com certeza que era verdade. *Não neste segundo, é claro, mas parece que estou morrendo.* Conseguia sentir as próprias reservas vitais. E aquelas reservas começavam a se extinguir. *Bem, não importa. Sinto-me confiante de que tive uma vida boa. Só gostaria de conseguir me lembrar.*

Fechou o bico com força e coçou a cabeça com as asas, tentando forçar a lembrança. *Não deveria ser tão difícil assim lembrar quem se é,* pensou o pássaro. Até mesmo um tolo deveria ser capaz disso. E, enquanto a andorinha forçava a cabeça, ouviu uma voz vindo da trilha.

— Meu querido Fyrian — disse a voz. — Pelas minhas contas, você passou a última hora falando sem parar. Na verdade, estou chocado de você nem ter sentido necessidade de tomar fôlego.

— Eu posso prender minha respiração por muito tempo, sabe? — respondeu a outra voz. — Faz parte de ser Simplesmente Enorme.

A primeira voz ficou em silêncio por um instante.

— Tem certeza? — Outro silêncio. — Porque essa habilidade nunca foi listada em nenhum texto sobre a fisiologia dos dragões. É possível que alguém tenha lhe contado isso só para enganá-lo.

— Quem poderia querer me enganar? — perguntou a segunda voz, com olhos arregalados e um tom ofegante de dúvida. — Nunca ninguém me disse nada que não fosse verdade. Na minha vida inteira. Não é mesmo?

A primeira voz soltou um resmungo, e o silêncio voltou a reinar.

A andorinha conhecia aquelas vozes. Voou para mais perto, a fim de dar uma boa olhada.

A segunda voz sumiu e voltou, passando por cima das costas do dono da primeira voz. A primeira voz tinha muitos braços e uma longa cauda e um cabeção grande e largo. Caminhava lentamente, como um plátano enorme. Uma árvore que se movia. A andorinha se aproximou mais. A grande criatura-árvore com muitos braços parou. Olhou ao redor. Franziu o cenho.

— Xan? — chamou.

A andorinha ficou paradinha. Conhecia aquele nome. Conhecia aquela voz. *Mas como?* Não conseguia se lembrar.

A segunda voz voltou.

— Existem coisas na floresta, Glerk. Encontrei uma chaminé e um muro. E uma casinha. Era uma casa, mas agora tem uma árvore nela.

A primeira voz não respondeu logo de cara. Balançou a cabeça de um lado para o outro. A andorinha mal respirava, escondida atrás de algumas folhas.

Por fim, a primeira voz suspirou.

— Você talvez tenha visto uma das aldeias abandonadas. Há muitas neste lado da floresta. Depois da última erupção, as pessoas fugiram e foram recebidas no Protetorado. Foi lá que os magos as reuniram. Aqueles que restaram, quero dizer. Eu nunca soube o que aconteceu depois. Eles não puderam voltar para a floresta, é claro. É muito perigoso.

A criatura balançou o cabeção de um lado para o outro.

— Xan passou por aqui — disse ele. — Muito recentemente.

— Luna está com ela? — perguntou a segunda voz. — Seria mais seguro se estivesse. Luna não sabe voar, sabe? E não é invulnerável ao fogo como os Dragões Simplesmente Enormes. Isso é um fato bem conhecido.

A primeira voz gemeu.

E, de repente, Xan sabia quem era.

Glerk, pensou ela. *Na floresta. Longe do pântano.*

Luna. Sozinha.

E havia o bebê. Prestes a ser abandonado. Preciso salvá-lo, e por que estou perdendo tempo aqui?

Minha nossa, o que foi que eu fiz?

E Xan, a andorinha, saiu do arbusto e voou sobre as árvores, batendo as asas velhas o melhor que podia.

* * *

O corvo estava cheio de preocupação. Luna conseguia perceber.

— *Crau* — disse ele, querendo dizer: — Acho que a gente deveria voltar para casa.

— *Crau* — repetiu ele, e Luna entendeu: — Tenha cuidado. Além disso, você sabe que aquela pedra está pegando fogo.

E estava mesmo. Na verdade, era um afloramento inteiro de rochas, curvando-se profundamente na floresta verde e úmida, brilhando como um rio de brasas. Ou talvez *fosse* um rio de brasas. Luna olhou o mapa. "Rio de brasas", informava o mapa.

— Ah — disse Luna, tentando achar um caminho para contorná-lo.

Esse lado da floresta era bem mais furioso que a parte pela qual costumava viajar.

— *Crau* — grasnou o corvo. Mas Luna não sabia o que ele queria dizer.

— Fale de forma clara — pediu ela.

Mas o corvo não a atendeu. Voou, girando para cima, empoleirou-se depressa no galho mais alto de um enorme pinheiro. Grasnou. Voou, girando para baixo. Para cima e para baixo e para cima e para baixo. Luna ficou tonta.

— O que você está vendo? — perguntou ela. Mas o corvo não respondia.

— *Crau* — disse o corvo, voando de volta para o topo das árvores.

— O que foi que deu em você? — perguntou Luna. O corvo não disse nada.

O mapa indicava "Aldeia", a qual deveria ser visível do outro lado do próximo morro. Como é que alguém poderia realmente ter morado na floresta?

Luna atravessou o morro, prestando atenção por onde andava, conforme a orientação do mapa.

Seu mapa.

Que ela havia feito.

Como?

Não fazia a menor ideia.

— *Crau* — disse o corvo, querendo dizer: — Tem algo se aproximando.

O que poderia estar se aproximando? Luna espiou pela vegetação.

Conseguia ver a aldeia, aninhada no vale. Era uma ruína. Os restos de uma construção central e um poço e o esqueleto da fundação de várias casas, como dentes quebrados em quadrados organizados. Árvores e arbustos cresciam onde as pessoas costumavam morar.

Luna contornou o lamaçal e seguiu as pedras até a área da antiga aldeia. A construção central era uma torre baixa e redonda, com janelas curvas voltadas para fora, como olhos. A parte de trás tinha desmoronado e o telhado cedera. Mas havia entalhes na pedra. Luna chegou mais perto e colocou a mão no painel mais próximo.

Dragões. Havia dragões na rocha. Dragões grandes, dragões pequenos, dragões de porte médio. Havia pessoas com penas nas mãos e pessoas com estrelas nas mãos e pessoas com marcas de nascença na testa, que pareciam luas crescentes. Luna pressionou os dedos na própria testa. Ela possuía a mesma marca.

Havia entalhes de uma montanha, e um entalhe de uma montanha sem o topo e com fumaça saindo de dentro, como uma nuvem, e um entalhe de uma montanha com um dragão se jogando na cratera.

O que aquilo significava?

— *Crau* — grasnou o corvo, querendo dizer: — Está quase aqui.

— Espere um minuto — pediu Luna.

Ouviu um som como o farfalhar de papel.

E um grito alto e agudo.

Olhou para cima. O corvo se apressou em sua direção, voando rapidamente com suas penas pretas e seu grasnado de pânico. Parou, voltou e se acomodou nos braços de Luna, aninhando a cabeça bem na dobra do cotovelo da menina.

O céu de repente ficou cheio de pássaros de todos os tamanhos e feitios. Estavam unidos em uma grande revoada, expandindo-se e contraindo-se, fazendo curvas para um lado e para o outro. Gritavam e grasnavam e giravam em grandes nuvens antes de descer na aldeia em ruínas, crocitando e circulando ao se aproximarem.

Mas não eram pássaros de verdade. Eram feitos de papel. Viraram os rostos sem olhos em direção à menina no chão.

— Magia — sussurrou Luna. — É isso que a magia faz.

E, pela primeira vez, ela entendeu.

33

E a Bruxa encontra um velho conhecido

Quando Xan era criança, morava em uma aldeia na floresta. Seu pai, até onde conseguia se lembrar, era um escultor. Principalmente de colheres. Animais também. Sua mãe colhia flores de vinhas trepadeiras específicas, extraía a seiva e a combinava com mel que tirava das colmeias selvagens das árvores mais altas. Ela subia até o alto, ágil como uma aranha, depois descia o mel em cestos presos a cordas para Xan recolher. Xan não tinha permissão para provar. Em tese. Ela provava mesmo assim. E a mãe descia e beijava a boquinha melada da filha.

Era uma coisa de que se recordava com dor no coração. Os pais eram pessoas habilidosas. Destemidas. Não conseguia se lembrar de seus rostos, mas se lembrava de como se sentia perto deles. Lembrava-se do cheiro de seiva bruta, de serragem e pólen. Dos dedos grandes que envolviam seu ombrinho e do hálito da mãe quando pousava um beijo na cabeça de Xan. Então, ela morreu. Ou desapareceu. Ou não a amavam e foram embora. Xan não fazia a menor ideia.

Os sábios disseram que a encontraram na floresta completamente sozinha.

Ou um dos sábios a encontrou. A mulher com a voz afiada como um caco de vidro. E o coração de um tigre. Foi ela que levou Xan ao castelo, tantos anos antes.

Xan descansou a asa em uma reentrância de uma árvore alta. Nesse ritmo, levaria uma eternidade para chegar ao Protetorado. No que estava *pensando?* Um albatroz teria sido uma escolha melhor. Só teria precisado abrir as asas e o vento cuidaria do resto.

— Não importa agora — piou ela, com a voz de pássaro. — Vou chegar lá da melhor forma possível. Então, voltarei para minha Luna e estarei lá quando a magia se abrir. Vou lhe mostrar como usá-la. Quem sabe? Talvez eu esteja errada. Talvez sua magia nunca volte. Talvez eu não morra. Talvez aconteça um monte de coisas.

Serviu-se de uma porção de formigas que saíam da árvore em busca de algo doce. Não era muito, mas apaziguou um pouco a fome. Armando as penas para se aquecer, Xan fechou os olhos e adormeceu.

A lua se ergueu, pesada e redonda como uma fruta madura sobre as árvores. Iluminou Xan, acordando-a.

— Obrigada — sussurrou ela, sentindo a luz do luar afundar nos ossos, aliviando suas juntas e suas dores.

— Quem está aí? — perguntou uma voz. — Estou avisando! Eu estou armado!

Xan não conseguiu evitar. A voz soava tão amedrontada. Tão perdida. Não conseguiu evitar. E lá estava ela, totalmente acordada pela luz do luar. Se ela parasse apenas por um instante, conseguiria juntar um pouco da luz do luar em suas asas e tomar até se satisfazer. Não *ficaria* satisfeita por muito tempo, é claro. Estava porosa demais para tanto. Mas ela se sentia maravilhosa *por ora*. E lá embaixo havia uma pessoa que se movia rápido de um lado para o outro. Curvava os ombros, olhava para a direita e para a esquerda. Estava aterrorizado. E a luz do luar cresceu dentro de Xan. Tornou-a compassiva. Xan saiu do esconderijo e voou em círculos em volta da figura. Um jovem. Ele gritou, atirou a pedra que segurava e acertou a asa esquerda de Xan, que caiu no chão sem dar um pio.

* * *

Antain, percebendo que, ao contrário do que suspeitara, aquela não era uma Bruxa assustadora voando em sua direção (possivelmente montada em um dragão e segurando um cajado em chamas), e sim um passarinho marrom que devia só estar atrás de um pouco de alimento, sentiu-se imediatamente envergonhado. Assim que lançou a pedra, desejou que pudesse pegá-la de volta. Apesar de toda a sua bravata no Conselho, ele nunca tinha sequer quebrado o pescoço de uma galinha para preparar um bom jantar. Não tinha certeza se *conseguiria* matar a Bruxa.

(*A Bruxa vai pegar meu filho,* repreendeu-se. Mesmo assim. Tirar uma vida. A cada instante que passava, sentia a determinação fraquejar.)

O passarinho caiu diante de seus pés. Não emitiu som algum. Mal respirava. Antain achou que estava morto. Engoliu um soluço.

Então — milagre! —, o peito do passarinho subiu e desceu e subiu de novo e desceu. A asa estava em um ângulo estranho. Quebrada. Com certeza.

Antain se ajoelhou.

— Desculpe — sussurrou ele. — Oh, desculpe mesmo.

Pegou o passarinho nas mãos. Não parecia nada saudável. Como poderia ser diferente, vivendo em uma floresta amaldiçoada? Metade da água era envenenada. A Bruxa. Tudo voltava a ela. Amaldiçoado fosse seu nome para sempre. Trouxe o pássaro até o peito, tentando aquecê-lo com o calor do próprio corpo.

— Desculpe — repetiu.

O passarinho abriu os olhos. Uma andorinha, percebeu Antain. Ethyne amava andorinhas. Só de pensar na esposa, o coração se partia ao meio. Como sentia saudades! Como sentia saudades do filho! O que não seria capaz de fazer para revê-los!

O pássaro lhe lançou um olhar duro. Espirrou. Antain não podia culpá-lo.

— Desculpe pela asa. E, minha nossa, não tenho habilidades para curá-la. Mas minha esposa, Ethyne, tem. — A voz falhou ao dizer o nome da amada. — Ela é inteligente e bondosa. As pessoas levam animais feridos para ela o tempo todo. Ela poderá ajudar você. Tenho certeza.

Amarrou a parte de cima do casaco e fez uma pequena bolsa, colocando o pássaro em segurança ali dentro. *Ele não está nada satisfeito comigo,* pensou Antain. Para não deixar dúvidas, o pássaro bicou seu dedo indicador quando ele o deixou muito perto. A ponta do dedo começou a sangrar.

Uma mariposa noturna passou pelo rosto de Antain, provavelmente atraída pela luz do luar brilhando em sua pele. Pensando rápido, ele a agarrou e a ofereceu ao pássaro.

— Aqui — disse ele. — Para mostrar que não lhe desejo nenhum mal.

O pássaro lhe lançou outro olhar duro. Depois, relutante, pegou a mariposa e, com três bicadas, a engoliu.

— Viu, só? — Antain olhou para a lua, então para seu mapa. — Venha. Só quero chegar até o alto daquele morro antes de parar e descansar.

E Antain e a Bruxa entraram mais fundo na floresta.

* * *

Irmã Ignatia sentia que enfraquecia a cada minuto que passava. Tinha se esforçado para engolir o máximo de tristeza possível — não conseguia acreditar no tanto de tristeza que pairava sobre a cidade! Nuvens grandes e deliciosas desse sentimento, como uma névoa persistente. Ela realmente se superara. Percebia agora que nunca havia expressado a admiração que sentia por si mesma por tal feito. Uma cidade inteira transformada em um poço de tristeza genuína. Uma taça sempre cheia. Todinha para si. Ninguém na história das Sete Eras jamais conseguira essa proteza. Escreveriam músicas para ela. Livros, no mínimo.

Agora, porém, depois de dois dias sem acesso à tristeza, já estava fraca e cansada. Trêmula. Suas fontes de magia se esvaíam a cada segundo. Precisava encontrar aquele garoto. E rápido.

Parou e se ajoelhou diante de um pequeno riacho, observando a floresta ao redor, buscando sinais de vida. Havia peixe na água, mas o peixe estava acostumado com seu lugar na vida e, normalmente, não sentia tristeza. Havia um ninho de estorninhos acima, os ovos não tinham sido chocados nem dois dias antes. Poderia esmagar os filhotes, um por um, e se alimentar da tristeza da mãe — é claro que poderia. Mas a tristeza dos pássaros não é tão potente quanto a de um mamífero. Só que não havia nenhum mamífero a quilômetros de distância. Irmã Ignatia suspirou. Juntou o que precisava para fazer um dispositivo provisório de cristalomancia: um pouco de vidro vulcânico no bolso, os ossos de um coelho morto recentemente e um cadarço extra porque era sempre útil ter as coisas mais úteis a mão, e não havia nada mais útil que um cadarço de sapato. Não conseguiu construir com o mesmo nível de detalhes dos dispositivos mecânicos de cristalomancia que tinha na Torre, mas não era muito o que procurava.

Não conseguia enxergar Antain. Tinha uma ideia de onde ele estava e tinha quase certeza de ver um borrão onde achava que ele talvez estivesse, mas havia algo bloqueando sua visão.

— Magia? — murmurou ela. — Decerto que não.

Todos os encantadores da Terra — pelo menos todos que sabiam o que estavam fazendo — tinham perecido havia quinhentos anos, quando o vulcão entrara em erupção. Ou quase entrara. Eles foram uns tolos de enviá-la com suas Botas de Sete Léguas para resgatar as pessoas das aldeias da floresta. Oh, ela certamente fez isso. Juntou todos em segurança no Protetorado. E suas tristezas infinitas foram reunidas em um só lugar. Tudo de acordo com o plano.

Lambeu os lábios. Estava com tanta *fome.* Precisava analisar as cercanias.

A Irmã Superiora levou o dispositivo de cristalomancia até o olho direito e observou o restante da floresta. Outro borrão. *Qual era o problema daquela coisa?,* perguntou-se. Apertou mais os nós. Ainda um borrão. Era a fome. Até mesmo os feitiços mais básicos eram difíceis quando não se está com força total.

Irmã Ignatia olhou para o ninho de estorninhos.

Olhou para a montanha. Então arquejou.

— Não! — gritou ela. Olhou de novo. — Como é que você ainda está vivo, sua coisa medonha?

Esfregou os olhos e olhou uma terceira vez.

— Achei que eu o tivesse matado, Glerk — sussurrou ela. — Bem, acho que vou ter que tentar de novo. Criatura desagradável. Você quase me derrotou uma vez. E não vou permitir que isso se repita.

Primeiro, pensou ela, *um lanchinho.* Enfiou o dispositivo de cristalomancia no bolso e subiu na árvore com o ninho de estorninhos. Pegou um filhotinho e o esmagou entre os dedos enquanto a mãe a olhava horrorizada. A tristeza da passarinha era rala, mas bastou. Irmã Ignatia lambeu os beiços e esmagou outro filhote.

Agora, pensou ela, *preciso me lembrar de onde escondi as Botas de Sete Léguas.*

34

E Luna encontra uma mulher na floresta

Os pássaros de papel empoleiraram-se nas árvores, nas pedras e nos restos de chaminés e paredes de prédios antigos. Não faziam nenhum som além do farfalhar e do estalar das dobras do papel. Aquietaram os corpos e se voltaram para a menina. Não tinham olhos, mas Luna podia sentir que a observavam.

— Olá — cumprimentou ela, porque não sabia mais o que dizer.

Os pássaros de papel não responderam. O corvo, por outro lado, não conseguia ficar em silêncio. Voou para o alto até um grupo reunido em um galho de um velho carvalho, grasnando o tempo todo.

— *Crau, crau, crau, crau* — berrou o corvo.

— Quieto — repreendeu-o Luna. Seus olhos estavam fixos nos pássaros de papel. Eles viravam a cabeça juntos, primeiro apontando os bicos para a menina, depois para o corvo enlouquecido, então de novo para a menina.

— *Crau* — disse o corvo. — Estou com medo.

— Eu também — comentou Luna, enquanto observa os pássaros. Eles a encararam, reuniram-se de novo, pairando sobre ela, como uma grande nuvem ondulante antes de voltar aos galhos do carvalho.

Eles me conhecem, pensou Luna.

Como eles me conhecem?

Os pássaros, o mapa, a mulher em meus sonhos. Ela está aqui, ela está aqui, ela está aqui.

Era coisa demais para pensar. O mundo tinha muito a ensinar, e a mente de Luna estava cheia. Sentiu uma dor de cabeça bem no meio da testa.

Os pássaros de papel a encaravam.

— O que vocês querem de mim? — exigiu Luna.

Os pássaros de papel relaxaram nos galhos. Havia muitos a contar. Estavam esperando. Mas o quê?

— *Crau* — disse o corvo. — Quem se importa com o que eles querem? Pássaros de papel são assustadores.

Eram mesmo assustadores. Mas também bonitos e estranhos. Estavam procurando alguma coisa. Queriam lhe dizer alguma coisa.

Luna se sentou no chão. Manteve os olhos nos pássaros. Deixou o corvo se aninhar em seu colo. Fechou os olhos e pegou o caderno e um lápis. Certa vez, deixara a mente vagar enquanto pensava na mulher de seus sonhos. Foi assim que acabara desenhando um mapa. E o mapa estava *correto*. Ou pelo menos estava correto até agora. "Ela está aqui, ela está aqui, ela está aqui", dizia o mapa, e Luna só podia supor que estivesse dizendo a verdade. Agora, contudo, precisava fazer outra coisa acontecer. Precisava descobrir onde a avó estava.

— *Crau* — grasnou o corvo.

— Quieto — pediu Luna sem abrir os olhos. — Estou tentando me concentrar.

Os pássaros de papel a observavam. Ela conseguia lhes sentir o olhar. Sua mão se moveu no papel. Tentou manter a mente focada no rosto da avó. No toque de sua mão. No cheiro da pele. Luna sentiu o aperto da preocupação no coração; duas lágrimas escorreram por seu rosto e caíram no papel.

— *Crau* — disse o corvo, querendo dizer: — Pássaro.

Luna abriu os olhos. O corvo tinha razão. Ela não havia desenhado a avó, e, sim, um pássaro idiota, pousado na palma da mão de um homem.

— Bem, mas o que é isso? — resmungou Luna, o coração afundando no peito.

Como poderia encontrar a avó? Como?

— *Crau* — grasnou o corvo. — Tigre.

Luna se levantou, mantendo os joelhos dobrados, bem agachada.

— Fique perto — sussurrou ela para o corvo. Queria que os pássaros fossem feitos de algo mais substancial que papel. Pedras, talvez. Ou aço afiado.

— Bem — disse uma voz. — O que temos aqui?

— *Crau* — repetiu o corvo. — Tigre.

Não era um tigre. Era uma mulher.

Mas por que, então, estou com tanto medo?

* * *

Ethyne se levantou com a chegada do Grão-Ancião, ladeado por duas Irmãs da Estrela fortemente armadas. Ela não aparentava medo algum. Chegava a ser irritante, na verdade. O Grão-Ancião uniu as sobrancelhas de um jeito que assumiu ser imponente. Não surtiu o menor efeito. Para piorar ainda mais a situação, parecia que ela não apenas conhecia as duas soldadas que o acompanhavam — tanto a da esquerda quanto a da direita — como também era *amiga* delas. Iluminou-se diante da chegada das soldadas, e elas lhe sorriram.

— Lillienz! — exclamou Ethyne, sorrindo para a soldada à esquerda. — E minha querida e amada Mae — completou, jogando um beijo para a soldada à direita.

Aquela não era a entrada que o Grão-Ancião esperava. Pigarreou. As mulheres no recinto pareceram não notar sua presença. Era exasperador.

— Bem-vindo, tio Gherland — cumprimentou Ethyne, com uma leve mesura. — Eu estava esquentando um pouco de água e tenho menta fresca da horta. O senhor aceita um chá?

O Grão-Ancião franziu o nariz.

— A maioria das donas de casa, senhora — comentou ele, com um tom ácido —, não perderia tempo com plantação de ervas quando há tantas bocas para alimentar e vizinhos para cuidar. Por que não plantar algo mais substancial?

Ethyne se movia pela cozinha, serena e tranquila. O bebê estava preso a seu corpo por uma amarração de um tecido bonito que, sem dúvida, ela mesmo bordara. Tudo na casa era inteligente e bonito, feito com habilidade, criatividade e perspicácia. Gherland já tinha visto essa combinação antes, e não gostava nem um pouco. Ethyne serviu água com folhas de menta em duas xícaras feitas a mão, e a adoçou com mel de sua apicultura. Abelhas e flores e até mesmo pássaros cantando cercavam a casa. Gherland se remexeu, desconfortável. Pegou sua xícara de chá e agradeceu à anfitriã, embora tivesse certeza de que iria detestar. Tomou um gole. O chá, percebeu ele, rabugento, era a coisa mais deliciosa que já bebera na vida.

— Ah, tio Gherland — suspirou Ethyne feliz, inclinando-se para beijar a cabeça do bebê no *sling*. — Decerto o senhor sabe que uma horta produtiva precisa ser bem equilibrada. Existem plantas que comem o solo e plantas que alimentam o solo. Nós cultivamos mais do que podemos comer, é claro, e grande parte é doada. Como o senhor bem sabe, seu sobrinho está sempre disposto a ajudar os outros.

Se a menção ao marido a fez sofrer de alguma forma, não demonstrou. A menina parecia incapaz de sentir tristeza. Tola. Na verdade, parecia brilhar de orgulho. Gherland estava perplexo. Esforçou-se ao máximo para se controlar.

— Como sabe, filha, o Dia do Sacrifício está se aproximando. — Esperou que ela empalidecesse com a declaração. Enganou-se.

— Eu sei, tio — disse ela, beijando o menino de novo.

Ela ergueu o olhar e o encarou com uma expressão tão segura de sua igualdade em relação ao Grão-Ancião que ele se viu sem palavras diante de tamanha insolência.

— Querido tio — prosseguiu Ethyne, com gentileza. — Por que o senhor está *aqui*? É claro que é sempre bem-vindo em minha casa, e é claro que é sempre um prazer para mim e para meu marido vê-lo. Mas, em geral, é a Irmã Superiora que vem intimidar as famílias da criança condenada. Esperei por ela o dia todo.

— Bem — respondeu Gherland. — A Irmã Superiora está indisponível. Por isso vim em seu lugar.

Ethyne lançou um olhar cortante para o velho.

— O que o senhor quer dizer com "indisponível"? Onde está a Irmã Ignatia?

O Grão-Ancião pigarreou. As pessoas não costumavam questioná-lo. Na verdade, as pessoas não questionavam muita coisa no Protetorado; aquele era um povo que aceitava a vida tal como era, tal como deveria ser. Aquela jovem... aquela *criança... Bem,* pensou Gherland. *Só posso esperar que ela enlouqueça como aquela outra há tanto tempo.* Acabar trancada na Torre era preferível a questionamentos insolentes nos jantares de família, com toda a certeza. Pigarreou novamente.

— A Irmã Inagtia viajou — respondeu ele devagar. — A negócios.

— Que tipo de negócios? — perguntou a menina, estreitando o olhar.

— Negócios particulares, imagino — respondeu Gherland.

Ethyne se levantou e se aproximou das duas soldadas. Tinham sido treinadas, é claro, para não olhar nos olhos dos cidadãos e, em vez disso, manter o olhar impassível e focado além das pessoas. Deveriam ter olhar de pedra e sentimentos de pedra. Essa era a marca de um bom soldado, e *todas* as Irmãs eram boas soldadas. Mas *aquelas* duas começaram a corar com a aproximação da jovem. Baixaram o olhar para o chão.

— *Ethyne* — sussurrou uma delas. — *Não.*

— Mae — disse Ethyne. — Olhe para mim. Você também Lillienz.

Gherland ficou boquiaberto. Nunca vira nada igual em toda a vida. Ethyne era menor que as duas soldadas e, ainda assim, parecia se agigantar diante delas.

— B-bem — gaguejou ele. — Preciso objetar...

Ethyne o ignorou.

— O tigre está à espreita?

As soldadas ficaram em silêncio.

— Sinto que estamos mudando de assunto — começou Gherland.

Ethyne ergueu uma das mãos, silenciando o tio do marido. E ele estava, notadamente, em *silêncio*. Não conseguia acreditar.

— À noite, Mae — continuou a jovem. — Responda... o tigre espreita?

A soldada pressionou os lábios, como se estivesse obrigando as palavras a ficarem dentro da boca. Fez uma careta.

— Mas do que você está falando? — explodiu Gherland. — Tigres? Já não está velha demais para brincadeiras infantis?

— *Silêncio* — ordenou Ethyne. E, uma vez mais, incompreensivelmente, Gherland ficou em silêncio. Estava surpreso.

A outra soldada mordeu o lábio, hesitou por um momento. Inclinou-se em direção a Ethyne.

— Bem, eu nunca pensei muito no assunto, não como você pensava, mas sim. Patas não circulam pelos corredores da Torre. Nada rosna. Não por dias. Todas nós... — A soldada fechou os olhos. — ... estamos dormindo bem. Pela primeira vez em anos.

Ethyne colocou os braços em volta do bebê no *sling*. O menino suspirou, mergulhado em seus sonhos.

— Então a Irmã Ignatia não está na Torre. Não está no Protetorado, ou eu saberia. Ela deve estar na floresta. Sem dúvida com a intenção de matá-lo — murmurou Ethyne.

Caminhou até Gherland. Apertou os olhos. Tudo na casa era tão brilhante. Embora o resto da cidade estivesse afundado na névoa, aquela casa era banhada com luz. Luz solar entrava pelas janelas.

As superfícies brilhavam. Até mesmo Ethyne parecia brilhar como uma estrela furiosa.

— Minha querida...

— *VOCÊ.* — A voz de Ethyne era uma mistura de grito e um sibilar.

— O que quero dizer... — começou Gherland, sentindo-se retorcer e queimar como papel.

— *VOCÊ MANDOU MEU MARIDO À FLORESTA PARA MORRER.* — Seus olhos estavam em chamas. Seu cabelo estava em chamas. Até mesmo sua pele estava em chamas. Gherland sentiu as pestanas chamuscarem.

— O quê? Oh. Que tolice para se dizer. Eu...

— *SEU PRÓPRIO SOBRINHO.* — Ela cuspiu no chão. Um gesto tão desagradável, mas que parecia estranhamente adorável vindo dela. E Gherland, pela primeira vez na vida, sentiu-se envergonhado. — *VOCÊ ENVIOU UMA ASSASSINA ATRÁS DELE. DO PRIMEIRO FILHO DE SUA ÚNICA IRMÃ E SUA MELHOR AMIGA.* Oh, tio, como o senhor pôde fazer uma coisa dessas? *Como pôde?*

— Não é nada disso que está pensando, minha querida. Por favor. Sente-se. Você é da família. Vamos conversar... — Mas Gherland se sentiu encolher por dentro. Sua alma sucumbiu em mil pedaços.

Ela passou por ele e se dirigiu às soldadas.

— Senhoras — começou Ethyne. — Se uma de vocês já teve qualquer afeição ou respeito por mim, por menor que fosse, preciso humildemente pedir sua ajuda. Tenho coisas que devo fazer antes do Dia do Sacrifício, o qual, como todos sabemos... — Ela lançou um olhar venenoso para Gherland — ... não espera por ninguém. — Deixou a frase pairar no ar por um tempo. — Acho que preciso visitar minhas antigas Irmãs. O gato saiu da toca. E as ratinhas devem brincar. Afinal, há muitas coisas que um rato pode fazer.

— Oh, Ethyne — disse a Irmã chamada Mae, dando os braços para a jovem mãe. — Como senti *saudade de você.* — E as duas mulheres saíram, de braços dados, com a outra soldada hesitando e lançando olhares para o Ancião antes de correr atrás delas.

— Devo dizer — começou o Grão-Ancião — que isso é altamente... — Ele olhou em volta. — O que quero dizer é que existem regras, sabe? — Ele se levantou e fez uma expressão altiva para ninguém. — *Regras.*

* * *

Os pássaros de papel não se moveram. O corvo não se moveu. Luna também não se moveu.

A mulher, porém, se aproximou rápido. Luna não sabia precisar sua idade. Em um instante, parecia muito jovem. No outro, incrivelmente velha.

A menina não disse nada. Os olhos da mulher se levantaram para os pássaros nos galhos e se estreitaram.

— Já vi esse truque antes — disse ela. — Foi você que fez?

A mulher voltou o olhar para Luna, que sentiu como se fosse partir ao meio. Gritou de dor.

A mulher abriu um sorriso amplo.

— Não — concluiu ela. — Não é sua magia.

A palavra, dita em voz alta, fez a cabeça de Luna parecer que explodiria. A menina pressionou as duas mãos na testa.

— Dor? — disse a mulher. — É uma coisa triste, não acha?

Havia uma nota estranha e esperançosa na voz da mulher. Luna continuou agachada no chão.

— Não — respondeu a menina, a voz firme e pronta, como um conjunto de molas. — Não é triste. Só irritante.

O sorriso da mulher virou uma careta. Olhou de novo para os pássaros de papel.

— Eles são adoráveis — elogiou. — Esses pássaros são seus? Foram um presente?

Luna deu de ombros.

A mulher inclinou a cabeça para o lado.

— Veja só como eles estão ligados a você, esperando que fale. Mesmo assim. Não são sua magia.

— Nada é minha magia — respondeu Luna. Os pássaros atrás da menina agitaram as asas. Luna teria se virado para olhar, mas assim quebraria o contato visual com a estranha, e algo lhe dizia que não devia fazer isso. — Não tenho nenhuma magia. Por que teria?

A mulher riu, e não foi uma risada agradável.

— Ah, eu não diria isso, tolinha — retrucou a mulher. Luna decidiu odiá-la. — Eu diria que muitas coisas são de sua magia. E mais coisas estão por vir, se não me engano. Embora pareça que alguém tentou esconder sua magia de você. — Ela se inclinou para a frente e apertou os olhos. — Interessante esse feitiço. Eu o reconheço. Mas, minha nossa, já faz *anos*.

Os pássaros de papel, como se tivessem recebido um sinal, alçaram voo, e uma profusão de asas farfalhou perto da menina. Mantiveram os bicos voltados para a estranha, e Luna sentiu que eles tinham, de alguma forma, ficado mais duros, mais afiados e mais perigosos. A mulher teve um pequeno sobressalto e recuou um ou dois passos.

— *Crau* — disse o corvo. — Continue andando

As pedras sob as mãos de Luna começaram a trepidar e vibrar. Pareciam fazer o próprio ar tremer. Até mesmo o chão balançou.

— Eu não confiaria neles se fosse você. Eles são conhecidos por atacar — disse a mulher.

Luna lançou um olhar de dúvida para a mulher, que retrucou:

— Ah, você não acredita em mim? Bem. A mulher que os fez é uma pessoa do mal. Incorrigível. Entristeceu-se até não poder mais, e agora é completamente louca. — Deu de ombros. — Totalmente inútil.

Luna não sabia por que a mulher diante de si a enfurecia tanto. Mas tinha que resistir à vontade que a invadia de pular e chutá-la com toda a força.

— Ah — disse a mulher, abrindo um sorriso. — Raiva. Muito bem. Inútil para mim, claro, mas costuma anteceder a tristeza e, devo confessar, eu gosto desse sentimento. — Lambeu os beiços. — Gosto bastante.

— Acho que não vamos ser amigas — rosnou Luna. *Uma arma,* pensou a menina. *Preciso de uma arma.*

— Não — respondeu a mulher. — Acho que não. Eu só estou aqui para pegar o que é meu, e já retomarei meu caminho... — Ela parou. Ergueu uma das mãos. — Espere um pouco.

A mulher se virou e caminhou até a aldeia em ruínas. Havia uma torre no centro, embora não parecesse que fosse continuar de pé por muito mais tempo. Havia uma grande fenda nas fundações, de um lado a outro, como uma boca aberta em uma exclamação de surpresa.

— Elas estavam na Torre — disse a mulher para si. — Eu mesma as coloquei lá. Eu me lembro agora.

Correu para a abertura e se ajoelhou no chão, espiando na escuridão.

— Onde estão minhas botas? — sussurrou a mulher. — Venham para mim, minhas queridas.

Luna ficou olhando. Tinha tido um sonho, não muito tempo atrás. Certamente tinha sido um sonho, não? Fyrian tinha enfiado a mão em uma torre quebrada e tirado de lá um par de botas. Devia ser um sonho, porque Fyrian estivera estranhamente grande. Então, ele levara as botas para ela. E ela as guardou no baú.

No seu baú!

Não tinha pensado mais naquilo até então!

Balançou a cabeça para clarear os pensamentos.

— ONDE ESTÃO MINHAS BOTAS? — berrou a mulher. Luna se encolheu.

A estranha se levantou, o vestido largo tremulando a sua volta. Ela ergueu as duas mãos acima da cabeça e, com um movimento amplo e circular, empurrou o ar em frente ao corpo. E foi o que bastou para a Torre desmoronar. Luna tropeçou nas pedras com um grito. O corvo, aterrorizado pelo barulho e pelo pó e pela comoção, abriu as asas e alçou voo. Voou em círculos, praguejando o tempo todo.

— Já estava para cair mesmo — sussurrou Luna, tentando entender o que tinha acabado de ver. Olhou para a nuvem de poeira e mofo e pedras e escombros e para a figura curvada de uma mulher com os braços erguidos, como se estivesse prestes a agarrar o céu. *Ninguém poderia ter tanto poder assim,* pensou. *Poderia?*

— SUMIRAM! — berrou a mulher. — ELAS SUMIRAM!

Ela se virou e caminhou na direção da menina. Com um movimento do punho esquerdo, dobrou o ar em frente a Luna, obrigando-a a ficar de pé. A mulher manteve a mão esquerda estendida, segurando o ar com dedos em garra e, assim, mantendo Luna no lugar, mesmo a vários metros de distância.

— Não estão comigo! — choramingou Luna. A pegada da mulher doía. Luna sentiu seu medo crescer, como uma nuvem tempestuosa. E, à medida que seu medo crescia, o sorriso da mulher aumentava. Luna se esforçou para manter a calma.

— Mas você tocou nelas — sussurrou a mulher. — Consigo ver o resíduo em suas mãos.

— Eu não toquei! — negou Luna, enfiando as mãos nos bolsos. Tentou mandar a lembrança do sonho embora.

— Você vai me dizer onde elas estão. — A mulher ergueu a mão direita. Mesmo de longe, Luna conseguiu sentir aqueles dedos apertando seu pescoço. A menina começou a sufocar, e a mulher declarou: — Você vai me dizer agora mesmo.

— Vá embora! — ofegou Luna.

De repente, tudo se moveu. Os pássaros se ergueram dos galhos e se juntaram atrás da menina.

— Ah, sua tolinha! — A mulher soltou uma gargalhada. — Você acha mesmo que esse truque idiota...

E os pássaros atacaram, girando como um ciclone. Fizeram o ar tremer. Fizeram as pedras balançarem. Fizeram os troncos das árvores se dobrarem.

— TIRE-OS DE CIMA DE MIM! — berrou a mulher, sacudindo os braços. Os pássaros cortaram suas mãos. Cortaram sua testa. Eles a atacaram sem dó.

Luna abraçou seu corvo junto ao peito e correu o mais rápido possível.

35

E Glerk sente o cheiro de algo desagradável

— Estou com coceira, Glerk — anunciou Fyrian. — Estou com coceira por todo o corpo. Sou a criatura com mais coceira do mundo.

— Como, meu caro menino — disse Glerk em tom pesado —, você poderia saber disso?

O monstro fechou os olhos e respirou fundo. *Para onde ela foi? Onde está você, Xan?*, perguntou-se. Sentiu os filamentos de preocupação envolverem seu coração e o apertarem até quase fazê-lo parar de bater. Fyrian coçava as costas, como um louco, empoleirado bem entre os olhos do monstro.

— Você nunca nem viu o mundo. Talvez não seja a criatura com mais coceira.

Fyrian coçou o rabo, a barriga, o pescoço. Coçou as orelhas, a cabeça, o focinho comprido.

— Dragões trocam de pele? — perguntou Fyrian de repente.

— O quê?

— Eles trocam de pele? Como cobras? — Fyrian atacou seu lado esquerdo.

Glerk refletiu sobre a pergunta. Buscou a resposta no próprio cérebro. Dragões eram uma espécie solitária. Raros e bem afastados. Eram difíceis de estudar. Nem mesmo os dragões sabiam muito sobre dragões.

— Eu não sei, meu amigo — respondeu o monstro por fim. — O poeta nos diz:

Cada fera mortal deve encontrar seu Chão...
Seja na floresta, no brejo, no campo ou no fogo.

Então Glerk concluiu:

— Talvez você descubra tudo o que deseja saber quando encontrar seu Chão.

— Mas o que é o meu Chão? — perguntou Fyrian, coçando a pele com se fosse arrancá-la.

— Os dragões, originalmente, foram formados nas estrelas. O que significa que seu Chão é o fogo. Caminhe pelo fogo e saberá quem você é.

Fyrian pensou sobre isso.

— Parece uma péssima ideia — disse o dragãozinho. — Não quero andar sobre o fogo. — Coçou a barriga. — Qual é seu Chão, Glerk?

O monstro do pântano suspirou.

— O meu? — Suspirou de novo. — É o brejo. O Charco. — Pressionou a mão superior direita no coração. — O Charco, o Charco, o Charco — murmurou ele, como as batidas do coração. — É o coração do mundo. É o útero do mundo. É o poema que formou o mundo. Eu *sou* o Charco, e o Charco sou eu.

Fyrian franziu o cenho.

— Não, você não é, não — disse ele. — Você é o Glerk. E você é meu amigo.

— Às vezes as pessoas são mais de uma coisa. Eu sou o Glerk. Eu sou seu amigo. Sou a família de Luna. Sou um Poeta. Sou um criador. E eu sou o Charco. Mas, para você, eu sou simplesmente Glerk. O *seu* Glerk. E eu amo muito você.

Era verdade. Glerk amava Fyrian. Assim como amava Xan. Como amava Luna. Como amava o mundo inteiro.

Respirou fundo. Deveria ser capaz de sentir no vento pelo menos *um* dos feitiços de Xan. Por que não estava conseguindo?

— Cuidado, Glerk — avisou Fyrian de repente, voando e saltitando diante do rosto do monstro e pairando bem na frente de seu nariz. Ele apontou com o polegar. — Aquele chão ali é muito fino. Uma camada de pedras sobre o fogo que corre lá embaixo. Você ia cair, sem dúvida.

Glerk franziu o cenho.

— Tem certeza? — Apertou os olhos, analisando as pedras à frente. O calor subia em ondas. — Não deveria estar queimando aqui.

Mas estava. As fendas de pedra de fato queimavam. E a montanha vibrava abaixo deles. Isso já havia acontecido antes, quando a montanha tinha ameaçado se despetalar inteira, como um bulbo de Zirin maduro demais.

Depois da erupção — e de ganhar uma rolha mágica para acabar com ela —, o vulcão nunca mais dormiu um sono profundo, nem mesmo no início. Tinha sempre sido um sono agitado, remexido e inquieto. Mas agora parecia diferente. Isso era *mais*. Pela primeira vez em quinhentos anos, Glerk sentiu medo.

— Fyrian, meu rapaz — disse o monstro. — Vamos acelerar o passo, tudo bem? — E começaram a caminhar ao longo da lateral da fenda, procurando um lugar seguro para cruzar.

O grande monstro olhou em volta da floresta, avaliando uma faixa de arbustos, estreitando os olhos e estendendo a visão da melhor forma possível. Costumava ser melhor nesse tipo de coisa. Costumava ser melhor em um monte de coisas. Respirou fundo, como se tentasse sugar toda a montanha para dentro do nariz.

Fyrian lançou um olhar curioso para o monstro e perguntou:

— O que foi, Glerk?.

Glerk balançou a cabeça.

— Eu conheço esse cheiro — respondeu ele, fechando os olhos.

— O cheiro de Xan? — Fyrian voltou voando e se empoleirou na cabeça do monstro. Tentou fechar os olhos e puxou o ar também. Mas acabou espirrando. — Adoro o cheiro de Xan. Adoro *muito.*

Glerk negou com a cabeça, bem devagar, para que Fyrian não caísse.

— Não — disse ele, com um rosnado baixo. — É o cheiro de outra coisa.

* * *

Irmã Ignatia podia correr bem rápido quando queria. Rápido como um tigre. Rápido como o vento. Certamente, mais rápido do que estava correndo agora. Mas não era a mesma coisa sem suas botas.

Aquelas botas!

Tinha se esquecido do amor que uma vez sentira por elas. Na época que tinha curiosidade e desejo de vagar, e vontade de ir para o outro lado do mundo e voltar em uma única tarde. Antes de as deliciosas e abundantes tristezas do Protetorado lhe alimentarem a alma até torná-la indolente e saciada e gloriosamente gorda. Agora, só de pensar nas botas, sentia uma centelha de juventude. Eram tão pretinhas e lindas que pareciam dobrar a luz ao redor. E, quando Irmã Ignatia as usava à noite, sentia-se explodir de luz estelar — e, se ela cronometrasse certinho, de luz do luar também. As botas alimentavam seus ossos. A magia que lhe proviam era de um tipo diferente da disponível na tristeza. (Mas, ah!, como tinha sido fácil se fartar na tristeza!)

Agora, o armazenamento de magia de Irmã Ignatia começava a minguar. Nunca pensou em estocar nadinha para um dia de chuva. Nunca chovia na maravilhosa neblina do Protetorado.

Burra!, repreendeu-se. *Preguiçosa! Mas tudo bem. Só preciso me lembrar de como ser esperta.*

Contudo, primeiro precisava daquelas botas.

Parou um momento a fim de consultar seu dispositivo de cristalomancia. No início, tudo o que viu foi escuridão — um tipo de escuridão abafada e fechada, com uma única linha horizontal e fina de lua. Muito lentamente, a imagem começou a se abrir, e um par de mãos apareceu.

Uma caixa, pensou ela. *Elas estão guardadas em uma caixa. E alguém as está roubando. De novo!*

— Elas não são para você! — gritou.

Embora a dona daquelas mãos não pudesse ouvi-la — não sem magia, de qualquer forma —, seus dedos hesitaram. Afastaram-se da caixa e chegaram inclusive a estremecer.

As mãos não eram da criança, tinha certeza. Eram mãos de adulto. Mas de quem?

Um pé feminino escorregou pela abertura escura da bota. A bota envolveu o pé. Irmã Ignatia sabia que quem usasse as botas poderia tirá-las e calçá-las à vontade, mas não havia como removê-las à força enquanto a pessoa que as usava estivesse viva.

Muito bem, pensou ela. *Isso não será um problema.*

As botas começaram a andar em direção ao que parecia ser um cercado de animais. Quem quer que as tivesse calçado não sabia ainda como usá-las direito. Boa maneira de desperdiçar um par de Botas de Sete Léguas, como se não passassem de sapatos de trabalho! Era um crime, pensou ela. Um escândalo.

A pessoa que as usava ficou perto das cabras, e as cabras cheiraram suas saias de um jeito adulador que Irmã Ignatia achou extremamente de mau gosto. A pessoa com as botas começou a andar por ali.

— Ah! — Irmã Ignatia espiou atentamente — Vou descobrir agora onde você está!

Viu uma grande árvore com uma porta no meio. E um pântano cercado de flores. O pântano parecia familiar. Viu uma encosta bem íngreme, com várias beiradas recortadas ao longo do topo...

Oh, céus! São crateras?

E ali! Eu conheço aquela trilha!

E ali! Aquelas pedras!

Será que as botas seguiram o caminho de seu antigo castelo? O lugar onde seu castelo *estivera*, de qualquer modo.

Minha casa, pensou ela, apesar de tudo. Aquele lugar tinha sido seu lar. Talvez ainda fosse, mesmo depois de tantos anos. Apesar da vida fácil no Protetorado, ela nunca havia sido tão feliz como fora na companhia daqueles magos e estudiosos no castelo. Pena que a morte deles fora necessária. Eles não teriam morrido, é claro, se tivessem as botas, como era o plano original. Não lhes ocorrera que alguém poderia tentar roubá-las e fugir do perigo, deixando-os para trás.

E eles se achavam tão inteligentes!

No fim das contas, jamais existira uma maga mais inteligente que Ignatia, e ela tinha o Protetorado inteiro como prova. É claro, também não restara mais ninguém a quem prová-lo, o que era uma pena. Tudo o que ela tinha eram as botas, que agora também tinham se perdido.

Não importa, pensou. *O que é meu é meu. E isso é tudo.*

Tudo.

E ela correu pela trilha em direção a sua casa.

36

E um mapa é bastante inútil

Luna jamais correra tanto nem tão rápido em toda a vida. Correu por horas, ao que parecia. Dias. Semanas. Estava correndo para sempre. Correu de pedra em pedra e de colina em colina. Saltou por riachos e rios. Árvores se desviavam de seu caminho. Não parou a fim de se perguntar sobre a facilidade de seus passos nem sobre a distância dos saltos. Só conseguia pensar na mulher com o rosnado de tigre. Aquela mulher era perigosa. Isso era tudo o que Luna conseguia fazer para manter o pânico sob controle. O corvo se agitou para se soltar das mãos da menina e voou em círculos sobre sua cabeça.

— *Crau* — avisou o corvo. — Acho que ela não está nos seguindo.

— *Crau* — avisou ele de novo. — É possível que eu estivesse errado em relação aos pássaros de papel.

Luna correu até os pés de um morro íngreme para ter uma visão mais privilegiada e se certificar de que não estava sendo seguida. Não havia ninguém. A floresta não passava de uma floresta. Ela se sentou na curva lisa de uma rocha para abrir o diário e olhar o mapa. Tinha se desviado muito da rota, e não achava que ainda *estava* no mapa. Suspirou.

— Bem — disse ela. — Parece que fiz uma grande confusão. Não nos aproximamos nada da vovó. — Luna suspirou. — Olhe! O sol já está se pondo. E tem uma mulher estranha na floresta. — A menina engoliu em seco. — Tem alguma coisa errada com ela. Não sei explicar o que é, mas não quero que ela chegue perto de minha avó. Não mesmo.

O cérebro de Luna de repente se encheu de coisas que ela sabia sem nem sequer saber que sabia. Na verdade, a mente parecia um enorme armazém com armários trancados, que foram abertos todos de uma só vez, espalhando o conteúdo pelo chão. E Luna não se lembrava de ter armazenado nada daquilo.

Ela era tão pequena... Não conseguia saber ao certo quantos anos tinha, mas era definitivamente bem nova. Estava no centro de uma clareira. Seus olhos estavam vazios. Sua boca estava mole. Estava presa no lugar.

Luna ofegou. A lembrança era clara demais.

— Luna! — exclamou Fyrian, saindo de seu bolso e pairando em frente a seu rosto. — Por que você não está se mexendo?

— Fyrian, querido — disse a avó. — Vá pegar uma flor coração de sangue bem na beira da cratera. Ela está jogando um jogo com você, e ela vai deixar de ser estátua quando você trouxer a flor.

— Adoro jogos! — gritou Fyrian feliz, antes de voar para longe, assoviando uma canção enquanto saía batendo as asas.

Glerk apareceu pela superfície avermelhada de algas. Abriu um dos olhos, depois o outro. Então revirou os dois.

— Mais mentiras, Xan — repreendeu ele.

— Mentiras do bem — protestou Xan. — Minto para proteger! O que mais posso dizer? Não dá para explicar nenhuma verdade de um jeito que eles consigam compreender.

Glerk saiu desajeitadamente do pântano, as águas escuras deixando manchas oleosas na pele ainda mais escura. Ele se aproximou dos olhos vazios de Luna. A boca enorme e úmida se enrugou enquanto ele franzia o cenho.

— Não gosto nada disso — disse, colocando duas das mãos, uma em cada lado do rosto de Luna, e as outras duas mãos nos ombros da menina. — Esta é a terceira vez hoje. O que aconteceu?

Xan gemeu.

— Foi culpa minha. Eu poderia ter jurado que senti alguma coisa. Como um tigre se movendo pela mata, mas não, se é que me entende? Bem, é claro que você sabe no que pensei?

— Era ela? A Devoradora de Tristeza? — A voz de Glerk tinha se tornado um estrondo perigoso.

— Não. Eu me preocupo há quinhentos anos. Ela assombra meus sonhos, e eu não me engano. Mas não. Não há nada. Só que Luna viu o dispositivo de cristalomancia.

Glerk pegou Luna nos braços. Estava mole. Ele a ninou na cauda, deixando o peso da menina descansar na pança molenga. Alisou o cabelo da pequena com uma das mãos.

— Precisamos contar para Fyrian — declarou o monstro.

— Não podemos! — exclamou Xan. — Olhe o que aconteceu com ela só de ver o dispositivo de cristalomancia com o canto dos olhos! Ela não melhorou assim que eu o desmontei. E já faz um tempo. Imagine só se Fyrian começar a dizer que a avó é uma bruxa! Ela vai entrar em transe toda vez que me vir! Todas as vezes! E não vai parar até completar 13 anos. E ela ficará embruxada, e eu não estarei mais aqui. Terei partido, Glerk! E quem vai tomar conta de minha bebê?

Xan se aproximou, colocou o rosto ao lado do de Luna e abraçou o monstro do pântano. Ou pelo menos parte dele. Glerk, afinal de contas, era muito grande.

— Estamos nos abraçando agora? — perguntou Fyrian, voltando zunindo com a flor. — Adoro abraços. — Ele se acomodou em um dos braços de Glerk e se insinuou entra as dobras carnudas de seu corpo e era, novamente, o dragãozinho mais feliz do mundo.

Luna ficou muito quieta, a mente correndo para acompanhar tudo o que suas lembranças lhe revelavam. A própria memória, destrancada.

Bruxa.

Embruxada.

Treze.

Partir.

Luna pressionou a parte inferior das mãos na testa, tentando fazer a cabeça parar de girar. Quantas vezes tinha sentido um pensamento simplesmente fugir de sua mente, como um pássaro a voar? E agora todos retornavam, lotando sua consciência. O aniversário de 13 anos de Luna logo chegaria. E a avó estava doente. E fraca. E, em algum dia próximo, ela partiria. Então Luna ficaria sozinha e embruxada...

Bruxa.

Era uma palavra que nunca escutara antes. Mesmo assim. Quando buscou em suas lembranças, encontrou-a em todos os lugares. As pessoas a gritavam no mercado quando elas visitavam as cidades do outro lado da floresta. As pessoas a diziam quando a ajuda da avó era necessária, como em um parto, ou para resolver uma briga.

— Minha avó é uma bruxa — disse Luna. E isso era verdade. — E agora eu sou uma bruxa.

— *Crau* — disse o corvo. — E daí?

Ela estreitou os olhos para o corvo, franzindo as sobrancelhas.

— Você sabia disso? — perguntou.

— *Crau* — respondeu o pássaro. — Claro que sim. O que você achou que fosse? Você não se lembra de como nos conhecemos?

Luna olhou para o céu.

— Bem — disse ela. — Acho que eu realmente não pensei muito sobre isso.

— *Crau* — disse o corvo. — Exatamente. Esse é exatamente o problema.

— Um dispositivo de cristalomancia — murmurou Luna.

E conseguiu se lembrar. Sua avó o montara mais de uma vez. Às vezes com uma corda. Às vezes com ovo cru. Às vezes com a parte interna grudenta de uma vagem.

— É a intenção que importa — disse Luna em voz alta, os ossos vibrando com as palavras. — Qualquer bruxa que se preze sabe construir uma ferramenta com as próprias mãos.

Essas não eram palavras dela. Sua a avó as dissera. Ela as dissera *enquanto Luna estava no aposento*. Mas, então, as palavras voaram de sua mente, que ficou vazia. E agora elas voltavam. A menina se inclinou e cuspiu no chão, fazendo um montinho de lama. Com a mão esquerda, agarrou um pouco de grama seca e começou a trançá-la em um nó complexo.

Não entendia o que estava fazendo, não de verdade. Movia-se por instinto, como se estivesse tentando reproduzir uma música que ouviu uma vez e da qual mal se lembrava.

— Mostre-me minha avó — ordenou ela, enfiando o polegar no centro do nó, como se fosse um buraco.

Nada vislumbrou a princípio.

Então, a menina viu um homem com o rosto coberto de cicatrizes caminhando pela floresta. Ele estava com medo. Tropeçou duas vezes nas raízes e deu de cara com uma árvore. Estava andando depressa demais para alguém que claramente não sabia aonde ia. Mas aquilo não importava, porque o dispositivo não estava funcionando. Ela não tinha pedido para ver um homem. Tinha pedido para ver a avó.

— Minha *avó* — repetiu Luna, com uma voz mais clara e alta.

O homem estava usando uma jaqueta de couro. Havia pequenas facas penduradas dos dois lados de seu cinto. Ele abriu um bolso na jaqueta e sussurrou para algo aninhado lá dentro. Um biquinho apareceu por entre as dobras do couro.

Luna apertou os olhos. Era uma andorinha. Era velha e estava doente.

— Eu já desenhei você — disse a menina em voz alta.

A andorinha, como se estivesse respondendo, colocou a cabeça para fora e olhou em volta.

— Eu disse que preciso de minha *avó*! — Ela quase gritou. A andorinha lutou, se agitou e gritou. Parecia desesperada para sair.

— Não agora, bobinha — disse o homem no dispositivo. — Vamos esperar até curarmos sua asa. Aí você pode sair. Aqui. Coma esta aranha. — E o homem enfiou uma aranha retorcida no bico da andorinha, que protestava.

A andorinha mastigou a aranha, com uma combinação de frustração e gratidão no rosto.

— Ainda não sou muito boa nisso. Mostre-me minha AVÓ — disse ela, com voz firme.

E o dispositivo focou novamente o pássaro. E o pássaro a encarou pelo dispositivo de cristalomancia. A andorinha não conseguia vê-la. É claro que não. Ainda assim, parecia que o pássaro sacudia a cabeça, bem devagar, de um lado para o outro.

— Vovó? — sussurrou Luna.

E o dispositivo ficou preto.

— Volte — chamou a menina.

O dispositivo de cristalomancia continuou escuro. Ele não tinha falhado, percebeu Luna com um sobressalto. Alguém o estava bloqueando.

— Ah, vovó — sussurrou Luna. — O que foi que você fez?

37

E a Bruxa fica sabendo de algo chocante

Não era Luna, Xan repetiu para si mesma várias vezes. *Minha Luna está em casa, em segurança.* Repetiu isso até parecer verdade. O homem enfiou outra aranha em sua boca. Apesar de achar o alimento nojento, era obrigada a admitir que sua versão passarinha a achava deliciosa. Era a primeira vez que tinha comido enquanto estava transformada. Seria a última também. A vida que se extinguia lentamente não a deixava triste. Porém, só de pensar em deixar Luna...

Xan estremeceu. Passarinhos não choravam. Se estivesse em sua forma de velha, teria chorado. Teria chorado de soluçar a noite inteira.

— Você está bem, amiguinho? — perguntou o homem. Sua voz era baixa e assustada. Os olhos pretos e brilhantes de pássaro não se reviraram, como teria acontecido com seus olhos humanos, e, infelizmente, o gesto ficou perdido para ele.

Mas Xan estava sendo injusta. Ele era um jovem bondoso — um pouco assustado, talvez. Excessivamente *alerta.* Já conhecera o tipo antes.

— Ah, eu sei que você é apenas um pássaro e não tem como me compreender, mas eu nunca feri nenhum ser vivo antes. — Sua voz falhou. Duas grandes lágrimas brilharam nos olhos do homem.

Oh!, pensou Xan. *Você está sofrendo*. E ela se aninhou um pouco mais a ele, arrulhando e se esforçando o máximo que podia como uma passarinha para fazê-lo se sentir melhor. Xan era muito boa para fazer os outros se sentirem melhor; afinal, tinha quinhentos anos de prática aliviando o sofrimento, aliviando a dor. Tinha um ouvido pronto para escutar.

O jovem havia acendido uma pequena fogueira e cozinhava um pedaço de salsicha que trouxera em um pacote. Se Xan tivesse seu nariz humano e papilas gustativas, o cheiro seria simplesmente maravilhoso. Como andorinha, detectou mais de nove temperos diferentes e um toque de maçãs secas e pétalas de Zirin trituradas. E amor também. Uma quantidade enorme de amor. Sentiu antes mesmo de ele abrir o pacote. *Alguém preparou isto para ele,* pensou Xan. *Alguém que ama muito este rapaz. Cara de sorte.*

A salsicha estalou no fogo.

— Acho que você não vai querer um pouco, não é?

Xan piou e esperou que ele compreendesse. Em primeiro lugar, nem sonharia em pegar a comida do rapaz, não enquanto ele estivesse perdido na floresta. Segundo, não havia como seu estômago de passarinho suportar carne. Insetos tudo bem. Qualquer outra coisa a faria vomitar.

O jovem deu uma mordida e, embora sorrisse, mais lágrimas escorreram por seu rosto. Ele olhou para o passarinho, e seu rosto corou de vergonha.

— Desculpe, meu amiguinho alado. Veja bem, esta salsicha foi feita por minha amada esposa. — A voz dele ficou engasgada. — Ethyne. O nome dela é Ethyne.

Xan piou, esperando encorajá-lo a continuar. Aquele jovem parecia ter tantos sentimentos presos dentro de si; era como uma pilha de lenha só esperando pela primeira fagulha.

Ele deu outra mordida. O sol já tinha desaparecido e as estrelas começavam a aparecer no céu que escurecia. Ele fechou os olhos e respirou fundo. Xan conseguiu sentir uma agitação no peito do jovem, como a precursora de uma perda. Ela casquinou e deu uma bicadinha encorajadora no braço do rapaz. Ele olhou para baixo e sorriu.

— E quanto a você, amiguinho? Sinto que eu poderia lhe contar qualquer coisa. — Ele pegou mais alguns galhos secos e jogou na fogueira. — Não quero aumentar muito mais o fogo. Só o suficiente para nos manter aquecidos até a lua aparecer. Então, precisaremos seguir caminho. Afinal, o Dia do Sacrifício não espera por ninguém. Ou pelo menos não esperou até agora. Quem sabe, amiguinho. Talvez eu consiga fazer com que espere para sempre.

Dia do Sacrifício, pensou ela. *Do que ele está falando?*

Ela deu outra bicadinha nele. *Continue falando,* pensou Xan.

Ele riu.

— Minha nossa, você é uma coisinha mal-humorada. Se Ethyne não conseguir curar sua asa, pode ficar tranquilo que vou fazer uma casa confortável para você passar seus últimos dias. Ethyne... — Ele suspirou. — Ela é maravilhosa. Ela torna tudo lindo. Até mesmo eu, e eu sou feio à beça. Eu a amava, sabia, quando éramos crianças. Mas eu era tímido demais, e ela entrou para a Irmandade da Estrela, e depois eu fui mutilado. Já tinha feito as pazes com minha solidão.

Ele se recostou. Seu rosto profundamente marcado brilhou diante do fogo. Ele não era feio. Mas *estava* derrotado. E não por causa das cicatrizes. Havia outra *coisa* que o derrotava. Xan fixou o olhar no coração do jovem e espiou ali dentro. Viu uma mulher com os cabelos como cobras, pendurada nas vigas do teto de uma casa, com um bebê agarrado ao peito.

O bebê tinha a marca de uma lua crescente na testa.

Xan sentiu o coração gelar no peito.

— Você talvez não saiba disso, amiguinho, mas existe uma bruxa na floresta.

Não, pensou Xan.

— E ela pega nossas crianças. Uma por ano. Somos obrigados a deixar a criança mais jovem no círculo de plátanos e nunca olhar para trás. Se não fizermos isso, a Bruxa vai destruir todos nós.

Não, pensou Xan. *Não, não, não.*

Aqueles bebês!

As coitadas das mães. Os coitados dos pais.

E ela os amara a todos — é claro que sim —, e eles tinham tido vidas felizes... Oh! A tristeza pairando sobre o Protetorado, como uma nuvem. *Por que não percebi antes?*

— Estou aqui por causa dela. Por causa de minha linda Ethyne. Porque ela me ama e queria uma família comigo. Mas nosso filho é o mais jovem do Protetorado. E não posso permitir que meu filho, o filho de Ethyne, seja tirado de nós. A maioria das pessoas simplesmente segue em frente. Que escolha têm? Mas existem aquelas almas sensíveis, como a de minha Ethyne, que enlouqueceram de tristeza. E elas foram trancafiadas. — Ele fez uma pausa. — Nosso menino é lindo. E se a Bruxa o pegar? Isso mataria Ethyne. E me mataria também.

Se Xan sentisse que poderia usar a magia, teria se transformado bem naquele instante. Teria abraçado o pobre rapaz. Teria contado sobre seu erro. Teria contado sobre as inúmeras crianças que transportou pela floresta. Sobre a vida feliz que tinham. Sobre suas famílias felizes.

Oh! A tristeza pairando sobre o Protetorado!

Oh! A tirania da tristeza!

Oh! Os gritos das mães enlouquecidas de tristeza. O luto e a dor que ela não fizera nada para impedir, mesmo não sabendo como. Xan conseguia ver a lembrança fincada no coração do homem. Conseguia ver como tinha se enraizado, calcificado e inflamado sua culpa e vergonha.

Como foi que isso começou?, perguntou-se Xan. *Como?*

Como resposta, ouviu nas grutas das próprias lembranças os passos soturnos de algo sorrateiro, predatório e assustador, aproximando-se mais e mais e mais.

Não, pensou ela. *Não pode ser.* Mesmo assim, teve o cuidado de manter a sua tristeza de lado. Sabia melhor que ninguém os danos que a tristeza poderia causar quando caía nas mãos erradas.

— De qualquer modo, amiguinho, eu nunca matei ninguém antes. Nunca machuquei nenhuma criatura. Mas eu amo Ethyne. E amo Luken, meu filho. E vou fazer o que for preciso para proteger minha família. Estou contando isso para você, minha andorinha, porque não quero que se assuste quando eu for obrigado a fazer o que vim fazer. Não sou um homem mau. Sou um homem que ama a própria família. E é por amá-los tanto que vou matar a Bruxa. É o que vou fazer. Vou matar a Bruxa ou morrer tentando.

38

E a névoa começa a se dissipar

Enquanto Ethyne e Mae atravessavam a praça em direção à Torre, a população caminhava pelo Protetorado, protegendo os olhos com as mãos. Largaram os xales e os casacos, aproveitando o sol na pele, maravilhando-se com a ausência do costumeiro frio úmido e aprendendo a apertar os olhos agora que a neblina havia se erguido.

— Você já viu um céu assim? — maravilhou-se Mae.

— Não — respondeu Ethyne, devagar. — Nunca vi.

O bebê resmungou e se agitou no tecido brilhante que o prendia ao peito da mãe. Ethyne cruzou os braços sobre o nó quentinho em volta do corpo do filho e beijou sua testa. Logo precisaria alimentá-lo. E trocá-lo. *Daqui a pouquinho, meu amor,* pensou Ethyne. *Mamãe tem que terminar uma tarefa, uma que devia ter sido terminada há muito tempo.*

Quando Ethyne era uma criancinha, a mãe lhe contava muitas histórias sobre a Bruxa. Ethyne era uma menina curiosa e, tão logo soube que o irmão mais velho havia sido um dos bebês sacrificados, ficou cheia de perguntas. Para onde ele tinha ido de verdade? E se ela tentasse encontrá-lo? O que aconteceria? Do que a Bruxa era feita? O que ela comia? Ela é solitária? Você tem certeza de que é uma mulher? Se é impossível lutar contra algo que não se entende, por que não tentar aprender? A Bruxa era má? Mas *como*? Como *exatamente*?

As constantes perguntas de Ethyne tiveram consequências. Consequências terríveis. Sua mãe — uma mulher esquálida e pálida, cheia de resignação e tristeza — começou a falar obsessivamente sobre a Bruxa. Contava histórias até mesmo quando ninguém pedia. Resmungava histórias para si mesma enquanto fazia faxina ou cozinhava ou caminhava com os outros ceifadores para o Charco.

— A Bruxa come as crianças. Ou as escraviza. Ou as suga até ficarem secas — dizia a mãe de Ethyne.

— A Bruxa ronda a mata com patas sorrateiras. Ela comeu o coração de um tigre triste há muito tempo, e aquele coração ainda bate em seu peito.

— A Bruxa às vezes é um pássaro. Ela pode voar e entrar nos quartos à noite e bicar nossos olhos.

— Ela é mais velha que o pó. Pode cruzar o mundo com suas Botas de Sete Léguas. Comporte-se, para que ela não a arranque da cama.

Com o tempo, as histórias ficaram mais longas e confusas; pesavam no corpo, como uma corrente, até que ela não conseguisse mais sustentá-las. Então, ela morreu.

Ou foi assim que Ethyne assistiu a tudo.

Ethyne tinha 16 anos na época e era conhecida no Protetorado como uma garota notavelmente inteligente: mãos hábeis, raciocínio rápido. Quando as Irmãs da Estrela chegaram ao funeral de sua mãe e lhe ofereceram um lugar como noviça, Ethyne só hesitou por um momento. O pai já havia morrido. A mãe também. Seus irmãos mais velhos (os que não tinham sido levados pela Bruxa) estavam todos casados e não a visitavam com frequência. Era triste demais. Havia um garoto em sua turma que mexia com seu coração — o menino que sentava no fundo da sala —, mas ele era de uma família importante. De gente que tinha posses. Impossível que ele a olhasse duas vezes. Quando as Irmãs da Estrela vieram, Ethyne arrumou suas coisas e as seguiu.

Mas, então, notou que, apesar de todas as coisas que aprendeu na Torre — astronomia e botânica e mecânica e matemática e vulcanologia —, nem uma vez a Bruxa foi mencionada. Zero. Era como se ela não existisse.

Depois, ela notou o fato de que a Irmã Ignatia parecia nunca envelhecer.

Aí, ela notou os passos sorrateiros, caminhando pela Torre todas as noites.

Então, ela viu uma das noviças chorando pela morte do avô, e Irmã Ignatia encarava a menina — toda faminta e musculosa e pronta para dar o bote.

Ethyne passou a infância inteira carregando o peso das histórias da mãe sobre a Bruxa. Na verdade, todo mundo que conhecia carregava o mesmo peso. Suas costas cediam sob o peso da Bruxa, e seus corações tristes eram densos como pedras. Ela se juntou às Irmãs da Estrela para buscar a verdade. Mas a verdade sobre a Bruxa não estava em lugar algum.

Uma história podia contar a verdade, ela sabia, mas uma história também podia contar uma mentira. As histórias podiam ser dobradas e retorcidas e obscurecidas. Quem poderia se beneficiar de tal poder? Com o tempo, os olhos de Ethyne começaram a se voltar menos e menos para a floresta, e mais e mais para a Torre que lançava sua sombra sobre o Protetorado.

Foi então que Ethyne se deu conta de que tinha aprendido tudo de que precisava com as Irmãs da Estrela e de que havia chegado a hora de partir. Melhor ir embora antes que perdesse a própria alma.

E foi assim, com a alma intacta, que Ethyne retornou à Torre, ainda de braços dados com Mae.

* * *

O irmão mais novo de Antain, Wyn, encontrou-as na porta. Entre todos os irmãos do marido, Wyn era o favorito de Ethyne; ela jogou os braços ao redor do menino e lhe deu um abraço apertado — enquanto fazia isso, pressionou um pedaço de papel em suas mãos.

— Posso confiar em você? — perguntou bem baixinho no ouvido dele. — Vai me ajudar a salvar minha família?

Wyn não disse nada. Fechou os olhos e sentiu a voz da cunhada envolver seu coração, como uma fita. Havia pouca bondade na Torre. Ethyne era a pessoa mais bondosa que conhecia. Ele deu mais um abraço na jovem, só para se certificar de que ela era real.

— Acredito que minhas antigas Irmãs estejam meditando, querido Wyn — disse Ethyne, com um sorriso. Wyn tremeu quando ela pronunciou seu nome. Ninguém o chamava pelo nome na Torre. Ele era simplesmente *menino*. Resolveu bem naquele instante ajudar Ethyne como pudesse. — Será que você poderia me levar até elas? Aproveitando, gostaria de pedir que fizesse outra coisa também.

* * *

As Irmãs estavam reunidas para a meditação matinal: uma hora de silêncio, seguida por cantos, seguidos por uma rápida sessão de luta. Ethyne e Mae entraram no recinto logo que as primeiras notas começaram a subir pelas paredes de pedra. A voz das Irmãs silenciou com a entrada de Ethyne. O bebê arrulhou e riu. As Irmãs ficaram olhando, boquiabertas.

— Você — disse enfim uma das Irmãs.

— Você nos deixou — declarou outra.

— Jamais ninguém nos deixou antes — afirmou uma terceira.

— Eu sei — respondeu Ethyne. — *Conhecimento é realmente um poder terrível.*

Esse era o lema não oficial da Irmandade. Ninguém melhor que as Irmãs sabia disso. Ninguém tinha mais acesso a conhecimento.

No entanto, ali estavam elas. Sem suspeitar de nada. Ethyne pressionou os lábios. *Bem,* pensou ela. *Isso vai mudar hoje.*

— Eu parti. E não foi fácil. Sinto muito. Mas, minhas queridas Irmãs, existe uma coisa que preciso contar a vocês antes de ir embora de novo. — Ela se inclinou e beijou a testa do filho. — Preciso contar uma história.

* * *

Wyn pressionou as costas contra a parede ao lado da porta que levava à sala de meditação.

Ele segurava correntes nas mãos. Um cadeado cuja chave colocaria na mão de Ethyne. Seu coração ficou acelerado só de pensar. Nunca quebrara uma regra na vida. Mas Ethyne era tão bondosa... E a Torre não o era. *Nem um pouco.*

Ele pressionou o ouvido contra a porta. A voz de Ethyne se elevava como um sino.

— A Bruxa não está na floresta — declarou ela. — A Bruxa está aqui. Ela criou a Irmandade há muito tempo. Ela criou as histórias sobre outra Bruxa, uma que comia bebês. A Bruxa desta Irmandade se alimenta das tristezas do Protetorado. Da tristeza de nossas famílias. De nossos amigos. Nossas tristezas eram grandes e as tornaram forte. Sinto que já sei disso há muito tempo, mas havia uma nuvem sobre meu coração e minha mente, a mesma nuvem que paira sobre cada casa e cada construção e cada viva alma do Protetorado. Durante anos, a nuvem de tristeza bloqueou meu próprio conhecimento. Mas agora as nuvens foram afastadas, o sol está brilhando. E eu consigo enxergar claramente. E acho que vocês também.

Wyn tinha um chaveiro no bolso. O próximo passo no plano.

— Não quero mais tomar o tempo de vocês; vou partir agora com quem de vocês estiver disposta a me seguir. Para o restante, agradeço de coração. Valorizei muito meu tempo como Irmã de todas.

Ethyne saiu do recinto acompanhada de nove Irmãs. Fez um gesto com a cabeça para Wyn que rapidamente fechou as portas, colocou a corrente nas maçanetas e trancou o cadeado. Pressionou a chave na palma da mão de Ethyne. Ela fechou os dedos em volta da mão do menino e apertou carinhosamente.

— As noviças?

— Na sala de manuscrito. Elas têm que ficar lá, fazendo cópias até a hora do jantar. Eu tranquei a porta, e elas não fazem ideia de que estão presas.

Ethyne assentiu.

— Que bom — disse ela. — Eu não quero assustá-las. Vou falar com elas daqui a pouco. Primeiro vamos libertar os prisioneiros. A Torre deveria ser o centro do conhecimento, e não uma ferramenta de tirania. Hoje nós abrimos as portas.

— Até mesmo as portas da biblioteca? — perguntou Wyn, esperançoso.

— Até mesmo as da biblioteca. O conhecimento é poderoso, mas pode ser terrível quando é reunido e escondido. A partir de hoje, o conhecimento estará disponível para todos.

Ela deu os braços a Wyn, e eles correram pela Torre, destrancando portas.

* * *

As mães das crianças perdidas do Protetorado se viram tomadas de visões. Isso vinha acontecendo havia dias, desde que a Irmã Superiora partira para a floresta, embora ninguém soubesse de sua saída. Sabiam apenas que o nevoeiro estava subindo. De repente, suas mentes começaram a ver coisas. Coisas impossíveis.

Aqui está o bebê nos braços de uma velha.

Aqui está o bebê com a barriguinha cheia de estrelas.

Aqui está o bebê nos braços de uma mulher que não sou eu. Uma mulher que se denomina mamãe.

— É só um sonho — disseram as mães para si mesmas de novo e de novo e de novo.

As pessoas no Protetorado estavam habituadas a sonhos. Afinal, a névoa os deixava sonolentos. Sentiam tristeza durante os sonhos e tristeza quando acordavam. Isso não era novidade.

Mas agora a névoa estava subindo. E aqueles não eram apenas sonhos. Eram visões.

Aqui está o bebê com seus novos irmãos e irmãs. Eles o amam. Eles o amam tanto. E ele brilha na presença deles.

Aqui está o bebê dando seus primeiros passos. Olhe como está feliz! Olhe como brilha!

Aqui está o bebê subindo em uma árvore.

Aqui está o bebê saltando de uma pedra em um lago profundo na com panhia de amigos felizes.

Aqui está o bebê aprendendo a ler.

Aqui está o bebê construindo uma casa.

Aqui está o bebê de mãos dadas com sua amada e dizendo, sim, eu também amo você.

Eram tão reais, aquelas visões. Tão claras. Era como se conseguissem captar o cheirinho do cabelo dos filhos, tocar seus joelhos ralados e ouvir suas vozes longínquas. Viram-se chamando o nome dos filhos, sentindo a perda tão agudamente como se tivesse acabado de acontecer, mesmo aquelas que a tinham vivenciado décadas antes.

Entretanto, à medida que as nuvens subiam e o céu começou a clarear, elas passaram a sentir outra coisa também. Algo que nunca haviam sentido antes.

Aqui está minha bebê segurando o próprio bebê. Meu neto. Aqui está ela sabendo que nunca ninguém vai lhe tirar o filho.

Esperança. Elas sentiram esperança.

Aqui está o bebê com um monte de amigos. Ele está rindo. Ele ama sua vida.

Felicidade. Sentiram felicidade.

Aqui está minha bebê de mãos dadas com o marido e sua família, olhando para as estrelas. Ela não faz ideia de que sou sua mãe. Ela nunca me conheceu.

As mães pararam o que estavam fazendo e saíram correndo de casa. Caíram de joelhos e voltaram os rostos para o céu. As visões eram apenas imagens, disseram para si mesmas. Eram apenas sonhos. Não eram reais.

Mesmo assim.

Eram tão, tão reais.

Era uma vez várias famílias que se submeteram aos Togados e aceitaram a imposição do Conselho e abriram mão de seus bebês para a Bruxa. Fizeram isso para salvar o povo do Protetorado. Fizeram isso sabendo que seus bebês morreriam. Seus bebês estavam mortos.

Mas e se não estivessem?

Quanto mais se perguntavam, mais imaginavam. E, quanto mais imaginavam, mais esperanças tinham. E, quanto mais esperanças tinham, mais as nuvens de tristeza se erguiam, subiam, queimavam e se desfaziam no calor do céu que clareava.

* * *

— Eu não tenho intenção de ser rude, Grão-Ancião Gherland — disse o Ancião Raspin. Era tão velho. Gherland se surpreendia por ele ainda conseguir ficar de pé. — Mas fatos são fatos. E isso tudo é culpa sua.

A reunião em frente à Torre tinha começado com apenas alguns cidadãos segurando placas, mas logo se tornou uma multidão com cartazes, música, discursos e outras atrocidades. Os Anciãos, vendo a cena, foram até a mansão do Grão-Ancião e trancaram as portas e as janelas.

Agora, Gherland estava sentado em sua cadeira favorita, lançando um olhar raivoso para os compatriotas.

— Minha culpa? — A voz estava baixa. As criadas, os cozinheiros e os assistentes de cozinha e o confeiteiro tinham desaparecido, o que significava que não havia comida para servir, e a barriga de Gherland estava vazia. — *Minha* culpa? — Ele deixou a pergunta no ar por um momento. — Por favor, explique.

Raspin começou a tossir e pareceu que ia morrer ali mesmo. O Ancião Guinnot tentou continuar:

— Essa arruaceira faz parte de sua família. E lá está ela. Lá fora. Causando um tumulto.

— O tumulto já tinha começado antes de ela chegar — gaguejou Gherland. — Eu mesmo fui fazer uma visita a ela e àquele bebê condenado. Assim que o bebê for deixado na floresta, ela vai ficar de luto e vai se recuperar, e as coisas voltarão ao normal.

— Você tem olhado para fora ultimamente...? — perguntou o Ancião Leibshig. — Toda aquela... *luz do sol*. Fere os olhos, é isso que ela faz. E parece que está inflamando a população.

— E as placas. Quem é que está fazendo aquelas placas? — resmungou o Ancião Oerick. — Não meus empregados. Disso tenho certeza. Eles não se atreveriam. De qualquer forma, tive a presença de espírito de esconder a tinta. Pelo menos *um* de nós está pensando.

— Onde está Irmã Ignatia? — choramingou o Ancião Dorrit. — Que hora para sumir! E por que as Irmãs não estão fazendo nada quanto a isso?!

— É aquele garoto. Ele causou problemas no primeiro Dia do Sacrifício de que participou. Devíamos ter nos livrado dele na época — declarou o Ancião Raspin.

— Como *pode* dizer uma coisa dessas?! — exclamou o Grão-Ancião.

— Nós todos sabíamos que, mais cedo ou mais tarde, aquele garoto seria um problema. Olhe só. Aqui está ele: um problema.

O Grão-Ancião cuspiu as palavras:

— Ouçam só o que estão dizendo. Um bando de homens adultos! E estão choramingando como *bebês*. Não há nada com o que se preocupar. O tumulto começou, mas é temporário. A Estrada é a única passagem segura. Ele está em perigo. E ele vai morrer. — O Grão-Ancião fez uma pausa, fechou os olhos e tentou enterrar a tristeza no fundo do coração. Escondê-la. Abriu os olhos e lançou um olhar frio aos Anciãos. Resoluto. — E, meus queridos Irmãos, quando isso acontecer, a vida tal como a conhecemos vai se restabelecer, exatamente como antes. Isso é tão certo quanto o chão sob nossos pés.

Depois que disse isso, o chão começou a tremer. Os Anciãos abriram as janelas que davam para o sul e olharam para o lado de fora. Havia fumaça subindo do pico mais alto da montanha. O vulcão estava queimando.

39

E Glerk conta a verdade para Fyrian

— Vamos logo — disse Luna.

A lua ainda não tinha aparecido, mas Luna conseguia sentir sua aproximação. Isso não era novidade alguma. Sempre sentiu uma estranha ligação com a lua, mas nunca de maneira tão poderosa quanto então. A lua estaria cheia aquela noite e iluminaria todo o mundo.

— *Crau* — disse o corvo. — Estou muito, muito cansado. — *Crau* — continuou ele. — Além disso, já está escurecendo. Corvos não são criaturas noturnas.

— Aqui — ofereceu Luna, segurando o capuz do manto. — Esconda-se aqui. Não estou nem um pouco cansada.

Era verdade. Sentia como se seus ossos tivessem se transformado em luz. Sentia como se nunca fosse se cansar de novo. O corvo pousou em seu ombro e entrou no capuz.

Quando Luna era nova, sua avó lhe ensinou tudo sobre ímãs e bússolas. Ensinou como um ímã funciona em um campo, aumentando a força quando a pessoa chega aos polos. Luna aprendeu que um ímã atrai certas coisas, e ignora outras. Mas aprendeu também que o próprio mundo é um ímã e que uma bússola, com sua agulhinha em um pouco de água, sempre vai se alinhar com a atração da Terra. Luna sabia disso e entendia, mas agora sentia que havia *outro* campo magnético e *outra* bússola sobre a qual a avó jamais lhe falara.

O coração da menina estava sendo atraído pelo coração da avó. Será que o amor era uma bússola?

A mente de Luna estava sendo atraída pela mente da avó. Será que conhecimento era um ímã?

E havia mais uma coisa. Um sentimento crescente em seus ossos. Tiquetaqueando em sua cabeça. Como se tivesse alguma engrenagem escondida ali dentro. Empurrando-a, pouco a pouco, em direção a... *algo.*

Durante toda a vida, nunca soube o que era.

Magia, diziam seus ossos.

* * *

— Glerk — chamou Fyrian. — Glerk, Glerk, Glerk. Parece que eu não caibo mais em suas costas. Você está encolhendo?

— Não, meu amigo — respondeu Glerk. — É bem o contrário. Parece que você está crescendo.

Era verdade. Fyrian estava *crescendo.* Glerk não acreditou no início, mas, a cada passo que davam, Fyrian crescia um pouco mais. Não de maneira uniforme. O nariz cresceu como um melão gigantesco na ponta do focinho. Depois, um dos olhos dobrou de tamanho. Então, foram as asas. Em seguida, os pés: primeiro um, depois o outro. Cada pedacinho foi crescendo, depois parou, depois cresceu, depois parou.

— Crescendo? Você quer dizer que eu vou ficar *mais* enorme? — perguntou Fyrian. — Como um dragão pode ficar *mais* enorme que *Simplesmente* Enorme?

Glerk hesitou.

— Bem, você conhece sua tia. Ela sempre viu seu *potencial*, mesmo que você ainda não o tivesse alcançado. Entende o que estou falando?

— Não — respondeu Fyrian.

Glerk suspirou. Aquela conversa seria complicada.

— Às vezes, ser Simplesmente Enorme não tem a ver apenas com tamanho.

— Não? — Fyrian pensou nisso enquanto a orelha esquerda começava a crescer. — Xan nunca comentou nada.

— Bem, você conhece Xan — respondeu Glerk, um pouco ofegante. — O tamanho é um espectro. Como o arco-íris. No espectro da enormidade, você estava, bem, bem no finzinho. E isso não tem o menor problema... — Ele parou de novo. Sugou os lábios. — Às vezes, a verdade precisa ser um pouco *inclinada*. Como a luz. — Ele sabia que estava enrolando.

— É mesmo?

— Seu coração sempre foi enorme — declarou Glerk. — E sempre será.

— Glerk — disse Fyrian, com voz grave. Seus lábios tinham crescido do tamanho de galhos de árvore e ficaram pendurados no maxilar em uma confusão estranha. Um dos dentes estava maior que os outros. — Eu estou parecendo estranho para você? Por favor, seja sincero.

Ele era um bichinho sincero. Estranho, é claro. E totalmente sem noção. Mas sincero assim mesmo. Melhor ser sincero com ele também

— Veja bem, Fyrian. Confesso que não compreendo completamente sua situação. E sabe do que mais? Nem Xan. Está tudo bem, na verdade. Você está crescendo. Acho que está a caminho de se tornar Simplesmente Enorme, como sua mãe. Ela morreu, Fyrian. Há quinhentos anos. Muitos dragõezinhos não ficam na infância por tanto tempo quanto você. Na verdade, eu não consigo pensar em nenhum exemplo. Por algum motivo você ficou. Talvez Xan tenha feito isso. Talvez tenha sido porque você ficou muito próximo do lugar onde sua mãe morreu. Talvez você não conseguisse suportar crescer. Seja qual for o motivo, você está crescendo agora. Achei que você continuaria sendo um Dragão Perfeitamente Minúsculo para sempre. Mas eu estava errado.

— Mas... — Fyrian tropeçou nas próprias asas, caindo para a frente com tanta força que fez o chão tremer. — Mas você é um gigante, Glerk.

O monstro negou com a cabeça.

— Não, meu amigo. Eu não sou, não. Sou grande e sou velho, mas não sou gigante.

Os dedos dos pés de Fyrian incharam e ficaram duas vezes maiores que seu tamanho normal.

— E Xan e Luna?

— Também não são gigantes. Elas são do tamanho normal, e você é tão pequeno que pode se acomodar no bolso dela. Ou pelo menos era.

— Agora não sou mais.

— Não, meu amigo. Você não é mais.

— Mas o que isso quer dizer, Glerk? — Os olhos de Fyrian estavam marejados. Suas lágrimas surgiram como poças borbulhantes e nuvens de vapor.

— Eu não sei, meu querido Fyrian. O que *sei* é que estou aqui com você. *Sei* que as lacunas de nosso conhecimento logo serão reveladas, e que isso é muito bom. *Sei* que você é meu amigo, e que eu vou ficar a seu lado em todas as transições e desafios. Não importa o quanto... — Fyrian, de repente, dobrou de tamanho e seu peso aumentou tanto que suas pernas não aguentaram e ele caiu com um tremor estrondoso. — Hum. Não importa o quanto seja indelicado — terminou Glerk.

— Obrigado, Glerk — agradeceu Fyrian, fungando.

O monstro estendeu as quatro mãos e ergueu a cabeça o máximo que conseguiu, esticando a coluna e ficando sobre as pernas de trás, usando a cauda para elevar o corpo ainda mais. Os olhos se arregalaram.

— Olhe! — disse ele, apontando para a encosta da montanha.

— O quê? — perguntou Fyrian. Não conseguia enxergar nada.

— Ali, descendo o morro rochoso. Suponho que não consiga ver, meu amigo. É Luna. Sua magia está surgindo. Achei que tivesse visto pequenos sinais, mas Xan disse que eu estava imaginando coisas. Pobre Xan. Ela tentou ao máximo estender a infância de Luna, mas não há como escapar. A menina está crescendo. E não continuará sendo uma menina por muito mais tempo.

Fyrian olhou para Glerk, boquiaberto.

— Ela está virando um dragão também? — perguntou ele, a voz um misto de incredulidade e esperança.

— O quê? — perguntou Glerk. — Não. É claro que não! Ela vai virar uma adulta. E uma bruxa. As duas coisas ao mesmo tempo. Olhe! Lá vai ela. Consigo ver a magia daqui. Gostaria que você conseguisse também. É o tom mais lindo de azul, com um brilho prateado ao fundo.

Fyrian estava prestes a dizer outra coisa quando olhou para o chão. Apoiou ambas as mãos no solo.

— Glerk? — disse ele, pressionando as orelhas no chão.

Glerk não prestou atenção.

— Olhe! — disse o monstro, apontando o topo da outra montanha. — Lá está Xan. Ou sua magia, de qualquer forma. Oh! Ela está ferida. Consigo ver daqui. Ela está usando um feitiço. Uma transformação, ao que tudo indica. Oh, Xan! Por que você foi se transformar nessas condições? E se você não conseguir se transformar de volta?

— Glerk? — disse Fyrian, as escamas ficando cada vez mais pálidas.

— Não há tempo, Fyrian. Xan precisa de nós. Luna está seguindo na direção de onde Xan está agora. Se nós nos apressarmos...

— GLERK! — exclamou Fyrian. — Será que você pode me escutar? A montanha.

— Fale frases completas, por favor — impacientou-se Glerk. — Se não nos movermos depressa...

— A MONTANHA ESTÁ PEGANDO FOGO, GLERK! — trovejou Fyrian.

Glerk revirou os olhos.

— Não está nada! Bem. Não mais que o normal. Aquelas nuvens de fumaça são só...

— Não, Glerk — disse Fyrian ficando de pé. — Está sim. Embaixo da terra. A montanha está pegando fogo embaixo de nossos pés. Como antes. Quando entrou em erupção. Minha mãe e eu... — Sua voz ficou presa na garganta, sua tristeza surgindo de repente. — Nós sentimos primeiro. Ela foi até os magos para avisá-los. Glerk! — O rosto de Fyrian se enrugou de preocupação. — Precisamos avisar Xan.

O monstro do pântano assentiu. Seu coração pareceu afundar até a cauda.

— E rápido — concordou ele. — Venha, querido Fyrian. Não temos tempo a perder.

* * *

As dúvidas cortavam o coração de passarinho de Xan.

É tudo culpa minha, agitou-se.

Não!, argumentou. *Você protegeu! Você amou! Você resgatou aqueles bebês e impediu que morressem de fome. Você os levou para famílias felizes.*

Eu devia ter buscado mais informações, insistiu. *Devia ter sido mais curiosa. Devia ter feito alguma coisa.*

E esse pobre rapaz! Como ama a esposa. Como ama o filho. E olhe o que está disposto a sacrificar para garantir a segurança e a felicidade de ambos. Xan queria abraçá-lo. Queria se transformar de volta e lhe explicar tudinho. Só que ele certamente tentaria matá-la antes.

— Não falta muito, meu amiguinho — sussurrou o jovem. — A lua vai nascer, e nós vamos seguir viagem. Então vou matar a Bruxa e poderemos ir para casa. E você poderá conhecer minha linda Ethyne e meu lindo filho. E nós vamos mantê-lo seguro.

Pouco provável, pensou Xan.

Quando a lua se erguesse no céu, ela conseguiria capturar um pouco de sua magia. Muito pouco. Seria como tentar carregar água em uma rede de peixes. Mesmo assim, era melhor que nada. Ainda teria algumas gotas. E talvez conseguisse colocar aquele pobre homem para dormir por um tempo. Talvez pudesse até mesmo dar movimento às roupas e às botas do jovem para enviá-lo de volta para casa, onde poderia acordar e abraçar e amar sua família.

Xan só precisava da lua.

— Está ouvindo? — perguntou o homem, levantando-se. Xan olhou em volta. Não tinha ouvido nada.

Mas ele tinha razão.

Alguma coisa se aproximava.

Ou alguém.

— Será que a Bruxa está vindo até *mim*? — perguntou ele. — Será que eu tenho tanta sorte assim?

Realmente, pensou Xan, com mais zombaria que seria justo. Deu-lhe uma bicadinha através da camisa. *Imagine a Bruxa vindo até você. Sorte sua.* Revirou os olhinhos de andorinha.

— Olhe! — disse ele, apontando para baixo. Xan olhou.

Era verdade. Alguém subia a encosta. Duas sombras. Xan não conseguiu definir quem seria a segunda figura — não se parecia com nada que já tivesse visto —, mas a primeira era inconfundível.

Aquela luz azul.

Aquele brilho prateado.

A magia de Luna. A *magia* dela! Aproximando-se mais e mais e mais.

— É a Bruxa! — exclamou o rapaz. — Tenho certeza!

Ele se escondeu atrás de um arbusto e ficou completamente parado. Estremeceu. Mudou a faca de mão.

— Não se preocupe, amiguinho — disse ele. — Vai ser bem rápido. A Bruxa vai chegar. Ela não vai me ver. — Ele engoliu em seco. — Então, eu vou lhe cortar o pescoço.

40

E há um desentendimento em relação às botas

— Tire as botas, querida — pediu Irmã Ignatia, a voz era suave como um creme. Estava dando passos leves com as garras sorrateiras. — Elas simplesmente não combinam com você.

A louca inclinou a cabeça. A lua estava prestes a aparecer. A montanha rugia sob seus pés. Estava na frente de uma grande pedra. "Não se esqueça", estava escrito de um lado. "É sério", lia-se do outro.

A louca estava com saudade de seus pássaros. Eles tinham voado para longe e não tinham voltado. Será que foram reais? A louca não tinha certeza.

Tudo o que sabia, no momento, era que gostava daquelas botas. Tinha alimentado as cabras e as galinhas. Tirou o leite e pegou os ovos e agradeceu aos animais pela colaboração. Mas, durante todo o tempo, sentia como se as botas estivessem *alimentando* seu corpo. Não conseguia explicar. As botas a deixavam viva: todos os músculos, todos os ossos. Sentia-se leve como um pássaro de papel. Sentia que poderia correr mil quilômetros sem nem perder o fôlego.

Irmã Ignatia deu um passo à frente. Seus lábios se abriram em um sorriso fino. A louca conseguia ouvir o rosnado felino da Irmã Superiora trovejando no subterrâneo. Sentiu-se suar nas costas. Deu vários passos rápidos para trás, até o corpo tocar a pedra. A louca se apoiou na rocha e encontrou conforto ali. Sentiu as botas começarem a zunir.

Havia magia por todos os lados. Pedacinhos e mais pedacinhos. A louca conseguia sentir. Percebeu que a Irmã também sentia. As duas mulheres estenderam os dedos inteligentes de um lado para o outro, pegando pedacinhos de magia nas mãos, guardando para mais tarde. Quanto mais a louca juntava, mais evidente ficava o caminho até a filha.

— Sua pobre alma perdida — disse a Irmã Superiora. — Como está longe de casa! Como deve estar confusa! Que sorte eu tê-la encontrado antes de um animal selvagem ou algum malfeitor. Esta floresta é perigosa. A mais perigosa do mundo.

A montanha rugiu. Uma coluna de fumaça saiu das crateras mais distantes. A Irmã Superiora empalideceu.

— Precisamos ir embora — avisou a Irmã Ignatia. A louca sentiu os joelhos começarem a tremer. — Olhe. — A Irmã apontou para a cratera. — Eu já vi isso antes. Há muito, muito tempo. As colunas de fumaça começam a sair, e a terra começa a tremer, então acontecem as primeiras explosões. Logo a montanha inteira abre sua face para o céu. Se estivermos aqui quando acontecer, estaremos mortas. Mas, se me der essas botas... — Ela lambeu os beiços. — Então serei capaz de usar o poder dentro delas para nos levar para casa. Para a Torre. Para sua Torrezinha aconchegante e segura. — Ela sorriu de novo. Até mesmo o sorriso da Irmã era aterrorizante.

— Está mentindo, Coração de Tigre — sussurrou a mulher. Irmã Ignatia se encolheu ao ouvir o nome. — Você não tem a menor intenção de me levar de volta.

Suas mãos tocavam a pedra. A pedra fazia com que visse coisas. Viu um grupo de magos — homens velhos e mulheres velhas —

traído pela Irmã Superiora. Antes de ela ser a Irmã Superiora. Antes do Protetorado. A Irmã Superiora deveria ter levado os magos nas costas quando o vulcão entrou em erupção; em vez disso, deixou-os na fumaça para morrer.

— Como sabe esse nome? — sussurrou Irmã Ignatia.

— Todo mundo sabe esse nome — respondeu a louca. — Estava em uma história. Sobre como a Bruxa devorou o coração de um tigre. Todos sussurram essa história. Não é verdadeira, é claro. Você não tem o coração de um tigre. Você não tem nenhum coração.

— Essa história não existe — respondeu Irmã Ignatia. Começou a andar de um lado para o outro, os ombros curvados. Rugiu. — Fui eu que comecei todas as histórias no Protetorado. *Eu*. Todas vieram de mim. Não há nenhuma história que eu não tenha contado primeiro.

— Você está errada. *O tigre anda,* comentavam as irmãs. Eu conseguia ouvi-las. Elas falavam de você, sabia?

A Irmã Superiora ficou bastante pálida.

— Impossível — sussurrou ela.

— Era impossível que minha filha estivesse viva — argumentou a louca. — Mesmo assim, ela vive. E esteve aqui bem recentemente. O impossível é possível. — Ela olhou em volta. — Eu gosto deste lugar.

— Dê-me essas botas.

— E tem outra coisa. Ser carregada por uma revoada de pássaros de papel é impossível. Mesmo assim, foi o que eu fiz. Não sei onde meus pássaros estão, mas eles hão de encontrar o caminho de volta para mim. E era impossível eu saber aonde minha filha foi, ainda assim tenho uma imagem cristalina de sua localização. Bem agora. Tenho uma ótima ideia de como chegar até lá. Não em minha cabeça, veja bem, mas nos pés. Estas botas, elas são tão, tão inteligentes.

— ENTREGUE-ME MINHAS BOTAS! — trovejou a Irmã Superiora.

Cerrou os punhos com força e os ergueu acima da cabeça. Quando os baixou, abrindo os dedos, segurava quatro facas afiadas. Sem hesitar, deu um passo para trás, impulsionou as mãos para a frente e lançou as facas afiadas, mirando-as no coração da louca. E teria acertado de verdade se a louca não tivesse dado um giro e três graciosos passos para o lado.

— As botas são minhas — vociferou Irmã Ignatia. — Você nem sabe como usá-las.

A louca sorriu.

— Na verdade — disse ela. — Acho que sei, sim.

Irmã Ignatia partiu para cima da louca, que deu vários passos no lugar antes de sair correndo, como um raio. E a Irmã ficou sozinha.

Uma segunda cratera começou a emitir fumaça. O chão tremeu com tanta força que quase derrubou Irmã Ignatia de joelhos. Ela pressionou as mãos contra o solo rochoso. Estava quente. Não demoraria mais. A erupção estava quase ali.

Ela se levantou e alisou o vestido.

— Tudo bem — disse ela. — Se é assim que querem brincar, *tudo bem.* Vou brincar também.

Ela seguiu a louca pela floresta trêmula.

41

E vários caminhos se encontram

Luna subiu a encosta íngreme em direção ao cume. A parte de cima da lua tinha começado a aparecer sobre a linha do horizonte. Discernia um zumbido dentro de si, como uma mola apertada demais começando a vibrar fora de controle. Sentiu uma onda crescer em seu interior, e essa onda rebentou descontrolada, saindo por suas extremidades. Tropeçou e caiu com força, apoiada nas mãos, no chão pedregoso. E as pedras começaram a se empurrar e a correr e a engatinhar como insetos. Ou não. *Eram* insetos: tinham antenas, patas peludas e asas transparentes. Ou se tornaram água. Ou gelo. A lua subia mais no horizonte.

Quando Luna era uma menininha de joelhos ralados e cabelo emaranhado, a avó lhe ensinara como uma lagarta vivia, crescia e engordava e tinha bom temperamento até formar um casulo. E, lá dentro, ela *mudava*. Seu corpo era desfeito. Cada parte se desembaraçava, se desprendia, se desfazia e se transformava em *outra coisa.*

— E qual é a sensação? — perguntara Luna.

— A sensação é como magia — respondera a avó muito devagar, os olhos se estreitando.

Então, o rosto de Luna tinha ficado sem expressão. Agora, nas lembranças, conseguia ver aquela vagueza, e como a palavra *magia* tinha saído voando, tal qual um pássaro. Na verdade, conseguia vê-la voando: cada som, cada letra saltando para fora de seus ouvidos e indo para longe. Mas agora a palavra retornava voando para ela. Certa vez, a avó tinha tentado explicar a magia para a neta. Talvez mais de uma vez. Mas depois, talvez, ela tenha simplesmente se acostumado ao fato de Luna não saber. Agora, Luna sentia como se uma tempestade de lembranças se embaralhasse na mente.

As lagartas entravam em casulos, como bem disse a avó. E elas *mudavam*. A pele mudava, e os olhos mudavam, e a boca mudava. E os pés desapareciam. Cada parte da lagarta, até mesmo o conhecimento que tinha sobre si mesma, virava mingau.

— Mingau? — perguntara Luna, com olhos arregalados.

— Bem — começara a avó, tentando tranquilizá-la —, talvez não mingau. Substância. A substância das estrelas. A substância da luz. A substância de um planeta antes de se tornar um planeta. A substância de um bebê antes de ele nascer. A substância de uma semente antes de se tornar um plátano. Tudo o que você vê no processo de criação ou destruição ou de vida ou de morte. Tudo está em um constante estado de *mudança*.

Agora, enquanto Luna subia a encosta até o cume, ela estava mudando. Conseguia sentir. Seus ossos e sua pele e seus olhos e seu espírito. A máquina de seu corpo, cada engrenagem, cada mola, cada alavanca bem lubrificada: tudo tinha mudado, se reorganizado e se encaixado em um lugar diferente. Ela era *nova*.

Havia um homem no alto da montanha. Luna não conseguia vê-lo, mas conseguia senti-lo nos ossos. Conseguia sentir a avó nas proximidades. Ou, pelo menos, tinha quase certeza de que era a avó. Conseguia ver a impressão da forma da avó na própria alma, mas, quando tentava sentir onde ela estava *naquele momento*, a imagem ficava borrada.

— É a Bruxa. — Ela ouviu o homem dizer. Luna sentiu o coração se apertar e correu ainda mais ligeiro, embora a encosta fosse íngreme e muito extensa. A cada passo aumentava a velocidade.

Vovó, chamava seu coração.

Vá embora. Ela não ouviu isso com os ouvidos. Ouviu com os ossos.

Dê meia-volta.

O que você está fazendo aqui, sua tola?

Estava imaginando. Só podia. Mesmo assim. Por que parecia que a voz vinha da impressão com forma da avó em seu espírito? E por que soava *exatamente como Xan?*

Luna ouviu o homem dizer:

— Não se preocupe, amiguinho. Vai ser bem rápido. A Bruxa vai chegar. Ela não vai me ver. Então, vou lhe cortar o pescoço.

— VOVÓ! — gritou Luna. — CUIDADO!

E ela ouviu um som. Como o berro de uma andorinha soando pela noite.

* * *

— Sugiro que a gente vá mais depressa, meu amigo — disse Glerk, segurando Fyrian pela asa e o arrastando.

— Estou me sentindo mal, Glerk — respondeu Fyrian, caindo de joelhos.

Se tivesse caído mais cedo naquele dia, o dragão certamente se cortaria. Mas a pele de seus joelhos — na verdade, de suas pernas e de seus pés e das costas e até mesmo das patas dianteiras — agora era de couro grosso, no qual escamas duras e brilhantes começavam a se formar.

— Não temos tempo para que passe mal — disse Glerk, olhando para trás.

Fyrian agora estava tão grande quanto o monstro, e crescia a cada instante que passava. O que ele disse era verdade. Ele estava mesmo meio esverdeado. Mas talvez essa fosse sua cor normal agora. Era impossível saber.

Glerk sentia que aquele tinha sido o momento mais inconveniente para o dragãozinho crescer. Mas não era justo de sua parte pensar assim.

— Sinto muito — desculpou-se Fyrian. Teve ânsia, dobrou-se e, com um soluço baixo, vomitou muito. — Ai, minha nossa. Acho que ateei fogo em algumas coisas.

Glerk meneou a cabeça.

— Apague o fogo se puder. Mas, se estiver certo em relação ao vulcão, não importará o que está pegando fogo e o que não está.

Fyrian balançou a cabeça e as asas. Tentou batê-las algumas vezes, mas ainda não tinha força suficiente para voar. Fungou com uma expressão surpresa no rosto.

— Ainda não estou conseguindo voar.

— Acho que é seguro dizer que é uma condição temporária.

— Como você sabe? — perguntou Fyrian, esforçando-se para esconder o choro que se insinuava em sua voz. Não foi muito bem-sucedido.

Glerk analisou o amigo. O crescimento estava mais lento, mas não tinha parado. Pelo menos agora Fyrian parecia estar crescendo mais uniformemente.

— Não sei. Só posso esperar pelo melhor. — O maxilar de Glerk se abriu em um grande sorriso. — E você, meu querido Fyrian, é o melhor que eu conheço. Vamos para o alto da montanha. É melhor nos apressarmos.

E eles correram pelos arbustos e escalaram as pedras.

* * *

A louca jamais se sentira tão bem em toda a sua vida. O sol tinha se posto. A lua começava a subir. E ela corria pela floresta. Não gostava do que via no chão: muitos buracos, lagos de água fervente e gêiseres de vapor que poderiam cozinhá-la viva. Então, com suas botas, ela corria saltando de galho em galho, tão facilmente como se fosse um esquilo.

A Irmã Superiora a seguia. Sentia o alongamento e o enrolar dos músculos da Irmã. Conseguia sentir a ondulação da velocidade e o brilho da cor enquanto trotava pela floresta.

Parou por um momento em um galho grosso de uma árvore que não conseguiu identificar. O tronco tinha um sulco profundo, e ela se perguntou se a água escorria nele como um rio durante a chuva. Espiou pela escuridão que crescia. Permitiu que a visão se ampliasse pelas colinas e ravinas e topos de montanhas até a curva do mundo.

Lá! Um brilho azul, com pontas prateadas.

Lá! Um brilho verde-musgo.

Lá! O jovem que ela havia ferido.

Lá! Algum tipo de monstro e seu animal de estimação.

A montanha rugiu. Cada vez que isso acontecia, o som ficava mais alto, mais insistente. A montanha tinha engolido o poder, e aquele poder queria sair.

— Preciso de meus pássaros — decidiu a louca, virando o rosto para o céu.

Deu um salto para um novo galho à frente. E outro. E mais outro. E outro ainda.

— PRECISO DE MEUS PÁSSAROS! — gritou, saltando de galho em galho com tanta facilidade como se estivesse correndo por um campo gramado. Mas muito mais rápido que isso.

Conseguia sentir a magia das botas iluminar seus ossos. A luz do luar parecia aumentar a força.

— Preciso de minha filha — sussurrou ela, enquanto corria ainda mais rápido, os olhos fixos no brilho azulado.

E, logo atrás, outro sussurro se juntou ao dela: o farfalhar de asas de papel.

* * *

O corvo grasnou dentro do capuz da menina. Apoiou as patas nos ombros de Luna, então tirou as asas para fora e se lançou ao ar.

— *Crau* — chamou o corvo, soando como: — *Luna*.

— *Crau* — repetiu ele. — Luna.

— *Crau, crau, crau*.

— Luna, Luna, Luna.

A encosta foi ficando mais íngreme. A menina tinha que se agarrar em troncos na subida para não cair para trás. Seu rosto estava vermelho, e a respiração, ofegante.

— *Crau* — chamou o corvo. — Eu vou na frente para ver o que você não consegue ver.

Foi o que fez, seguindo pelas sombras até o campo descoberto no alto da elevação, onde grandes pedras se erguiam feito sentinelas, guardando as montanhas.

Viu um homem. O homem segurava uma andorinha. A andorinha chutava, agitava-se e bicava.

— Calma, amiguinho! — pediu o homem, em um tom tranquilizador, enquanto envolvia a andorinha em um pedaço de pano e a prendia dentro do casaco.

O homem foi até uma das últimas pedras perto da beira da montanha.

— Veja só — disse ele para a andorinha, que se agitava e se esforçava para sair. — Ela assumiu a forma de uma menina. Até mesmo um tigre pode usar a pele de cordeiro. Mas isso não muda o fato de que é um tigre.

Então o homem pegou uma faca.

— *Crau!* Luna!

— *Crau!*

— Corra! — gritou o corvo.

42

E o mundo é azul e prata e prata e azul

Luna ouviu o aviso do corvo, mas não conseguiu diminuir o passo. Estava viva com a luz do luar. *Azul e prateado, prateado e azul,* pensou ela, mas não sabia o motivo. A luz do luar era deliciosa. Juntou-a nos dedos e a bebeu de novo e de novo. Uma vez que começou, não conseguia mais parar.

A cada gole, a cena no alto da montanha ficava mais clara.

O brilho verde-musgo.

Era sua avó.

As penas.

Elas estavam de alguma forma ligadas à avó.

Viu o homem com cicatrizes no rosto. Ele parecia familiar, mas não sabia de onde o conhecia.

Havia bondade em seu olhar e bondade em seu espírito. Seu coração carregava amor. Sua mão empunhava uma faca.

* * *

Azul, pensou a louca enquanto serpenteava pelas árvores, de galho em galho, de galho em galho. *Azul, azul, azul, azul.* A cada passo gigantesco, a magia das botas cortava seu corpo, como um raio.

— E prateado também — cantarolou ela em voz alta. — Azul e prateado, prateado e azul.

E cada passo a aproximava mais da menina. A lua estava alta no céu agora. Iluminando o mundo. A luz do luar passou pelos ossos da louca, do alto da cabeça até as lindas botas, e de volta à cabeça.

Passo, passo, passo; salto, salto, salto; azul, azul, azul. Um toque prateado. Um bebê perigoso. Braços protetores. Um monstro com grandes mandíbulas e olhos bondosos. Um dragão minúsculo. Uma criança cheia de luz do luar.

Luna. Luna. Luna. Luna. Luna.

Sua filha.

Havia um descampado no alto da montanha. Correu até lá. Rochas se erguiam, como sentinelas. Atrás de uma delas havia um homem. Um brilho verde-musgo se insinuava por um ponto em sua jaqueta. Algum tipo de magia, pensou a louca. O homem segurava uma faca. E quase no alto da montanha, quase o alcançando, estava o outro brilho: o brilho azul.

A menina.

Sua filha.

Luna.

Ela sobreviveu.

O homem ergueu a faca. Estava com os olhos fixos na menina que se aproximava.

— Bruxa — gritou ele.

— Eu não sou Bruxa alguma — respondeu a menina. — Sou só uma menina. Meu nome é Luna.

— Mentira! — disse o homem. — Você é uma bruxa. Você tem milhares de anos de idade. Você matou incontáveis crianças. — Uma respiração trêmula. — E agora *eu* vou matar *você*.

O homem saltou.
A menina saltou.
A louca saltou.
E o mundo ficou cheio de pássaros.

43

E a Bruxa faz o primeiro feitiço — desta vez por vontade própria

Um turbilhão de pernas e asas e cotovelos e unhas e bicos de papel. Pássaros de papel no alto da montanha, em uma espiral cada vez menor e menor.

— Meus olhos! — gritou o homem.

— Meu rosto! — uivou a menina.

— Minhas botas — gemeu a mulher. Uma mulher que Luna não conhecia.

— *Crau!* — grasnou o corvo. — Minha menina! Fiquem longe de minha menina.

— Pássaros! — ofegou Luna.

Luna rolou para fora da confusão e se levantou. Os pássaros de papel giraram no ar em uma formação maciça no céu antes de se alinharem em um grande círculo no chão. Não estavam atacando... não ainda. Mas o jeito como projetavam os bicos para a frente e abriam ameaçadoramente as asas fazia parecer que atacariam.

O homem cobriu o rosto.

— Mantenha-os longe de mim. — Ele tremia e se encolhia, cobrindo o rosto com as mãos. Deixou cair no chão a faca, que rolou pela beirada da montanha.

— Por favor — sussurrou ele. — Eu conheço esses pássaros. São aterrorizantes. Foram eles que me cortaram em pedacinhos.

Luna se ajoelhou ao lado do homem.

— Eu não vou deixá-los machucar você — sussurrou ela. — Prometo. Eles me encontraram antes, quando eu estava perdida na floresta. Eles não me machucaram lá, e não consigo imaginá-los machucando você agora. Não importa o que aconteça, eu não vou permitir que eles o machuquem. Ouviu?

O homem assentiu, mas manteve o rosto afundado nos joelhos.

Os pássaros de papel viraram a cabeça. Não olhavam para Luna. Olhavam para a mulher, esparramada no chão.

Luna também olhou para ela.

A mulher usava botas pretas e um vestido cinza simples. A cabeça estava raspada. Tinha olhos pretos arregalados e uma marca de nascença no formato de uma lua crescente. Luna tocou a própria testa.

Ela está aqui, disse seu coração. *Ela está aqui, ela está aqui, ela está aqui.*

— Ela está aqui — sussurrou a mulher. — Ela está aqui, ela está aqui, ela está aqui.

A imagem que Luna tinha da mulher era com longos cabelos pretos serpenteando em sua cabeça, como cobras. Olhou para a mulher a sua frente e tentou imaginá-la com cabelo.

— Eu conheço você? — perguntou Luna.

— Ninguém me conhece — disse a mulher. — Eu não tenho nome.

Luna franziu a testa.

— Você *tinha* um nome? — insistiu a menina.

A mulher se agachou, abraçando os joelhos. Seus olhos foram de um lado para o outro. Estava ferida, mas não fisicamente. Luna olhou mais de perto. O ferimento estava dentro da cabeça dela.

— Uma vez — começou a mulher. — Uma vez eu tive um nome. Mas não me lembro mais qual é. Havia um homem que me chamava de "esposa", e havia uma criança que teria me chamado de "mãe". Mas já faz muito tempo. Não sei nem dizer quanto. Agora eu só sou chamada de "prisioneira".

— Uma torre — sussurrou Luna, dando um passo para mais perto. A mulher tinha lágrimas nos olhos. Ela encarou Luna e, logo depois, afastou o olhar; olhou de novo e desviou, como se tivesse medo de permitir que seus olhos se demorassem demais na menina.

O homem ergueu o rosto. Ajoelhou-se. Ele olhou para a louca.

— É você — disse ele. — Você fugiu.

— Sou eu — confirmou a louca. Ela engatinhou pela superfície rochosa e se agachou ao lado dele. Colocou a mão no rosto do rapaz. — É culpa minha — disse, passando os dedos pelas cicatrizes. — Sinto muito. Mas sua vida... Sua vida é mais feliz agora, não é?

Os olhos do homem se encheram de lágrimas.

— Não — respondeu ele. — Quero dizer, sim. É. Mas não. Minha esposa teve um bebê. Nosso filho é lindo. Mas é o mais jovem do Protetorado. Assim como aconteceu com você, teremos que entregar nosso bebê para a Bruxa.

Ele olhou para a marca na testa da mulher.

Seu olhar passou para Luna. Estava olhando para uma marca de nascença idêntica. E olhos pretos e grandes idênticos. O montinho em sua jaqueta lutou e bicou. Um bico preto apareceu na beirada de sua gola. Picou de novo.

— Ai — reclamou o homem.

— Eu não sou uma bruxa — disse Luna, levantando o queixo. — E nunca peguei bebê algum.

O corvo saltou pela rocha nua e para o alto, fazendo um arco até o ombro da menina.

— É claro que você não é uma bruxa — disse a louca. Ainda não conseguia fixar os olhos da menina. Tinha que desviar o olhar, como se Luna fosse uma luz muito forte. — Você *é* a bebê.

— Que bebê?

O pássaro se esforçou para sair da jaqueta do homem. Aquele brilho verde-musgo. A andorinha gritou, se agitou e bicou.

— Por favor, amiguinho — pediu o homem. — Fique calmo! Não precisa ter medo.

— Vovó! — sussurrou Luna.

— Você não entende. Sem querer, eu quebrei a asa desta andorinha — explicou o homem.

Luna não o escutou.

— VOVÓ!

A andorinha congelou. Ficou olhando para a menina com olhos brilhantes. Eram os olhos da avó, Luna sabia.

Dentro da mente da menina, a última engrenagem se encaixou. Sua pele começou a zunir. Seus ossos também. Sua mente se acendeu com lembranças, cada qual caindo como um asteroide no escuro.

A mulher berrando no teto.

O homem muito velho com narigão.

O círculo de plátanos.

O plátano que virou uma velha.

A velha com luz estelar nos dedos. Então, algo ainda mais doce que luz estelar.

E, de repente, Glerk era um coelhinho.

E sua avó tentou lhe ensinar sobre feitiços. A textura de feitiços. A construção de feitiços. A poesia e a arte e a arquitetura de feitiços. Eram lições que Luna ouviu e esqueceu, mas que agora lembrava e compreendia.

Olhou para a andorinha. A andorinha olhou para Luna. Os pássaros de papel aquietaram as asas e esperaram.

— Vovó — disse Luna, erguendo uma das mãos.

Concentrou todo o seu amor, todas as suas perguntas, todo o seu carinho, todas as suas frustrações e toda a sua tristeza na andorinha no chão. A mulher que a alimentou. A mulher que lhe ensinou a construir e a sonhar e a criar. A mulher que não respondia a suas perguntas — que *não podia* responder. Era ela que Luna queria ver. Sentiu os ossos dos dedos dos pés começarem a zunir. Sua magia e seu pensamento e sua intenção e sua esperança. Era tudo a mesma coisa agora. Sua força se moveu pelas canelas, subiu pelos quadris, se estendeu pelos braços e chegou aos dedos.

— *Revele-se* — ordenou Luna.

Em uma confusão de penas, asas e bicos e braços e pernas, sua avó apareceu. Olhou para Luna. Os olhos estavam vermelhos e úmidos. Cheios de lágrimas.

— Minha querida — sussurrou a velha.

Então Xan estremeceu, dobrou o corpo e caiu no chão.

44

E alguém muda de opinião

Luna se atirou de joelhos e pegou a avó nos braços.

Oh! Como ela estava leve. Apenas osso e pele e vento frio. Sua avó que havia sido a força da natureza por tantos anos — era um pilar que sustentava o céu. Luna sentiu que poderia pegar a avó nos braços e correr com ela para casa.

— Vovó — chorou a menina, encostando o rosto no da avó. — Acorde, vovó. Por favor, acorde.

A velha inspirou um pouco de ar.

— Sua magia — disse ela. — Já começou, não é?

— Não fale sobre isso — pediu Luna, a boca ainda enterrada no cabelo musgoso da avó. — Você está doente?

— Não estou doente — sussurrou a avó. — Estou morrendo. Algo que eu já deveria ter feito há muito tempo. — Ela tossiu, estremeceu, tossiu de novo.

Luna sentiu um único soluço subir de suas entranhas pela garganta.

— Você não está morrendo, vovó. Não pode estar. Eu consigo conversar com um corvo. E os pássaros de papel me amam. E acho que eu encontrei... Bem, eu não sei o que ela é. Mas me lembro dela. De antes. E há uma mulher na floresta que... Acho que ela não é muito boa.

— Eu não estou morrendo neste exato segundo, minha filha, mas logo morrerei. E não vai demorar muito. Agora. Sua magia. Posso dizer a palavra e ela fica, não é? — Luna confirmou com a cabeça. — Eu tive que trancá-la aí dentro para você não ficar em perigo nem colocar os outros em perigo. Porque, pode acreditar em mim, querida, você era *perigosa*. Mas houve consequências. E deixe-me adivinhar. Está vindo por cima e por baixo e pelos lados, não é? — Ela fechou os olhos e fez uma careta de dor.

— Eu não quero falar sobre isso, vovó, a não ser que eu possa fazer você ficar bem. — A menina se aprumou de repente. — Eu *posso* fazer você ficar boa?

A velha estremeceu.

– Estou com frio — disse Xan. — Estou com tanto, tanto frio. A lua já subiu?

— Já, vovó.

— Erga sua mão. Deixe a luz do luar grudar em seus dedos e me dê para comer. Foi o que fiz com você, há muito tempo, quando você era bebê. Quando você foi abandonada na floresta e eu a levei para um lugar seguro. — Xan parou de falar e olhou para a mulher de cabeça raspada, agachada no chão. — Eu achei que sua mãe a tivesse abandonado. — Ela pressionou a mão na boca e balançou a cabeça. — Você tem a mesma marca de nascença. — A voz de Xan falhou. — E os mesmos olhos.

A mulher no chão assentiu.

— Ela não foi abandonada — sussurrou ela. — Ela foi tirada de mim. Minha filha foi tirada de mim. — A louca enterrou a cabeça nos joelhos e cobriu a cabeça com os braços. Não fez mais nenhum som.

O rosto de Xan pareceu partir.

— Sim, sei disso agora. — Ela se virou para Luna. — Todos os anos, um bebê é abandonado na floresta, em um mesmo lugar, para morrer. Todos os anos, eu levava o bebê pela floresta para uma nova família que o amaria e o manteria em segurança. Cometi o erro de não ser curiosa. Cometi o erro de não questionar. Mas a tristeza pairava sobre aquele lugar, como uma nuvem, e eu saía de lá o mais rápido possível.

Xan estremeceu, apoiou-se nas mãos e nos joelhos e se aproximou da mulher no chão. A mulher não levantou a cabeça. Xan pousou a mão com cuidado no ombro da mulher.

— Você me perdoa?

A louca nada disse.

— As crianças da floresta... São as Crianças Estelares? — sussurrou Luna.

— As Crianças Estelares. — A avó tossiu. — Elas eram como você. Mas você foi embruxada. Não era minha intenção, querida. Foi um acidente impossível de ser desfeito. E eu amava você. Eu a amava tanto. E o embruxamento não podia ser desfeito. Por isso, eu a adotei como minha própria e querida neta. Foi então que comecei a morrer. E isso também não pode ser desfeito. De jeito algum. Consequências. Tudo tem consequências. Cometi tantos erros. — Ela estremeceu. — Estou com frio. Um pouco de luz do luar, minha Luna, se não se importar.

Luna ergueu a mão. O peso da luz do luar — grudento e doce — juntou-se em seus dedos. Escorreu por suas mãos até a boca da avó e fez o velho corpo vibrar. O rosto da mulher voltou a corar. A luz do luar brilhava pela pele de Luna também, fazendo seus ossos cintilarem.

— A luz do luar só me ajuda por um tempo — disse a avó. — A magia passa por mim, como um balde cheio de buracos. Ela é atraída por você. Tudo o que eu tenho, tudo o que eu sou, flui para você, minha querida. É como deveria ser. — Ela se virou para a neta e colocou a mão em seu rosto. Luna entrelaçou os dedos com os da avó e apertou com desespero. — Quinhentos anos é muito tempo. Tempo demais. E você tem uma mãe que a ama. Que a amou desde sempre.

— Minha amiguinha — disse o homem. Estava chorando. Lágrimas grossas escorriam pelo rosto marcado. Parecia inofensivo agora que não segurava uma faca. Mesmo assim, Luna o espiou com cautela. Ele se inclinou para a frente, estendendo a mão esquerda.

— Não se aproxime mais — disse ela, com voz fria.

Ele assentiu e disse:

— Minha amiguinha... Minha amiguinha andorinha... Eu... — Ele engoliu em seco, enxugou as lágrimas e o nariz com a manga da camisa. — Sinto muito se pareço mal-educado, mas... Ah... — A voz dele morreu. Luna poderia pará-lo com uma pedra, embora tenha parado de pensar nisso assim que uma pedra rolou pelo chão e depois ficou pairando de forma ameaçadora.

Nada disso, pensou ela para a pedra, com um olhar zangado. A pedra caiu no solo com um barulho seco e rolou para longe, como se estivesse de castigo.

Preciso tomar cuidado, pensou Luna.

— Mas... é *você* a Bruxa? — continuou o homem, com os olhos fixos em Xan. — A Bruxa da floresta? A que insiste que um bebê seja sacrificado todos os anos, caso contrário destruiria todos nós?

Luna lançou um olhar frio para ele.

— Minha avó nunca destruiu nada na vida. Ela é boa e gentil e amorosa. Pode perguntar para as pessoas nas Cidades Livres. Elas sabem.

— Mas *alguém* exige o sacrifício — argumentou o homem. — E não é ela — afirmou, apontando para a mulher com a cabeça raspada em cujos ombros os pássaros de papel farfalhavam. — Disso eu sei. Eu estava lá quando a filha dela foi levada.

— Se eu me lembro bem — rosnou a mulher —, foi você que a estava levando.

O homem baixou a cabeça.

— Foi você — sussurrou Luna. — Eu me lembro. Você era só um garoto. Você tinha cheiro de serragem. E não queria... — Ela fez uma pausa. Franziu o cenho. — Você fez os velhos se zangarem.

— *Isso* — ofegou o homem.

A avó começou a se levantar, e Luna se apressou em tentar ajudá-la. Xan a afastou.

— Já chega, filha. Eu ainda consigo ficar de pé sozinha. Não sou tão velha assim.

Mas ela *era* tão velha assim. A avó envelhecia diante dos olhos de Luna. Xan sempre fora velha, é claro. Mas agora... Agora era diferente. Ela definhava a cada segundo. Seus olhos estavam fundos e escuros. A pele parecia da cor do pó. Luna juntou mais luz do luar nos dedos e encorajou a avó a tomar.

Xan olhou para o rapaz.

— Precisamos ser rápidos. Eu estava a caminho de resgatar outro bebê abandonado. Tenho feito isso há tanto tempo que parece uma eternidade. — Estremeceu, olhou para a neta e tentou dar um único passo incerto. Luna achou que ela fosse ser soprada pelo vento. — Não há tempo para cuidados agora.

Luna segurou a avó pela cintura. O corvo bateu as asas no ombro da menina, que se virou para a mulher no chão e ofereceu a outra mão.

— Você virá conosco? — perguntou ela. Prendeu a respiração. Sentiu o coração disparar no peito.

A mulher no teto.

Os pássaros de papel na janela da torre.

Ela está aqui, ela está aqui, ela está aqui.

A mulher ergueu o rosto, e seus olhos encontraram os de Luna. Pegou a mão da menina e se levantou. Luna sentiu o coração dela se abrir. Os pássaros de papel começaram a bater as asas e alçar voo.

Luna ouviu passos se aproximando do outro lado da montanha antes de conseguir ver um par de olhos brilhantes. O trotar musculoso de um tigre. Mas não era tigre algum. Uma mulher — alta e claramente com magia. E sua magia era cortante e dura e inclemente, como a lâmina curva de uma espada. A mulher que exigira as botas. Ela estava de volta.

— Olá, Devoradora de Tristeza — cumprimentou Xan.

45

E um Dragão Simplesmente Enorme toma uma decisão simplesmente enorme

— Glerk!

— Shhh, Fyrian! — disse Glerk. — Estou *ouvindo*!

Tinham visto a Devoradora de Tristeza subir a encosta até o alto da montanha, e Glerk sentiu o sangue gelar.

A Devoradora de Tristeza! Depois de tantos anos!

Estava igualzinha. Que tipo de truques vinha fazendo?

— Mas Glerk!

— Nem mas, nem meio mas! Ela não sabe que estamos aqui. Nós podemos surpreendê-la!

Já fazia muito tempo desde a última vez que Glerk enfrentara um inimigo. Ou surpreendera um vilão. Houve um tempo em que Glerk era muito bom nisso. Conseguia empunhar cinco espadas de uma vez — uma em cada uma das quatro mãos e outra na ponta contrátil da cauda —, e era tão formidável e ágil e imenso que seus adversários costumavam largar as armas e pedir trégua. Glerk preferia isso, já que sentia que a violência, embora às vezes necessária, era algo grosseiro e incivilizado. Razão, beleza, poesia e conversas excelentes eram suas ferramentas favoritas para resolver disputas.

O espírito de Glerk era, em essência, tão sereno quanto qualquer charco: revigorante e sustentável. De repente, ele começou a sentir uma saudade tão intensa do Charco que quase caiu de joelhos.

Eu estive adormecido. Fui embalado pelo amor por Xan. Eu deveria estar no mundo e não estive. Eu me ausentei por Eras. Que vergonha!

— GLERK!

O monstro do pântano olhou para cima. Fyrian estava voando. Tinha continuado a crescer, e estava ainda maior que da última vez que Glerk o vira. Porém, o surpreendente era que, mesmo à medida que se tornava maior e maior, Fyrian de alguma forma conseguira voltar a usar as asas e pairava acima, espiando por sobre a copa das árvores.

— Luna está lá — contou ele. — E está com aquele corvo sem graça. Eu detesto aquele corvo. Luna gosta mais de mim.

— Você não detesta ninguém, Fyrian — argumentou Glerk. — Não é de sua natureza.

— E Xan está lá. Tia Xan! Ela está doente!

Glerk assentiu. Era exatamente o que temia. Pelo menos estava na forma humana. Teria sido muito pior se tivesse ficado presa no estado transformado, sem poder se despedir.

— O que mais você está vendo, meu amigo?

— Uma mulher. Duas mulheres. A mulher que se mexe como um tigre e uma outra. Ela não tem cabelo. E ela ama Luna. Dá para ver daqui. Por que *ela* ama Luna? *Nós* amamos Luna!

— Essa é uma boa pergunta. Como você sabe, Luna é um pequeno mistério. Assim como Xan foi, tantos anos antes.

— Estou vendo um homem também. E um monte de pássaros no chão. Acho que eles também amam Luna. Eles estão olhando para ela. E Luna está com aquele olhar de quem quer causar confusão.

Glerk assentiu com seu cabeção. Fechou um dos olhos e depois o outro e se abraçou com os quatro braços grossos.

— Então, Fyrian — disse o monstro. — Eu sugiro que nós também causemos um pouco de confusão. Eu vou por terra e você, pelo ar.

— Mas o que vamos fazer?

— Fyrian, você era só um dragãozinho minúsculo quando tudo aconteceu, mas foi por causa daquela mulher lá, aquela toda faminta e à espreita, que sua mãe teve que entrar naquele vulcão. Ela é a Devoradora de Tristeza. Espalha sofrimento e devora a tristeza. É o pior tipo de magia. Foi por causa dela que você foi criado sem sua mãe, e é por causa dela que tantas mães estão sem seus filhos. Sugiro que a gente a impeça de causar mais tristezas. O que você acha?

Fyrian já estava voando, gritando e lançando chamas no céu noturno.

* * *

— Irmã Ignatia? — Antain ficou confuso. — O que a senhora está fazendo aqui?

— Ela nos encontrou — sussurrou a mulher com os pássaros de papel.

Não, pensou Luna, *não apenas uma mulher. Minha mãe. Esta mulher é minha mãe.* Mal conseguia entender o que estava acontecendo. Mas, no fundo, no fundo, sabia que era verdade.

Xan se virou para o rapaz.

— Você não queria encontrar a Bruxa? Esta é sua bruxa, meu amigo. Você a chama de Irmã Ignatia? — Ela lançou um olhar cético para a estranha. — Que extravagante. Eu a conheci por um nome diferente. Embora eu a chamasse de "monstro" na infância. Ela está vivendo da tristeza do Protetorado... há quanto tempo mesmo? Quinhentos anos? Minha nossa. Isso é algo para entrar nos livros de história, não acham? Você deve estar muito orgulhosa de si mesma.

A estranha analisou a cena com um sorriso sutil no rosto. *Devoradora de Tristeza,* pensou Luna. *Um nome odioso para uma pessoa odiosa.*

— Ora, ora, ora — disse a Devoradora de Tristeza. — Se não é a pequena Xan. Já faz tantos anos. E temo que os anos não tenham sido muito gentis com você. E, sim, estou terrivelmente feliz de ver que você está impressionada com minha fazenda de tristezas. Há tanto poder na tristeza. Pena que seu precioso Zosimos nunca tenha sido capaz de enxergar isso. Era um tolo. Tolo e agora está morto, coitadinho. Como você também logo estará, querida Xan. Como deveria estar há bastante tempo.

A magia da mulher a cercava como um redemoinho, mas, mesmo a distância, Luna conseguiu ver que ela estava vazia no meio. Assim como Xan, ela também estava ficando sem magia. E, sem uma fonte próxima de tristeza por perto, não havia com o que se reabastecer.

Luna soltou o braço da avó e deu um passo à frente. Filamentos de magia se soltaram da mulher e flutuaram até Luna e sua densa magia. A mulher não pareceu notar.

— Agora que bobagem é essa de resgatar aquele bebê? — perguntou a estranha.

Antain se levantou, mas a louca colocou a mão em seu ombro e o segurou ali.

— Ela está tentando se alimentar de sua tristeza — murmurou a louca, fechando os olhos. — Não permita. Sinta esperança no lugar de tristeza. Sinta esperança sem parar.

Luna deu outro passo. Sentiu um pouco mais da magia da mulher se soltar, atraída por ela.

— Que coisinha curiosa! — exclamou a Devoradora de Tristeza. — Eu conheci outra menina curiosa. Há muitos e muitos anos. Tantas *perguntas* infernais. Não fiquei nem um pouco triste quando o vulcão a engoliu.

— Só que não engoliu — disse Xan, com dificuldade.

— Pois devia — provocou a estranha. — Olhe para você. Velha. Decrépita. O que você fez? Nada! E as histórias que contam sobre você! Eu diria que arrepiariam seu cabelo — ela estreitou os olhos —, mas acho que os fios não aguentariam.

A louca soltou Antain e foi em direção a Luna. Seus movimentos eram cuidadosos e lentos, como se estivesse se movendo em um sonho.

— Irmã Ignatia! — exclamou Antain. — Como a senhora pôde? O Protetorado a considera a voz da razão e do ensinamento. — A voz do jovem falhou. — Meu filho está diante dos Togados. *Meu filho*. E Ethyne. De quem você cuidou como filha! Isso vai partir o coração dela.

Irmã Ignatia abriu as narinas, e seu rosto ficou mais sombrio.

— Não diga o nome daquela ingrata na minha presença. Depois de tudo o que fiz por ela.

— Existe uma parte dela que ainda é humana — sussurrou a louca no ouvido de Luna e pousando a mão no ombro da filha. O toque fez algo dentro de Luna crescer. Ela precisou se esforçar para manter os pés no chão. A louca prosseguiu: — Eu a ouvi na Torre. Ela caminha durante o sono, de luto por algo que perdeu. Ela soluça; ela chora; ela uiva. Quando acorda, não se lembra de nada. Está trancado dentro dela.

Luna sabia um pouco sobre como era isso. Voltou sua atenção para as lembranças trancadas dentro da Devoradora de Tristeza.

Xan cambaleou para a frente.

— Os bebês não morreram, sabia? — contou a velha, com um sorriso matreiro.

A estranha debochou.

— Não seja ridícula. É claro que morreram. Morreram de fome ou de sede. Animais selvagens os devoraram, mais cedo ou mais tarde. Esse era o *objetivo*.

Xan deu outro passo. Espiou os olhos da mulher alta, como se estivesse encarando um túnel comprido e escuro escavado em uma pedra. Apertou os olhos.

— Você está errada. Não consegue ver além da névoa de tristeza que você mesma criou. Assim como eu tinha dificuldade em enxergar *lá dentro,* você não consegue enxergar *aqui fora*. Durante todos esses anos, eu passei bem na frente de sua porta, e você nem suspeitou. Não é *engraçado*?

— Pois eu não vejo a menor graça — respondeu a estranha, com um rosnado no fundo da garganta. — É só ridículo. Se você tivesse se aproximado, eu saberia.

— Não, cara senhora. Você não percebeu nadinha. Assim como não percebeu o que tinha acontecido com os bebês. Todos os anos, eu chegava até a beirada daquele lugar tão, tão triste. Todos os anos, eu pegava o bebê e o levava comigo pela floresta até as Cidades Livres, e lá eu deixava a criança com uma família amorosa. E, para minha própria vergonha, as famílias verdadeiras mergulhavam na tristeza sem necessidade. E você se alimentou dessa tristeza. Mas não vai se alimentar da tristeza de Antain. Nem da de Ethyne. O bebê deles vai viver com os pais verdadeiros e vai crescer e prosperar. Realmente, bastou você espreitar pela floresta para sua névoa de tristeza ter se levantado. O Protetorado já sabe como é ser livre.

Irmã Ignatia empalideceu.

— Mentiras — disse ela, mas tropeçou e se esforçou para recuperar o equilíbrio. Ofegou. — O que está acontecendo?

Luna estreitou os olhos. A estranha já estava quase sem magia, mas ainda lhe restava um pouco. Luna olhou mais fundo. E lá, no espaço onde o coração da Devoradora de Tristeza deveria estar, havia uma esfera minúscula: dura, brilhante e fria. Uma pérola. Durante os anos, a estranha tinha criado muros em volta do coração, tornando-o liso, brilhante e sem sentimentos. E provavelmente escondeu outras coisas ali dentro também: lembranças, esperança, amor, o peso das emoções humanas. Luna se concentrou, e seus olhos afiados mergulharam ali dentro, partindo o brilho da pérola.

A Devoradora de Tristeza pressionou as mãos na cabeça.

— Alguém está roubando minha magia. É você, velha?

— Que magia? — perguntou a louca, aproximando-se de Xan e lhe dando o braço para ajudá-la a se manter de pé enquanto lançava um olhar duro para Irmã Ignatia. — Eu não vejo magia alguma. — A louca se virou para Xan. — Ela costuma inventar coisas, sabe?

— Calada, sua imbecil! Você não sabe do que está falando. — A estranha cambaleou, como se suas pernas tivessem virado gelatina.

— Todas as noites, quando eu era criança no castelo — disse Xan —, você vinha se alimentar da tristeza que vazava por baixo da porta.

— Toda noite na Torre — disse a louca —, você ia de cela em cela à procura de tristeza. Quando descobri como prender a minha e tirá-la de seu alcance, você rosnava e uivava.

— Vocês estão mentindo — disse a Devoradora de Tristeza. Mas não estavam. Luna conseguia ver a fome horrível da Devoradora de Tristeza. Conseguia ver como, mesmo agora, ela procurava um tiquinho de tristeza. Qualquer coisa para tampar o vazio que sentia. — Vocês não sabem nada sobre mim.

Mas Luna *sabia.* No olho da mente, Luna via o coração perolado da Devoradora de Tristeza flutuando no ar. Esteve escondido por tanto tempo que Luna suspeitava de que até a Devoradora de Tristeza tivesse se esquecido dele. Ela o virou e o revirou, procurando por rachaduras e fendas. Havia uma lembrança ali dentro. Uma pessoa amada. Uma perda. Uma inundação de esperança. Um poço de sofrimento. Quantos sentimentos um coração consegue suportar? Olhou para a avó. Olhou para a mãe. Olhou para o homem que protegia sua família. *Infinitos,* pensou Luna. *Assim como o universo é infinito.* É luz e escuridão em movimentos eternos; é espaço e tempo, e tempo dentro do espaço. E ela soube: *não há limites para o que um coração consegue carregar.*

É horrível ser separado das próprias lembranças, pensou Luna. *Se tem algo que sei, é isso. Venha cá. Deixe-me ajudá-la.*

Luna se concentrou. A pérola rachou. Os olhos da Devoradora de Tristeza se arregalaram muito.

— Alguns de nós — disse Xan — escolhem amor em vez de poder. Na verdade, a maioria das pessoas.

Luna insistiu em manter sua atenção na rachadura. Com um movimento do pulso esquerdo, forçou a abertura. E a tristeza saiu lá de dentro.

— Oh! — disse a Devoradora de Tristeza, pressionando as mãos no peito.

— VOCÊ! — trovejou uma voz lá no céu.

Luna ergueu o olhar e sentiu um grito explodir na garganta. Viu um dragão enorme pairando bem acima delas. Voava em espiral, aproximando-se mais e mais do centro. Lançava fogo no ar. Parecia-lhe familiar.

— Fyrian?

Irmã Ignatia agarrava o peito. Sua tristeza escorria pelo chão.

— Ah, não. Ah, não, não, não. — Seus olhos marejaram, e ela engasgou com o próprio choro.

— *Minha mãe* — gritou o dragão parecido com Fyrian. — *Minha mãe morreu, e a culpa é sua.* — O dragão mergulhou e pousou, mandando nuvens de pedras para todos os lados.

— *Minha* mãe — murmurou a Devoradora de Tristeza, mal notando o enorme dragão à frente. — Minha mãe e meu pai e minhas irmãs e meus irmãos. Minha aldeia e meus amigos. Todos se foram. Tudo o que me restou foi a tristeza. A tristeza e a lembrança. A lembrança e a tristeza.

O dragão que talvez fosse Fyrian agarrou a Devoradora de Tristeza pela cintura, erguendo-a no ar. Ela estava mole como uma boneca.

— Eu deveria queimar você! — exclamou o dragão.

— FYRIAN! — Glerk estava correndo montanha acima, movendo-se mais rápido que Luna achou que ele conseguisse. — Fyrian, coloque-a no chão agora mesmo. Você não sabe o que está fazendo.

— Sei, sim — respondeu Fyrian. — Ela é má.

— Fyrian, pare! — exclamou Luna, agarrando a perna do dragão.

— Eu sinto saudade dela — chorou Fyrian. — Da minha *mãe.* Eu sinto tanta saudade. A bruxa deveria pagar pelo que fez.

Glerk se ergueu e ficou tão alto quanto uma montanha. Tão sereno quanto um charco. Olhou para Fyrian com todo o amor do mundo.

— Não, Fyrian. Essa saída é fácil demais, meu amigo. Olhe mais fundo.

Fyrian fechou os olhos. Não colocou a Devoradora de Tristeza no chão. Grandes lágrimas lhe escorriam pelas pálpebras fechadas e caíam no chão em gotas vaporosas.

Luna olhou mais fundo, além das camadas de lembranças em volta do coração perolado. O que viu a surpreendeu.

— Ela emparedou a própria tristeza — sussurrou Luna. — Ela a cobriu e a imprensou com mais e mais força. Ficou tão dura e tão pesada e tão densa que dobrou a luz ao redor. Sugava tudo para dentro. Era tristeza sugando tristeza. Ficou faminta pelo sentimento. Quanto mais se alimentava dele, mais precisava. Então, descobriu que poderia transformar isso em magia. E aprendeu a aumentar a tristeza a sua volta. Cultivava a tristeza, como um fazendeiro cultiva trigo e carne e leite. E ela se fartava com o sofrimento.

A Devoradora de Tristeza chorava. Sua tristeza vazava pelos olhos, pela boca e pelos ouvidos. Sua magia se foi. Suas tristezas colecionadas se esvaíam. Logo não existiria mais nada.

O chão tremeu. Grandes colunas de fumaça saíam da cratera do vulcão. Fyrian estremeceu.

— Eu deveria atirá-la dentro do vulcão por tudo o que você fez — declarou o dragão, com a voz presa na garganta. — Eu deveria comê-la de uma só vez e nunca mais pensar em você. Exatamente como você nunca mais pensou em minha mãe.

— Fyrian — disse Xan, estendendo os braços. — Meu precioso Fyrian. Meu garoto Simplesmente Enorme.

Fyrian começou a chorar de novo. Soltou a Devoradora de Tristeza, que caiu sobre um amontoado de pedras.

— Tia Xan! — choramingou ele. — Estou sentindo tantas e tantas coisas!

— É claro que está, queridinho. — Xan fez um gesto para o dragão se aproximar. Botou cada uma das mãos em um lado do enorme rosto e deu um beijo no focinho gigantesco. — Você tem um coração

Simplesmente Enorme. Como sempre teve. Há destinos que podemos dar a nossa Devoradora de Tristeza, mas o vulcão não é um deles. E, se você comê-la, vai ficar com uma baita dor de barriga. Então...

Luna inclinou a cabeça. O coração da Devoradora de Tristeza estava partido em pedaços. A Irmã não conseguiria consertá-lo sem magia, e agora sua magia tinha se extinguido. Quase que imediatamente, a Devoradora de Tristeza começou a envelhecer.

O chão tremeu de novo. Fyrian olhou em volta.

— Não é só o topo. As rachaduras estão se abrindo, e o ar vai ficar tóxico para Luna. Provavelmente para todo mundo.

A mulher sem cabelo — a louca (*Não,* pensou Luna. *Não a louca. A minha mãe. Ela é minha mãe.* A palavra a fez estremecer.) — olhou para as botas e sorriu.

— Minhas botas podem nos levar para onde precisamos ir muito rápido. Mande a Irmã Ignatia e o monstro com o dragão. Vou levar vocês nas costas, e vamos correr até o Protetorado. Todos precisam ser avisados sobre o vulcão.

A lua se apagou. As estrelas se apagaram. Fumaça densa cobriu o céu.

Minha mãe, pensou Luna. *Esta é minha mãe. A mulher no teto. As mãos que saíam da janela da Torre. Ela está aqui, ela está aqui, ela está aqui.*

O coração de Luna era infinito. Subiu nas costas da mãe, apoiou o rosto na curva de seu pescoço e fechou os olhos. A mãe de Luna pegou Xan com o máximo de cuidado possível e instruiu Antain e Luna a se segurarem em seus ombros enquanto o corvo se prendia à menina.

— Tenha cuidado com Glerk — disse Luna para Fyrian.

O dragão agarrou a Devoradora de Tristeza e a segurou o mais longe possível do corpo, como se tivesse nojo dela. O monstro se segurou nas costas de Fyrian, exatamente como o dragão costumava fazer com Glerk todos aqueles anos.

— Eu sempre tenho cuidado com Glerk — respondeu Fyrian. — Ele é delicado.

O chão tremeu. Era hora de partir.

46

E várias famílias são reunidas

O povo do Protetorado viu a nuvem de poeira e de fumaça avançar sobre os muros da cidade.

— O vulcão! — gritou um homem. — O vulcão tem pernas! E está vindo para cá.

— Não seja ridículo — argumentou uma mulher. — Vulcões não têm pernas. É a Bruxa. Está vindo nos pegar. Como sempre soubemos que faria.

— Será que mais alguém está vendo um pássaro gigante? Na verdade, parece um dragão! Sei que é impossível, é claro. Dragões não existem mais, não é?

A louca parou nos muros da cidade, deixando Antain e Luna descerem de suas costas. Ele não perdeu tempo e entrou correndo pelos portões do Protetorado. Luna ficou ali enquanto a louca pousava gentilmente Xan no chão e a ajudava a ficar de pé.

— Você está bem? — perguntou a louca.

Seus olhos dardejavam de um lado para o outro, sem jamais se fixar por muito tempo. Seu rosto mostrava uma miríade de expressões, uma depois da outra. Ela era bastante louca, Luna percebia.

Ou talvez nem um pouco louca, apenas quebrada. E coisas quebradas às vezes podiam ser consertadas. Luna pegou a mão da mãe e sentiu esperança.

— Eu preciso ir bem para o alto — disse Luna. — Preciso fazer algo para proteger a cidade e o povo quando aquela coisa explodir. — Ela apontou o queixo para o pico exalando colunas de fumaça, e seu coração se apertou um pouco. Sua casa da árvore. Sua horta. As galinhas e as cabras. O lindo pântano de Glerk. Tudo aquilo desapareceria em instantes, se é que já não o tinha. Consequências. Tudo tinha consequências.

A louca levou Luna e Xan para os portões e subiu no muro.

Havia magia em sua mãe. Luna conseguia sentir. Mas não era igual à de Luna. A magia de Luna estava infundida em cada osso, cada tecido, cada célula. A magia da mãe era mais como um monte de quinquilharias deixadas em um cesto depois de uma longa viagem: partes e pedaços batendo uns contra os outros. Mesmo assim, Luna conseguia sentir a magia da mãe — assim como a saudade e o amor que a louca levava consigo — zunindo contra a própria pele. Aquilo fortalecia o poder que crescia dentro da menina, direcionando os incrementos de magia. Luna segurou a mão da mãe com um pouco mais de força.

Fyrian, Glerk e uma Devoradora de Tristeza quase inconsciente pousaram ao lado das duas.

O povo do Protetorado berrou e correu para longe do muro, mesmo enquanto Antain gritava que não tinham nada a temer. Xan olhou para o pico cuspindo fumaça.

— Há muito a se temer — declarou ela, sombria. — Só que não de nós.

A terra tremeu.

Antain gritou por Ethyne.

Fyrian gritou por Xan.

— *Crau, crau, crau* — grasnou o corvo, querendo dizer: — Luna, Luna, Luna.

Glerk gritou que todos ficassem em silêncio para que pudesse pensar.

O vulcão lançava colunas de fogo e fumaça; poder engolido que enfim era regurgitado.

— Temos como pará-lo? — sussurrou Luna.

— Não — respondeu Xan. — Ele foi parado antes, há muito tempo, mas foi um erro. Um bom homem morreu por nada. E uma boa mãe-dragão também. Vulcões entram em erupção, e o mundo se altera. É assim que deve ser. Mas nós podemos proteger. Eu não posso fazer isso sozinha... não mais... e suspeito de que você também não consiga sozinha. Mas juntas. — Ela olhou para a mãe de Luna. — Juntas eu acho que conseguiremos.

— Eu não sei como, vovó! — Luna tentou esconder um soluço de choro. Havia muitas coisas para aprender, e não havia tempo suficiente para ensinar. Xan pegou a mão de Luna.

— Você se lembra de quando era uma menininha e eu lhe ensinei a fazer bolhas de sabão em volta de botões de flores, mantendo-os lá dentro?

Luna assentiu.

Xan sorriu.

— Venha. Nem todo conhecimento vem da mente. Pode vir de seu corpo, de seu coração, de sua intuição. Às vezes, lembranças têm pensamento próprio. Nós fizemos aquelas bolhas, e as flores ficaram protegidas lá dentro. Você lembra? Faça bolhas. Bolhas dentro de bolhas dentro de bolhas. Bolhas de magia. Bolhas de gelo. Bolhas de vidro e de ferro e de luz estelar. Bolhas de charco. O material é menos importante que a intenção. Use sua imaginação e imagine uma. Em volta de cada casa, cada horta, cada árvore, cada fazenda. Em volta de toda a cidade. Em volta das Cidades Livres. Bolhas, bolhas e mais bolhas. Cerque. Proteja. Vamos usar sua magia, nós três juntas. Feche os olhos, e eu vou mostrar o que fazer.

Com os dedos entrelaçados com os da mãe e os da avó, Luna sentiu algo nos ossos: uma torrente de calor e luz saindo do centro da Terra até o céu bem alto, indo e voltando, indo e voltando. Magia. Luz estelar. Luz do luar. Lembranças. Seu coração tinha tanto amor que começou a transbordar. Como o vulcão.

A montanha se abriu. Choveu fogo. As cinzas escureceram o céu. As bolhas brilharam no calor e cambalearam sob o peso do vento e do fogo e da poeira. Luna manteve-se firme.

* * *

Três semanas mais tarde, Antain mal reconhecia sua casa. Ainda havia *tantas cinzas*. Pedras e restos de árvores bloqueavam as ruas do Protetorado. O vento carregou cinzas vulcânicas e cinzas do incêndio na floresta e cinzas que ninguém queria identificar pela encosta da montanha e as depositou nas ruas. De dia, o sol mal aparecia por entre a neblina de fumaça e, à noite, a lua e as estrelas permaneciam invisíveis. Luna enviou chuvas para lavar o Protetorado e a floresta e a montanha arruinada, o que ajudou a limpar um pouco o ar. Mesmo assim, ainda havia muito a ser feito.

As pessoas sorriam com esperança apesar da bagunça. O Conselho de Anciãos foi condenado à prisão, e novos membros estavam sendo eleitos pelo voto popular. O nome Gherland virou um xingamento comum. Wyn administrava e cuidava da biblioteca da Torre, que acolhia todos os visitantes. Por fim, a Estrada foi aberta, permitindo que os cidadãos do Protetorado, pela primeira vez na vida, pudessem viajar. Embora muitos não tenham feito isso. Não a princípio.

No centro de todas essas mudanças estava Ethyne: uma força da razão e da possibilidade, tudo junto, com seu bebê amarrado ao peito. Antain mantinha sua família junto de si. *Nunca vou deixá-los de novo,* murmurava ele, quase para si mesmo. *Nunca, nunca, nunca.*

* * *

Tanto Xan quanto a Devoradora de Tristeza foram levadas para a ala hospitalar da Torre. Quando as pessoas compreenderam o que

Irmã Ignatia tinha feito, houve pedidos para que fosse presa; entretanto, a vida que fora tão longa para as duas mulheres ia se extinguido aos poucos.

Não falta muito mais, pensou Xan. *Em breve.* Não tinha medo da morte. Apenas curiosidade. Não sabia o que pensava a Devoradora de Tristeza.

* * *

Ethyne e Antain hospedaram Luna e sua mãe no quarto do bebê, assegurando que Luken não precisava do próprio quarto e, de qualquer forma, eles não suportavam ficar longe do bebê nem um instante sequer.

Ethyne transformou o cômodo em um lugar de cura para mãe e filha. Superfícies macias. Cortinas grossas para quando o dia ficasse insuportável. Lindos vasos de flores. E papel. Tanto papel (embora sempre parecesse ter mais e mais e mais). A louca começou a desenhar. Às vezes, Luna ajudava. Ethyne prescreveu sopa e ervas medicinais. E descanso. E amor infinito. Estava totalmente preparada para fornecer tudo isso.

No meio-tempo, Luna decidiu tentar descobrir o nome da mãe. Bateu de porta em porta, buscando pessoas dispostas a conversar — não foram muitas no início. O povo do Protetorado não a amava cegamente como as pessoas das Cidades Livres. O que era um pouco chocante, para ser sincera.

Vou demorar um pouco para me acostumar com isso, pensou Luna.

Depois de dias de perguntas e dias de pesquisa, voltou para a mãe na hora do jantar e se ajoelhou a seus pés.

— Adara — disse a menina. Pegou o próprio diário e mostrou para a mãe desenhos que tinha feito antes mesmo de elas terem se conhecido. Uma mulher nas vigas do teto. Um bebê em seus braços. Uma torre, a mão de alguém saindo pela janela. Uma criança em um círculo de árvores. — Seu nome é Adara. Tudo bem se você não lembrar. Vou continuar a dizer até você lembrar. Assim como sua mente vagou para todos os lados tentando me encontrar, meu coração vagou, tentando encontrar *você.* Veja aqui, eu até desenhei um mapa. "Ela está aqui, ela está aqui, ela está aqui". — Luna fechou o diário. — Você está aqui, você está aqui, você está aqui. E eu também.

Adara não disse nada. Deixou a mão pousar na de Luna e fechou os dedos.

* * *

Luna, Ethyne e Adara foram visitar o ex-Grão-Ancião na prisão. O cabelo de Adara tinha começado a crescer, cacheando-se em volta do rosto, como ganchos pretos e grandes para emoldurar os grandes olhos pretos.

Gherland franziu o cenho quando elas entraram.

— Eu deveria tê-la afogado no rio — declarou ele para Luna, fazendo uma careta. — Você acha que eu não a reconheci, mas reconheci sim. Cada uma de vocês, crianças insuportáveis, assombrou meus sonhos. Eu as vi crescer e crescer, mesmo sabendo que estavam mortas.

— Mas nós não morremos — contou Luna. — Nem uma de nós. Talvez fosse isso que seus sonhos estivessem lhe dizendo. Talvez o senhor devesse aprender a ouvir.

— Não vou ouvir você.

Adara se ajoelhou ao lado do velho. Colocou a mão em seu joelho.

— O novo Conselho disse que o senhor pode receber o perdão se estiver disposto a pedir desculpas.

— Então irei apodrecer aqui — esnobou o Grão-Ancião. — Desculpar-me? Que ideia!

— Pedir ou não desculpas é irrelevante — disse Ethyne, com voz bondosa. — Eu o perdoo, tio. De coração. Assim como meu marido o perdoa. Quando o senhor pedir desculpas, porém, o senhor poderá começar a se curar. Não é por nós. É pelo senhor mesmo. E eu recomendo.

— Eu gostaria de ver meu sobrinho — pediu Gherland, com a voz imperiosa falhando ligeiramente. — Por favor. Peça para ele vir me ver. Quero muito ver seu rosto querido.

— O senhor vai se desculpar? — perguntou Ethyne.

— *Jamais* — cuspiu Gherland.

— Que pena — disse Ethyne. — Adeus, tio.

E elas partiram sem dizer outra palavra.

O Grão-Ancião manteve sua decisão. Permaneceu na prisão até o fim de seus dias. As pessoas pararam de visitá-lo e pararam de mencioná-lo — até mesmo em piadas. Com o tempo, ele foi totalmente esquecido.

* * *

Fyrian continuou crescendo. Cada dia que voava pela floresta, voltava e reportava o que tinha visto.

— O lago se foi. Está cheio de cinzas. E a oficina se foi. E a casa de Xan. E o pântano. Mas as Cidades Livres ainda estão lá. Ilesas.

Nas costas de Fyrian, Luna visitou cada uma das Cidades Livres, uma por vez. Embora os moradores estivessem felizes por ver Luna, ficavam chocados por não verem Xan, e, diante das notícias do estado de saúde da velha, as Cidades Livres ficaram tristes em uníssono. Estavam incertos quanto ao dragão, mas, quando viram sua gentileza com as crianças, relaxaram um pouco.

Luna lhes contou a história de uma cidade que estava sob o controle de uma terrível Bruxa, que os aprisionara sob uma nuvem de tristeza. Contou-lhes sobre os bebês. Sobre o terrível Dia do Sacrifício. Sobre a outra Bruxa, que encontrava os bebês na floresta e os trazia em segurança, sem saber que horrores os tinham colocado naquela situação.

— Oh! — exclamaram os cidadãos das Cidades Livres. — Oh! Oh! Oh!

E as famílias das Crianças Estelares seguravam a mão dos filhos e das filhas com mais força.

— Eu fui tirada de minha mãe — explicou Luna. — Como vocês, fui levada para uma família que me amava e que eu amava. Não deixei de amar essa família, nem quero isso. Só posso permitir que meu amor cresça. — Ela sorriu. — Eu amo minha avó, que me criou. Eu amo minha mãe, que perdi. O amor não tem limites. Meu coração é infinito. E minha alegria só cresce. Vocês vão ver.

Cidade após cidade, ela repetiu a mesma coisa. Então, montou nas costas de Fyrian e voltou para a avó.

* * *

Glerk se recusava a deixar a cabeceira de Xan. Sua pele de monstro ficou rachada e coçava sem o banho diário na amada água do pântano. Todos os dias, ele olhava para o Charco com saudade. Luna pediu às antigas Irmãs — as amigas de Ethyne — para, por favor, manterem um balde pronto para molhá-lo quando precisasse, mas água de poço não era a mesma coisa. Por fim, Xan lhe disse para parar de ser tão tolo e ir ao Charco para o banho diário.

— Não suporto pensar em seu sofrimento, querido — sussurrou Xan, suas mãos murchas pousadas no rosto do grande ogro. — Além disso, e não se ofenda com o que vou dizer, você está fedendo. — Ela respirou com dificuldade. — Amo você.

Glerk colocou as mãos no rosto dela.

— Quando estiver pronta, Xan, minha querida, você pode vir comigo. Até o Charco.

* * *

Conforme a saúde de Xan passou a se deteriorar mais rápido, Luna informou à mãe e aos anfitriões que dormiria na Torre.

— Minha avó precisa de mim — disse ela. — E eu preciso estar perto dela.

Os olhos de Adara se encheram de lágrimas quando a menina disse isso. Luna pegou sua mão.

— Meu amor não é dividido — disse ela. — É multiplicado.

Ela beijou a mãe e voltou para a avó, aconchegando-se a ela noite após noite.

* * *

No dia em que a primeira onda de Crianças Estelares voltou ao Protetorado, as antigas Irmãs abriram as janelas do hospital.

A Devoradora de Tristeza agora parecia tão velha quanto pó. Sua pele enrugava-se sobre os ossos feito papel velho. Seus olhos fundos não enxergavam nada.

— Feche a janela — gemeu ela. — Não suporto ouvir isso.

— Deixe aberta — sussurrou Xan. — Não suporto não ouvir.

Xan, também, estava seca como uva-passa. Mal respirava. *Não falta muito agora,* pensou Luna, enquanto se mantinha ao lado da avó, segurando sua mão pequena e leve como uma pluma.

As Irmãs deixaram as janelas escancaradas. Gritos de alegria invadiram o quarto. A Devoradora de Tristeza gritou de dor. Xan suspirou de felicidade. Luna lhe apertou a mão.

— Amo você, vovó.

— Eu sei, queridinha — murmurou Xan. — Amo...

E ela se foi, amando tudo.

47

E Glerk sai em uma viagem e deixa um poema para trás

Mais tarde naquela noite, o quarto estava quieto, em silêncio completo. Fyrian parara de uivar aos pés da Torre e tinha ido chorar e dormir na horta. Luna voltara para os braços abertos da mãe e de Antain e de Ethyne — outra família estranha e amada para uma menina estranha e amada. Talvez ela devesse dormir no quarto com a mãe. Talvez devesse se aconchegar do lado de fora com seu dragão e seu corvo. Talvez seu mundo fosse maior que antes, como acontece com as crianças quando deixam de ser crianças. As coisas ficaram do jeito que deveriam ser, pensou Glerk. Pressionou as quatro mãos no coração por um momento, então deslizou pelas sombras e voltou para o lado de Xan.

Era hora de partir. Ele estava pronto.

Os olhos de Xan estavam fechados. A boca, aberta. Não respirava. Era apenas pó, ossos e tranquilidade. A substância de Xan estava ali, mas não sua fagulha.

Não havia lua, mas as estrelas estavam brilhantes. Mais brilhantes que o normal. Glerk juntou a luz nos dedos. Juntou os fios, trançando-os em uma colcha cintilante. Colocou-a em volta da velha e a levantou até o peito.

Ela abriu os olhos.

— Ora, Glerk — disse ela. Olhou em volta. O quarto estava em silêncio exceto pelo coaxar dos sapos. Estava frio, exceto pelo calor da lama abaixo. Estava escuro, exceto pelo brilho do sol nos juncos e pelo brilho do Charco sob o céu. Ela perguntou: — Onde estamos?

Ela era uma velha. Ela era uma menina. Estava em algum lugar entre esses dois extremos. Era tudo isso de uma só vez.

Glerk sorriu.

— No início, havia apenas o Charco. E o Charco cobria o mundo, e o Charco era o mundo, e o mundo era o Charco.

Xan suspirou.

— Eu conheço essa história.

— Mas o Charco estava solitário. Queria o mundo. Queria olhos para enxergar o mundo. Queria costas fortes para se carregar de um lugar a outro. Queria pernas para caminhar e mãos para tocar e uma boca que pudesse cantar. Assim, o Charco era o Ogro, e o Ogro era o Charco. Então, o Ogro cantou a criação do mundo. E o mundo e o Ogro e o Charco eram feitos de uma substância, e eram todos ligados pelo amor infinito.

— Você está me levando para o Charco, Glerk? — perguntou Xan. Ela se soltou do abraço dele e ficou de pé sozinha.

— É tudo a mesma coisa, será que não percebe? O Ogro, o Charco, o Poema, o Poeta, o mundo. Todos eles a amam. Eles a amaram esse tempo todo. Você virá comigo?

E Xan deu a mão a Glerk, e eles olharam para o Charco infinito e começaram a caminhar. Não olharam para trás.

* * *

No dia seguinte, Luna e a mãe fizeram uma longa caminhada até a Torre, subiram as escadas e foram até aquele pequeno quarto para pegar as últimas coisas de Xan e preparar o corpo para a última jornada para baixo da terra. Adara colocou o braço em volta do ombro da filha, um antídoto para a tristeza. Luna saiu do abraço protetor da mãe, preferindo, em vez disso, pegar a mão de Adara. Juntas, abriram a porta.

As antigas Irmãs as aguardavam em um quarto vazio.

— Não sabemos o que aconteceu — disseram elas, os olhos brilhando com lágrimas.

A cama estava vazia e fria. Não havia sinal algum de Xan.

Luna sentiu o coração ficar dormente. Olhou para a mãe, que tinha os mesmos olhos. A mesma marca na testa. *Não existe amor sem perda,* pensou ela. *Minha mãe sabe disso. Agora eu também sei.* Sua mãe deu um aperto leve na mão da filha e pressionou os lábios no cabelo da menina. Luna se sentou na cama, mas não chorou. Passou a mão pela cama e encontrou um papel enfiado embaixo do travesseiro.

De luz estelar é feito o coração
E de tempo também.
Uma alfinetada de saudade perdida na escuridão.
Uma corda intacta ligando o Infinito ao Infinito.
Meu coração deseja seu coração
E o desejo é concedido.
Enquanto isso, o mundo gira.
Enquanto isso, o mundo se amplia.
Enquanto isso, o mistério do amor se revela
De novo e de novo, no mistério que você é.
Eu me fui.
Eu vou voltar.
Glerk

Luna enxugou os olhos e dobrou o poema na forma de uma andorinha, que ficou imóvel na palma de sua mão. A menina saiu da Torre, deixando a mãe para trás. O sol começava a nascer. O céu estava rosado, alaranjado e azul-escuro. Em algum lugar, um monstro e uma bruxa vagavam pelo mundo. E isso era bom, decidiu ela. Era muito, muito bom.

As asas da andorinha de papel começaram a tremer. Elas se abriram. Elas bateram. A andorinha virou a cabeça para a menina.

— Tudo bem — disse Luna. Sua garganta doía. Seu peito doía. O amor doía. Então, por que estava feliz? — O mundo é bom. Vá vê-lo.

E o passarinho deu um salto para o céu e voou para longe.

48

E uma última história é contada

Sim.

Existe uma bruxa na floresta.

Bem, é claro que existe uma bruxa. Ela veio aqui em casa ontem. Você a viu, eu a vi, todos nós a vimos.

Bem, é claro que ela não alardeia *sua bruxice. Seria deselegante. Você tem cada uma!*

Ela se tornou mágica quando era só uma bebê. Uma outra bruxa, uma bruxa muito antiga, a encheu de tanto poder que a velha bruxa nem sabia o que fazer com ele. E a magia fluía e fluía da velha bruxa para a nova bruxa, do mesmo jeito que a água desce a montanha. É isso que acontece quando uma bruxa reivindica alguém para si — alguém a ser protegido acima de todos os outros. A magia flui e flui até que não haja nada mais para dar.

Foi assim que nossa Bruxa nos *reivindicou. O Protetorado inteiro. Nós somos dela, e ela é nossa. Sua magia nos abençoa a todos e a tudo que vemos. Abençoa as fazendas e os pomares e as hortas. Abençoa o Charco e a floresta e até mesmo o vulcão. Ela nos abençoa de forma igualitária. É por isso que o povo do Protetorado é saudável e vigoroso e brilhante. É por isso que nossos filhos têm rostos corados e são inteligentes. É por isso que temos felicidade em abundância.*

Era uma vez uma Bruxa que recebeu um poema do Ogro do Charco. Talvez fosse só o poema que criou o mundo. Talvez fosse o poema que levaria o mundo a seu fim. Talvez fosse outra coisa. Tudo o que sabemos é que a Bruxa o mantém em segurança em um medalhão sob seu manto. Ela pertence a nós, mas um dia sua magia vai se desbotar e ela vai vagar de volta ao Charco, e nós não teremos mais uma bruxa. São apenas histórias. Talvez ela vá encontrar o Ogro. Ou se tornar o Ogro. Ou se tornar o Charco. Ou se tornar um Poema. Ou se tornar o mundo. Eles são todos a mesma coisa, sabe?

Este livro foi composto na tipologia Palatino LT Std,
em corpo 11/16, e impresso em papel off-white,
no Sistema Cameron da Divisão Gráfica
da Distribuidora Record.